CB080484

INABALÁVEL

TONY ROBBINS

INABALÁVEL

UM GUIA PRÁTICO PARA A LIBERDADE FINANCEIRA

Criando tranquilidade em um mundo volátil

Tradução
Eduardo Rieche

8ª edição

BestSeller
Rio de Janeiro | 2021

CIP-BRASIL. CATALOGAÇÃO NA PUBLICAÇÃO
SINDICATO NACIONAL DOS EDITORES DE LIVROS, RJ

Robbins, Tony
R545i Inabalável: um guia prático para a liberdade financeira / Tony Robbins,
8ª ed. Peter Mallouk; tradução: Eduardo Rieche. – 8ª ed. – Rio de Janeiro: Best*Seller*, 2021.
: il.; 23 cm.

Tradução de: Unshakeable: Your Financial Freedom Playbook
ISBN 978-85-465-0113-7

1. Finanças pessoais. 2. Economia. 3. Investimento. I. Mallouk, Peter. II. Rieche, Eduardo. III. Título.

CDD: 332.024
18-47988 CDU: 330.567.2

Meri Gleice Rodrigues de Souza – Bibliotecária – CRB-7/6439

Texto revisado segundo o novo Acordo Ortográfico da Língua Portuguesa.

Título original:
UNSHAKEABLE: YOUR FINANCIAL FREEDOM PLAYBOOK

Design de capa: Oporto Design

Impresso no Brasil

ISBN 978-85-465-0113-7

Para aquelas almas que nunca vão se contentar com menos do que podem ser, fazer, compartilhar e oferecer.

Este livro foi concebido para fornecer informações que o autor acredita serem rigorosas em relação ao tema abordado, mas é comercializado sob o entendimento de que nem o autor nem a editora oferecem consultoria individualizada e adaptada a algum portfólio específico ou às necessidades específicas de cada indivíduo, tampouco prestam consultoria de investimentos ou outros serviços profissionais, como aconselhamento jurídico ou contábil. Recomendamos que se busque os serviços de um profissional competente caso seja necessária uma assistência especializada em áreas que incluam consultoria de investimentos e aconselhamentos jurídico e contábil. Esta publicação menciona dados de desempenho coletados ao longo de vários períodos de tempo. Os resultados prévios não garantem o desempenho futuro. Além disso, os dados de desempenho, assim como leis e regulamentos, mudam ao longo do tempo, o que pode alterar o nível das informações contidas nesta obra. Este livro fornece dados históricos apenas para discutir e ilustrar os princípios norteadores, não pretendendo servir como base para qualquer decisão financeira, recomendação de um consultor de investimentos específico, ou como oferta de compra ou venda de quaisquer valores mobiliários. Recomenda-se apenas a utilização de prospectos para propostas de compra ou venda de valores mobiliários, e os prospectos devem ser lidos e avaliados cuidadosamente antes de qualquer investimento ou desembolso de dinheiro. Não é possível oferecer nenhuma garantia em relação à exatidão ou à integridade das informações contidas neste livro, e tanto o autor quanto a editora se eximem, especificamente, de quaisquer responsabilidades por qualquer dívida, perda ou risco, pessoal ou não, nos quais se incorra como consequência, direta ou indireta, do uso e da aplicação de quaisquer conteúdos deste livro. No texto a seguir, foram alterados os nomes de muitas pessoas e características que possibilitassem sua identificação.

Aviso legal: Tony Robbins é membro do conselho e coordenador de psicologia do investidor na Creative Planning Inc., consultoria de investimentos registrada (RIA, na sigla em inglês) na SEC, com gestores de patrimônio atendendo em todos os cinquenta estados do país. O Sr. Robbins é remunerado por essa função, com base no aumento de negócios obtidos pela Creative Planning em decorrência de seus serviços. Consequentemente, o Sr. Robbins faz jus a um incentivo financeiro pela recomendação da Creative Planning aos investidores. Mais informações sobre classificações e/ou distinções recebidas pela Creative Planning podem ser encontradas em: http://getasecondopinion.com/rankings [em inglês].

SUMÁRIO

SEÇÃO II
O MANUAL *INABALÁVEL*

SEÇÃO III
A PSICOLOGIA DA RIQUEZA

Não perca mais tempo discutindo sobre
como um bom homem deve ser.
Seja um.

— Marco Aurélio

O dinheiro é apenas uma ferramenta.
Ele vai levá-lo aonde você quiser,
mas não vai substituir o motorista.

— Ayn Rand

INTRODUÇÃO

Steve Forbes, editor da revista Forbes
e diretor-executivo da Forbes Inc.

Este livro conciso, rico em sabedoria e cuidadosamente escrito não poderia ser mais oportuno. Melhor ainda, suas percepções e recomendações são atemporais. Os investidores — e sobretudo aqueles que não estão investindo atualmente — devem lê-lo e seguir à risca o que ele diz.

Jamais tivemos um mercado em alta por um período tão longo de tempo que, desde o início, tenha sido acompanhado por tamanha cautela e pessimismo. O mercado de ações não caminha em linha reta, para cima ou para baixo, e cada recuo apresentado desde 2009 foi recebido com lamentos, acreditando que estaríamos à beira de mais uma terrível derrapada. Um dos resultados dessa aversão aos investimentos é o fato de que dezenas de milhões de pessoas que deveriam estar inseridas no mercado, particularmente os millennials, não estão. Acertadamente, Tony Robbins destaca que, em relação à acumulação de ativos especialmente destinados à aposentadoria, essas pessoas estão cometendo um erro de longo prazo muito caro ao optarem por se manter à margem.

O que ajuda a tornar esta obra tão confiável é que o autor tem lidado, há algum tempo, com a ansiedade generalizada em torno do nosso futuro econômico, preocupação que tornou tão impactante o ciclo eleitoral de 2016. Ele reconhece que, de fato, algum dia vamos acabar enfrentando um verdadeiro mercado em baixa. Mas a possibilidade desse acontecimento não é motivo para que os indivíduos permaneçam afastados e simplesmente cruzem os braços. As grandes recessões no mercado ocorrem periodicamente, mas, em longo prazo, a tendência das ações *sempre* foi ascendente. Ao admitir a realidade de que a emoção é a inimiga número um dos investimentos, os indivíduos podem conceber estratégias que lhes permitam superar o mercado *e* a maioria dos gestores profissionais.

Cuidadosa e ponderadamente, Robbins mostra que você pode ser o mestre de seu destino como investidor, em vez de aguardar à margem ou mudar repentinamente de estratégia, reagindo à volatilidade do mercado de forma apavorada e prejudicial. **O que fazer quando as ações caírem? Como é possível encontrar oportunidades no momento em que todos só veem desastres?** Robbins apresenta regras sensíveis que vão impedir você de cometer erros que custam caro e, melhor ainda, explica quais ações podem ser adotadas — como a recalibração de sua alocação de ativos — para estabelecer as bases de retornos futuros.

O inimigo número dois são as taxas. As despesas provêm não apenas dos custos anunciados, mas também de uma variedade de taxas ocultas. Graças aos efeitos da composição, esses desembolsos ao longo do tempo podem, literalmente, reduzir suas economias em centenas de milhares de dólares. Lembre-se de que cada dólar em despesas significa um dólar a menos que pode render dividendos nos anos seguintes. É por isso que você deve examinar cuidadosamente o seu plano 401(k) para descobrir quais cobranças abusivas podem estar contribuindo para sua corrosão, exatamente como fazem os cupins em uma casa. Até mesmo os fundos de índice podem lhe cobrar encargos desnecessários. No caso das pensões vitalícias, um dos instrumentos de investimento mais populares, as despesas podem fazer com o seu dinheiro o mesmo que Godzilla fez com as cidades. Um investidor bem informado é um investidor muito mais rico.

Diversas mudanças regulatórias vêm ocorrendo no mundo da gestão do dinheiro, principalmente por iniciativa do Departamento de Trabalho dos EUA (DOL, na sigla em inglês). Este livro vai ajudar você a compreendê-las.

Finalmente, Robbins afirma que a geração de riqueza não é um fim em si mesmo, embora seja um aspecto crucial para alcançar uma vida que faça sentido, uma verdade muitas vezes ignorada. Meu avô, B. C. Forbes, que fundou nossa empresa há cerca de um século, observou, na primeira edição da revista que leva seu nome, que "o objetivo dos negócios é produzir felicidade, e não acumular dinheiro".

Só podemos esperar que mais pessoas, especialmente as mais jovens, que acabaram de ingressar no mercado de trabalho, consigam assimilar plenamente a mensagem de investimento de Robbins: sejam bem-vindas!

Ele tem razão. Os millennials estão cometendo o mesmo erro que uma geração anterior, marcada pela catástrofe da Grande Depressão cometeu há décadas. O medo que aquelas pessoas tinham das ações era bastante compreensível. De 1929 a 1932, o índice Dow Jones caiu o que seria equivalente, hoje, a 17 mil pontos! Isso representa uma queda de quase 90%. A década de 1930 foi assolada por altas taxas de desemprego. E então eclodiu a Segunda Guerra Mundial. Não é de admirar que a maioria dos norte-americanos tenha jurado nunca se aproximar de uma ação.

No entanto, após a Segunda Guerra, os Estados Unidos entraram em um farto período de prosperidade. Os preços das ações subiram de maneira vertiginosa. Infelizmente, muitas pessoas ficaram de fora ou investiram demais em títulos aparentemente seguros; seria difícil elas perceberem que o mercado da dívida estava inaugurando o que viria a se tornar um mercado em baixa que duraria 35 anos. Os investidores perderam quantias impressionantes para a inflação, que destroçou as bases dos títulos. Essas pessoas perderam uma oportunidade fantástica de enriquecer.

Nunca se esqueça desses dois ferozes inimigos do sucesso no mercado de ações: o medo e as taxas.

Será que este sábio livro vai deixar Tony Robbins rico? Não. Todos os lucros serão destinados à Feeding America, que oferece refeições gratuitas para quem precisa. Nisto, Robbins exemplifica uma verdade básica, muitas vezes ignorada: o comércio e a filantropia não são polos diametralmente opostos, são dois lados de uma mesma moeda. Nos mercados livres, você só consegue ser bem-sucedido se fornecer um produto ou serviço que os outros queiram. Ou seja, você prospera atendendo às necessidades e aos desejos dos outros. A filantropia está relacionada ao atendimento das necessidades das outras pessoas. Os conjuntos de habilidades exigidos em cada uma dessas esferas podem ser diferentes, mas o objetivo fundamental é o mesmo. Na verdade, os empresários bem-sucedidos geralmente se tornam filantropos bem-sucedidos. Bill Gates é apenas um exemplo dentre muitos.

Tony Robbins demonstra que, ao criar recursos ou produzir algo, você adquire os meios para ajudar os outros. Este livro vai ser um guia inestimável para permitir que você faça o mesmo — e em uma escala que jamais pensou ser possível.

PREFÁCIO

Jack C. Bogle, fundador do Vanguard, que possui mais de US$ 3 trilhões em ativos sob gestão

No início de 2016, comecei meu sábado lendo o *New York Times* durante o café da manhã. Depois de dar uma olhada na primeira página (e de recortar as palavras cruzadas para completá-las mais tarde), voltei minha atenção para a seção de negócios. No alto da seção B1, diagramada em destaque, estava a coluna "O seu dinheiro", de Ron Lieber, apresentando estratégias essenciais de gestão financeira em artigos assinados por seis especialistas em finanças pessoais.

O objetivo de Ron era mostrar que a gestão eficaz do dinheiro não precisa ser complicada, uma vez que os pontos principais relacionados a esse assunto cabem em um único artigo. Cinco das seis matérias falavam sobre como investir suas economias, e todas davam basicamente o mesmo conselho: invista em fundos de índice.

Os investidores vêm assimilando essa mensagem. Em 1975, criei o primeiro fundo mútuo de índice do mundo e, desde então, tenho enaltecido seus méritos. Naqueles primeiros dias, eu era uma voz solitária, sem muitos ouvintes. Hoje, um enorme coro se ergueu para me ajudar a difundi-los. Os investidores estão ouvindo nossas vozes em alto e bom som e estão votando com convicção — em outras palavras, com seus dólares.

Desde o fim de 2007, os investidores de fundos mútuos já somaram quase US$ 1,65 trilhão em seus portfólios de ações de fundos de índice, reduzindo suas participações em fundos de investimento ativamente gerenciados a US$ 750 bilhões. Acredito que essa alteração de US$ 2,4 trilhões nas preferências dos investidores nos últimos nove anos não tenha precedentes na história da indústria de fundos mútuos.

Nos últimos sete anos, Tony Robbins assumiu a missão de ajudar o investidor médio a ganhar o jogo, anunciar a existência dos fundos de índice e alertar os investidores para que parassem de gastar demais com desempenhos insatisfatórios. Em sua jornada, ele conversou com algumas das mentes mais brilhantes do mundo financeiro. Embora eu não tenha certeza de pertencer a essa categoria, Tony apareceu em meu escritório, no Vanguard, para saber minhas opiniões sobre investimentos. E eu preciso dizer: Tony é uma força da natureza! Depois de passar apenas alguns minutos com ele, compreendo totalmente como conseguiu inspirar milhões de pessoas ao redor do mundo.

Passamos momentos tão agradáveis juntos que nossa conversa, programada para durar 45 minutos, acabou se estendendo por quatro horas. Foi uma das entrevistas mais provocantes e instigadoras que concedi em minha carreira de 65 anos na indústria dos fundos mútuos. A energia e a paixão de Tony são contagiantes e energizantes. Eu sabia desde o começo que seu livro teria um enorme impacto sobre os investidores.

Mas mesmo eu subestimava a grandeza do impacto que Tony provocaria. Seu primeiro livro sobre investimentos, *Dinheiro: domine esse jogo*, vendeu mais de um milhão de cópias e passou sete meses no topo da lista dos campeões de vendas do *New York Times*. Agora ele retorna com *Inabalável*, que certamente vai agregar ainda mais valor para os leitores. *Inabalável* apresenta percepções de algumas das figuras mais importantes no mundo dos investimentos, como Warren Buffett e o gestor do fundo de dotações de Yale, David Swensen. Warren e David afirmaram, mais de uma vez, que os fundos de índice são a melhor maneira de os investidores maximizarem suas chances de sucesso nos investimentos. Este livro vai ajudar essa mensagem a atingir ainda mais investidores.

Os fundos de índice são simples. Em vez de tentar prever o comportamento do mercado ou se antecipar a outros gestores de dinheiro profissionais quanto às perspectivas das ações individuais, os fundos de índice simplesmente compram e mantêm todas as ações em um índice de mercado amplo, como o S&P 500. Os fundos de índice funcionam comparando os custos de investimento com o mínimo absoluto. Eles não pagam nenhuma taxa elevada para gestores de dinheiro e têm custos de negociação mínimos, pois seguem a estratégia básica de compra e manutenção. Não podemos controlar o que os mercados vão fazer, mas podemos controlar o quanto vamos pagar pelos nossos investimentos. Os fundos de índice permitem investir, a um custo mínimo, em um portfólio diversificado até o enésimo grau.

Pense nisso da seguinte forma: em conjunto, todos os investidores possuem o mercado, portanto compartilham o retorno bruto do mercado (antes dos custos). Pelo simples fato de possuírem todo o mercado, os fundos de índice também recebem o retorno do mercado com um custo anual mínimo: apenas 0,05% do valor investido. O restante do mercado é ativo, com os investidores e os gestores de dinheiro negociando furiosamente de um lado para o outro, tentando superar o mercado. No entanto, eles também, como grupo, possuem todo o mercado e recebem o retorno bruto deste. Tudo isso é extremamente caro. Os gestores de fundos exigem (e recebem) taxas elevadas, e Wall Street lucra com todas essas frenéticas negociações. Essas e outras taxas ocultas podem chegar facilmente a mais de 2% ao ano.

Assim, os investidores dos fundos de índice recebem o retorno bruto do mercado deduzido das taxas de 0,05% ou menos, enquanto os investidores ativos receberão, em conjunto, o mesmo retorno bruto com uma dedução de 2% ou mais. *O retorno bruto do mercado menos o custo de investimento equivale ao retorno líquido dos investidores.* Essa "hipótese da importância do custo" é tudo o que você precisa saber para entender os benefícios do investimento em fundos de índice. Ao longo de uma vida inteira como investidor, essa diferença anual vai se tornar realmente significativa. A maioria dos jovens em início de carreira vai investir durante 60 anos ou mais. **Sob os efeitos da composição ao longo de todo esse tempo, os altos custos de investimento podem confiscar surpreendentes 70% dos retornos acumulados em sua vida útil!**

Esse diferencial de custo desconsidera substancialmente os custos incorridos por inúmeros investidores — especialmente os investidores em planos de aposentadoria 403 (b) e 401 (k). Como Tony afirma no Capítulo 3, esta camada extra de taxas (em larga medida, oculta) confisca uma surpreendente porção adicional dos retornos proporcionados pelos seus fundos.

Estou empolgado por ter dado minha pequena contribuição para este livro e endossado Tony em seus bons conselhos. Estou satisfeito por ter passado uma tarde maravilhosa conversando com ele. Estou orgulhoso por ter a oportunidade de divulgar o mantra da indexação e de ajudar os seres humanos honrados e práticos que poupam pensando em uma aposentadoria segura ou na educação de seus filhos.

Com talento e profundidade, Tony aborda a história dos riscos e retornos dos investimentos, e os investidores bem-sucedidos devem estar a par dessa história. Dito isso, a história, como escreveu o poeta britânico Samuel Taylor Coleridge, é tão somente "uma lanterna na popa, que ilumina apenas as ondas que deixamos para trás", e não o lugar para onde vamos. O passado não é necessariamente um prólogo para o futuro.

Vivemos em um mundo incerto e enfrentamos não apenas os riscos das incógnitas conhecidas, mas também das incógnitas desconhecidas: aquelas que "não sabemos que não conhecemos". Apesar desses riscos, se quisermos ter alguma chance de atingir nossas metas financeiras de longo prazo, devemos investir. Caso contrário, certamente vamos fracassar. Mas não precisamos investir 100% do capital e assumir 100% do risco para receber meros 30% da recompensa (de modo geral, muito menos do que isso). Ao comprar fundos de índice de baixo custo no mercado amplo (e mantê-los "para sempre"), é possível garantir o recebimento de uma parcela justa de qualquer retorno oferecido pelos mercados financeiros em longo prazo.

SEÇÃO I

RIQUEZA: O LIVRO DE REGRAS

CAPÍTULO 1

INABALÁVEL

Força e serenidade em um mundo de incertezas

i.na.ba.lá.vel

Confiança inquebrantável e incontestável;
firme compromisso com a verdade;
presença, serenidade e calma em meio à tempestade.

Qual seria a sensação de saber, racional e emocionalmente, e no fundo da sua alma, que você vai ser eternamente próspero? Saber com certeza absoluta que, independentemente do que aconteça na economia, no mercado de ações ou no setor imobiliário, você terá segurança financeira para o resto da vida? Saber que terá uma abundância que lhe permitirá não apenas cuidar das necessidades de sua família, mas também desfrutar da alegria de ajudar os outros?

Todos sonhamos em conseguir essa imensa paz interior, esse conforto, essa independência, essa liberdade. **Em suma, todos sonhamos em nos tornar inabaláveis.**

Mas o que significa, realmente, ser inabalável?

Não é apenas questão de dinheiro. É um estado de espírito. **Quando você é verdadeiramente inabalável, você possui uma confiança inquebrantável, até mesmo em meio à tempestade.** Não é que nada o incomode. Todos nós podemos nos sentir desconfortáveis com alguma coisa. Mas você não se acomoda nessa posição. Nada o perturba por muito tempo. Você não permite que o medo o domine. Caso se desequilibe, vai encontrar seu centro rapidamente e recuperar a calma interior. Enquanto os outros têm medo, você tem presença de espírito para tirar proveito da instabilidade ao seu redor. Esse estado mental permite que você seja um *líder*, e não um discípulo. Que seja o *jogador* de xadrez, e não apenas uma peça no tabuleiro. Que seja um dos poucos que *fazem*, e não um dos muitos que apenas falam!

Mas será mesmo *possível* se tornar inabalável nestes tempos tão confusos? Ou é apenas uma quimera?

Você se lembra de como se sentiu em 2008, quando a crise financeira ameaçou a economia global? Você se lembra do medo, da ansiedade, da incerteza que dominou a todos nós quando o mundo parecia estar caindo aos pedaços? O mercado de ações entrou em colapso, dilacerando, provavelmente, o seu plano 401 (k). O mercado imobiliário se esfacelou, destruindo, talvez, o valor de sua casa ou a de alguém que você ama. Os grandes bancos despencaram como soldadinhos de brinquedo. Milhões de pessoas honestas e trabalhadoras perderam seus empregos.

Hoje, posso afirmar que nunca vou esquecer o sofrimento e o horror que testemunhei ao meu redor. Pessoas perdendo as economias de toda uma vida, sendo expulsas de suas casas e não tendo dinheiro para custear o ensino superior de seus filhos. Meu barbeiro me contou que seu estabelecimento ficou às moscas, pois ninguém queria gastar dinheiro para cortar o cabelo. Até mesmo alguns dos meus clientes bilionários me ligavam apavorados porque seus recursos estavam totalmente comprometidos, os mercados de crédito tinham congelado, e de repente parecia que eles estavam correndo o risco de perder tudo. O medo agia como um vírus, se espalhando por todas as partes. Ele começou a controlar a vida das pessoas, infectando milhões com uma sensação de completa incerteza.

Não seria maravilhoso se toda essa incerteza tivesse acabado em 2008? Você não imaginou que, a esta altura, o mundo já estaria de volta ao normal? Que a economia global retornaria aos eixos e cresceria de forma dinâmica novamente?

Mas a verdade é que *ainda* estamos vivendo em um mundo fora dos eixos. Depois de todos esses anos, os responsáveis pelos bancos centrais *ainda* estão travando uma batalha épica para ressuscitar o crescimento econômico. Eles *ainda* estão lidando com políticas radicais que nunca havíamos observado em toda a história da economia global.

Você acha que estou exagerando? Pense novamente. Países do Primeiro Mundo como Suíça, Suécia, Alemanha, Dinamarca e Japão, possuem, no momento, taxas de juros "negativas". Você não sabe o quanto isso é insano. O grande propósito do sistema bancário é fazer você obter lucro emprestando dinheiro aos bancos, para que eles possam emprestar aos outros. Mas agora as pessoas do mundo todo estão tendo de *pagar* aos bancos para que eles aceitem suas economias arduamente conquistadas. O *Wall Street Journal* se propôs a descobrir quando foi que o mundo vivenciou um período de rentabilidade negativa *pela última vez*. O jornal, então, ligou para um historiador econômico. Sabe o que ele disse? Que era a primeira vez que aquilo acontecia em 5.000 anos de história financeira.

E foi assim que nos afastamos cada vez mais da vida em um mundo normal: os devedores são pagos para emprestar e os poupadores são punidos por economizar. Neste ambiente de cabeça para baixo, os investimentos "seguros", como títulos de alta qualidade, oferecem retornos tão ruins que você se pergunta se alguém está lhe pregando uma peça. Recentemente, fiquei sabendo que o braço financeiro da Toyota havia emitido um título de três anos que rende apenas 0,001%. A essa taxa, você precisaria de 69.300 anos para dobrar seu dinheiro!

Se você está lutando para entender o que tudo isso significa para o futuro da economia global, seja bem-vindo ao clube. Howard Marks, lendário investidor que supervisiona quase US$ 100 bilhões em ativos, me disse recentemente: "Se você não está confuso, é porque não entende o que está acontecendo."

Você percebe que está vivendo em uma época estranha quando até mesmo as mentes financeiras mais brilhantes admitem estar confusas. Para mim, essa realidade ficou muito evidente no ano passado, quando organizei uma reunião dos meus Platinum Partners, um grupo fechado de amigos e clientes que se reúnem uma vez por ano para trocar percepções financeiras dos melhores entre os melhores.

Já tínhamos ouvido as opiniões de sete bilionários autodidatas. E havia chegado a vez de ouvir um homem que, durante duas décadas, exercera mais poder econômico do que qualquer outra pessoa viva. Eu estava sentado em uma das duas cadeiras laterais de couro no palco de uma sala de conferências no hotel Four Seasons, em Whistler, na Colúmbia Britânica. Lá fora, a neve caía suavemente. O homem sentado à minha frente não era outro senão Alan Greenspan, ex-presidente do Federal Reserve dos EUA (Fed, na sigla em inglês). Nomeado pelo presidente Ronald Reagan em 1987, Greenspan serviu como diretor do Fed a nada menos que *quatro* presidentes antes de se aposentar, em 2006. Dificilmente poderíamos ter consultado uma fonte tão privilegiada e tão experiente para nos ajudar a esclarecer a confusão e lançar luz sobre o futuro da economia.

Quando nossa conversa de duas horas ia se aproximando do fim, fiz uma última pergunta para esse homem que tinha visto tudo, que tinha conduzido a economia dos EUA sob todas as circunstâncias por 19 anos. “Alan, você já viveu 90 anos neste planeta e já observou mudanças incríveis na economia mundial”, comecei. “Então, neste mundo de intensa volatilidade e de políticas insanas dos bancos centrais do mundo todo, o que você faria se ainda fosse o presidente do Fed?”

Greenspan fez uma pequena pausa. Finalmente, se inclinou para frente e respondeu: *“Eu pediria demissão!”*

COMO ENCONTRAR CERTEZAS EM UM TEMPO DE INCERTEZAS

O que fazer se até mesmo um ícone econômico da grandeza de Alan Greenspan se sente forçado a lavar as mãos, consternado, incapaz de entender o que está acontecendo ou de adivinhar aonde as coisas vão parar? Se *ele* não consegue descobrir, como é que você e eu podemos prever o que vai acontecer?

Se você está estressado e confuso, eu entendo. **Mas preciso lhe dar uma boa notícia: há algumas pessoas que têm as respostas — algumas mentes financeiras brilhantes que descobriram como ganhar dinheiro nas épocas boas e nas épocas ruins.** Depois de passar sete anos entrevistando esses mestres da atividade financeira, vou lhe mostrar suas respostas, suas percepções e seus segredos, para que você possa descobrir maneiras de vencer até mesmo nestes tempos incrivelmente incertos.

E vou lhe dizer uma coisa: uma das maiores lições que aprendi com esses mestres do dinheiro é que você não precisa prever o futuro para

ganhar esse jogo. Guarde essa ideia em seu belo e grande cérebro, porque ela é importante. Muito importante.

Eis aqui a receita: você precisa se concentrar no que consegue **controlar, e não no que não consegue.** Você não consegue controlar os rumos da economia, nem prever se o mercado de ações vai disparar ou afundar. E isso não importa! Os vencedores do jogo financeiro sabem que *eles* também não conseguem controlar o futuro. Eles sabem que, muitas vezes, seus prognósticos vão estar errados, porque o mundo é complexo demais e muda muito rapidamente para que alguém consiga antecipar o futuro. O fato é que, como você vai ficar sabendo nas próximas páginas, eles se concentram tão profundamente no que *conseguem* controlar que vão encontrar a prosperidade independentemente do que acontecer com a economia ou com os mercados financeiros. Com a ajuda das percepções desses vencedores, você também vai prosperar.

Controle o que você consegue controlar. Esse é o segredo. E este livro vai lhe mostrar exatamente como fazer isso. Acima de tudo, você vai terminar sua leitura com um plano estratégico que fornecerá as ferramentas necessárias para ganhar o jogo.

Todos sabemos que *não* vamos nos tornar inabaláveis vivendo ilusões, mentindo para nós mesmos, simplesmente exercitando o pensamento positivo ou colocando fotos de carros exóticos em nossos murais. Não basta acreditar. Você precisa das percepções, das ferramentas, das habilidades, da experiência e das *estratégias específicas* que vão capacitá-lo a alcançar uma prosperidade verdadeira e duradoura. **Você precisa aprender as regras do jogo financeiro, saber quem são os competidores, quais são seus planos, onde você pode se prejudicar e como pode ganhar. Esse conhecimento pode libertá-lo.**

O grande objetivo deste pequeno livro é fornecer esse conhecimento essencial. Ele vai lhe oferecer um manual completo para o sucesso financeiro, para que você e sua família nunca mais tenham de viver com medo e incerteza e possam, ao contrário, aproveitar essa jornada com serenidade.

Muitas pessoas simplesmente se lançam em aventuras quando o assunto é vida financeira, pagando um preço enorme por isso. E não é porque elas não se importem. É porque elas estão sobrecarregadas com todo o estresse e a tensão do dia a dia. Além disso, elas não têm experiência nessa área, portanto tudo parece intimidante, confuso e opressor. Nenhum de nós gosta de se esforçar para coisas que despertam a sensação de fracasso e incapacidade! Quando as pessoas são obrigadas a tomar decisões financeiras, muitas vezes agem movidas pelo medo — e qualquer decisão tomada sob o efeito do medo provavelmente vai estar errada.

Meu compromisso aqui é ser seu instrutor, orientá-lo e ajudá-lo para que você possa montar um plano de ação que o faça sair do lugar onde você está hoje e fazê-lo chegar aonde *quer* chegar. Talvez você pertença à geração do baby boom e pelo fato de ter começado muito tarde, receie não atingir a estabilidade financeira. Talvez você pertença à geração dos millennials e pense: "Estou tão endividado que nunca vou poder ser livre." Talvez você seja um investidor sofisticado que esteja procurando um diferencial competitivo para construir um legado que beneficie as gerações futuras. Seja você quem for, e seja lá qual for a etapa da vida em que se encontre, estou aqui para mostrar que *existe* uma saída.

Se você se comprometer a me acompanhar ao longo das páginas deste livro, prometo fornecer os conhecimentos e as ferramentas de que vai precisar para cumprir essa tarefa. Depois de absorver essas informações e colocar seu plano em prática, provavelmente você vai ter que reservar uma hora ou duas por ano para manter as coisas em ordem.

Esta é uma área da vida que exige comprometimento. Se você se comprometer a entender e a aproveitar as percepções presentes neste livro, as recompensas serão incríveis. Qual será o nível de sua força e de sua confiança quando você tiver aprendido as regras que governam o mundo financeiro? Quando você possuir esse conhecimento, esse *domínio*, poderá, então, tomar decisões financeiras inteligentes com base em uma compreensão verdadeira. E as decisões são o poder supremo. **As decisões equivalem ao destino.** As decisões que você vai tomar depois de ler este pequeno livro poderão lhe proporcionar um grau totalmente novo de paz interior, satisfação, conforto e liberdade financeira que a maioria dos seres humanos nem sonha alcançar. Eu sei que parece um exagero. Mas não é. E você vai descobrir isso por si mesmo.

CONHEÇA OS MESTRES DO DINHEIRO

Minha grande obsessão é ajudar as pessoas a construir a vida dos seus sonhos. Meu maior prazer é mostrar a essas pessoas como fazer para se livrar do sofrimento e se fortalecer. Não suporto ver alguém sofrendo, porque conheço essa sensação. Cresci paupérrimo, com quatro pais diferentes ao longo dos anos e uma mãe alcoólatra. Muitas vezes fui dormir com fome, sem saber se haveria algo para comer no dia seguinte. Tínhamos tão pouco dinheiro que eu comprava camisetas por 25 centavos em brechós e frequentei o ensino médio com calças Levi's dez centímetros mais curtas do que as minhas pernas. Para me sustentar, trabalhava como faxineiro em dois bancos durante a noite, depois pegava um ônibus para casa e dormia quatro ou cinco horas antes de me arrastar para a escola na manhã seguinte.

Hoje, sou abençoado com o sucesso financeiro. Mas garanto a você que nunca vou esquecer o que era viver naquele permanente estado de ansiedade em relação ao futuro. Naqueles dias, eu estava aprisionado às minhas circunstâncias e cheio de incertezas. Então, quando vi o que aconteceu com as pessoas durante a crise financeira de 2008-2009, não pude, de modo algum, virar as costas para elas.

O que me incomodava era saber que grande parte daquele caos econômico tinha sido causado pelo comportamento imprudente de uma pequena minoria de sujeitos desonestos de Wall Street. Ainda assim, ninguém das classes poderosas ou privilegiadas parecia estar pagando pelo sofrimento que havia sido provocado. Ninguém tinha sido preso. Ninguém atacava os problemas sistêmicos que, antes de mais nada, haviam feito a economia se tornar tão vulnerável. Ninguém parecia estar se importando com a população que suportava o impacto daquele caos financeiro. Eu percebia que as pessoas estavam sendo usadas e abusadas todos os dias, e aquilo me fazia mal.

Isso me impulsionou a tentar descobrir como eu poderia ajudar as pessoas a assumir o controle de suas vidas financeiras para que nunca mais se tornassem vítimas passivas de um jogo que não compreendiam. Eu contava com uma grande vantagem: tinha acesso a vários gigantes do mundo financeiro. O fato de eu ter sido instrutor de Paul Tudor Jones, um dos maiores negociadores de todos os tempos, me ajudou. Paul, filantropo extraordinário, pensador brilhante e amigo querido, ajudou a abrir muitas portas para mim.

Ao longo de sete anos, entrevistei mais de 50 mestres do universo financeiro. Talvez os nomes deles não signifiquem nada para você, mas no mundo das finanças esses caras são grandes estrelas, tão reconhecidos quanto celebridades como LeBron James, Robert De Niro, Jay-Z e Beyoncé!

A lista de figuras lendárias que compartilharam suas ideias comigo inclui Ray Dalio, o mais bem-sucedido gestor de fundos de cobertura da história; Jack Bogle, fundador do Vanguard e aclamado pioneiro dos fundos de índice; Mary Callahan Erdoes, que supervisiona US$ 2,4 trilhões em ativos na JPMorgan Chase & Co.; T. Boone Pickens, magnata bilionário do petróleo; Carl Icahn, o mais incrível investidor "ativista" dos Estados Unidos; David Swensen, cuja magia financeira transformou Yale em uma das universidades mais ricas do mundo; John Paulson, gestor de fundos de cobertura que ganhou, pessoalmente, US$ 4,9 bilhões em 2010; e Warren Buffett, o mais célebre investidor que já passou pela Terra.

Se você não conhece esses nomes, não está sozinho. A menos que você trabalhe com finanças, provavelmente vai estar mais informado sobre o desempenho do seu time de futebol ou sobre o que foi adicionado ao seu carrinho de compras da Net-a-Porter. Mas você também vai querer que esses gigantes financeiros estejam ao alcance do seu radar, porque eles podem, literalmente, mudar sua vida.

O resultado de toda essa pesquisa foi o meu colossal livro de 770 páginas, *Dinheiro: domine esse jogo*. Para minha satisfação, ele disparou para o primeiro lugar da lista dos campeões de vendas na área de negócios e finanças do *New York Times*, tendo vendido mais de um milhão de cópias desde sua publicação, em 2014. O livro também recebeu uma extraordinária série de comentários positivos da elite financeira. Carl Icahn, que dificilmente se deixa persuadir, declarou: "Todo investidor vai achar este livro extremamente interessante e esclarecedor." Jack Bogle escreveu: "Este livro vai esclarecer e fortalecer sua compreensão sobre como dominar o jogo do dinheiro e, a longo prazo, conquistar sua liberdade financeira." Steve Forbes comentou: "Se existisse um Prêmio Pulitzer para livros de investimento, este ganharia sem o menor esforço."

Eu gostaria de pensar em todos esses elogios como uma confirmação de minha excelência literária! Mas, na verdade, o sucesso de *Dinheiro: domine esse jogo* reflete a generosidade de todos esses gigantes, que conversaram comigo por horas a fio e compartilharam seus conhecimentos. Qualquer pessoa que se dedique a estudar e a aplicar o que eles me revelaram vai, possivelmente, atingir grandes recompensas financeiras que podem durar uma vida inteira.

Então, por que me preocupar em escrever um *segundo* livro sobre como alcançar suas ambições econômicas? Existem maneiras mais simples e fáceis de gastar meu tempo do que escrevendo livros. Por exemplo, vender meus órgãos no mercado ilegal. Mas o meu objetivo é capacitar você, leitor, e ao mesmo tempo fazer a diferença para milhões de pessoas desalentadas que precisam desesperadamente de ajuda.

Doei todos os meus lucros oriundos de *Dinheiro: domine esse jogo* e deste livro, *Inabalável*, para fornecer refeições gratuitas a pessoas que estão passando fome, por meio de minha parceria com a Feeding America, a mais eficiente instituição beneficente dos Estados Unidos quando se trata de alimentar os que não têm o que comer. Até agora, somando esses livros e as doações pessoais extras que fiz nos últimos dois anos, fornecemos mais de 250 milhões de refeições gratuitas a famílias necessitadas. Nos próximos oito anos, pretendo fazer esse total chegar a 1 bilhão de refeições. Se você está lendo este livro, também contribuiu para essa causa. Obrigado! Fique à vontade para comprar exemplares para todos os seus amigos e familiares!

Além dessa missão, tenho três razões urgentes para escrever *Inabalável*. Primeiro, desejo alcançar o maior número possível de pessoas com um livro sucinto, que possa ser lido em algumas noites ou em um fim de semana. Se você quiser se aprofundar, espero que também leia *Dinheiro: domine esse jogo*, mas vou entender se aquele monstro enorme parecer intimidador para você. Inabalável **foi concebido para ser um companheiro conciso, contendo todos os fatos e estratégias essenciais de que você precisa para transformar sua vida financeira.**

Ao escrever um livro objetivo, rápido e fácil de ler, minha intenção é não apenas aumentar a probabilidade de que você domine esse material, mas também de que você *aja* com base nisso. As pessoas adoram dizer que conhecimento é poder. Mas a verdade é que o conhecimento é apenas um poder *potencial*. Você e eu sabemos que ele vai ser inútil se você não se valer dele. Este livro oferece um plano de ação eficaz, que pode ser implementado imediatamente — afinal, a execução supera o conhecimento todos os dias.

Meu segundo motivo para escrever *Inabalável* é que tenho reparado que as pessoas estão com muito medo hoje em dia. Como é que vamos tomar decisões financeiras inteligentes e racionais se estivermos dominados pelo medo? Mesmo que você saiba o que fazer, o medo vai impedi-lo. Fico apreensivo ao imaginar que você pode adotar a direção errada se estiver com medo, prejudicando a si mesmo e a sua família de maneiras que acredito serem totalmente evitáveis. Passo a passo, este livro vai permitir que se liberte sistematicamente desse medo.

MEU BEM, ESTÁ FRIO LÁ FORA!

No momento em que escrevo, o mercado de ações já vem aumentando há sete anos e meio seguidos, tornando-se o segundo maior mercado em alta da história dos Estados Unidos. Há uma sensação generalizada de que estamos na iminência de uma queda, de que tudo o que sobe tem que descer, de que o inverno está chegando. Quando você terminar de ler isto, talvez o mercado já tenha caído. Mas, como vamos discutir no próximo capítulo, a verdade é que ninguém — repito, *ninguém* — pode prever com exatidão e coerência os rumos dos mercados financeiros. Isso inclui todos aqueles especialistas da televisão, os economistas de Wall Street com seus ternos de risca de giz e todos os outros fornecedores de poções mágicas muito bem remunerados.

Todos sabemos que o inverno está chegando e que o mercado de ações vai cair novamente. Mas nenhum de nós sabe *quando* o inverno vai chegar ou qual será o seu grau de *severidade*. Isso significa que somos impotentes? De modo algum. Inabalável **vai mostrar a você como os mestres do mundo financeiro se preparam — como se beneficiam** antecipando **o inverno, em vez de** apenas reagir a ele. **Como resultado, você vai se beneficiar exatamente daquilo que prejudica os que não estão preparados.** Pergunte a si mesmo: quando uma tempestade de gelo se aproximar, você quer ser aquele que fica ao relento, congelando sob o frio cruel? Ou você quer ser aquele que está bem agasalhado junto à lareira, assando marshmallows?

Gostaria de dar um exemplo recente de como vale a pena estar preparado. Em janeiro de 2016, a bolsa de valores despencou. Em questão de dias, US$ 2,3 trilhões viraram fumaça. Para os investidores, foram os piores dez dias iniciais de um ano em toda a história. O mundo surtou, convencido de que o apocalíptico terremoto Big One tinha finalmente chegado! Mas Ray Dalio, o mais bem-sucedido gestor de fundos de cobertura de todos os tempos, havia feito uma coisa inestimável em *Dinheiro: domine esse jogo*: ele compartilhara comigo um portfólio de investimentos único, capaz de prosperar em "todas as estações".

Em meio à queda brusca do mercado, Ray estava em Davos, na Suíça, onde a elite global se reúne anualmente para discutir a situação mundial. Ele apareceu na TV, diante de uma montanha coberta de neve, para explicar como as pessoas podiam se proteger daquela terrível instabilidade. Seu conselho? Elas deveriam adquirir um exemplar do meu livro, *Dinheiro: domine esse jogo*. "Tony Robbins elaborou uma versão leiga desse portfólio para todas as estações", explicou. "Isso pode ajudar as pessoas."

Ora, o que teria acontecido se você tivesse seguido o conselho de Ray e montado o portfólio para todas as estações descrito no meu livro? Enquanto o índice de ações Standard & Poor's (S&P) 500 (uma lista das cinco maiores empresas dos Estados Unidos) caiu 10% nos primeiros dias de 2016, você teria tido um pequeno *lucro* (um pouco menos de 1%). Esse portfólio não pretende ser uma abordagem uniformizada, nem tem a intenção de apresentar o melhor desempenho. Seu propósito é proporcionar um trânsito mais suave para aqueles que não conseguem suportar a volatilidade de um portfólio com maior porcentagem de ações (que também pode gerar retornos mais elevados).

Mas o que é realmente surpreendente é que esse portfólio para todas as estações teria proporcionado lucros em 85% do tempo nos últimos 75 anos. Esse é o poder de contar com a estratégia certa — uma estratégia compartilhada diretamente por alguns dos melhores do mundo.

EVITE OS TUBARÕES

Minha terceira razão para escrever este livro é que quero lhe mostrar como fazer para não ser devorado pelos tubarões. Como vamos discutir mais adiante, um dos maiores obstáculos para alcançar o sucesso financeiro é a dificuldade de descobrir em quem você *pode* e em quem *não pode* confiar.

Há muitos seres humanos fantásticos trabalhando na área de finanças — pessoas que sempre se lembram do aniversário de suas mães, que são gentis com os cães e que cultivam uma impecável higiene pessoal. Mas elas não estão, necessariamente, em busca daquilo que é melhor para *você*. Quase todos aqueles que você acredita estarem oferecendo "conselhos" financeiros imparciais são, na realidade, corretores (mesmo que prefiram ser chamados por quaisquer outros nomes). Eles ganham altas comissões vendendo produtos, sejam ações, títulos, fundos mútuos, contas de aposentadoria, seguros ou qualquer outra coisa que possa lhes financiar a próxima viagem às Bahamas. Como você vai saber em breve, apenas um pequeno subconjunto de consultores está *legalmente obrigado* a colocar os melhores interesses dos clientes à frente dos seus próprios.

Depois de escrever *Dinheiro: domine esse jogo*, percebi, mais uma vez, o quanto é fácil ser enganado por Wall Street. Peter Mallouk, planejador financeiro certificado e advogado a quem respeito enormemente, agendou uma reunião comigo para compartilhar o que ele descreveu, enigmaticamente, como "algumas informações cruciais". **A revista de investimentos** Barron's **classificou Peter e sua empresa, a Creative Planning, como a consultoria financeira independente número um dos Estados Unidos em 2013, 2014 e 2015, enquanto a** Forbes **a apontou como a principal consultoria de investimentos dos Estados Unidos em 2016 (com base no crescimento ao longo de 10 anos), e a CNBC a classificou como a empresa de gestão de patrimônio número um dos EUA em 2014 e 2015.** Quando alguém com a experiência e a reputação de Peter me procura, sei que vou aprender algo de muito valor.

Peter saiu de sua casa, em Kansas, para se encontrar comigo em Los Angeles, onde eu estava conduzindo um evento chamado "Desperte o seu poder interior". Foi lá que ele soltou a bomba, revelando que alguns "consultores" financeiros que se promovem como pessoas ilibadas estavam, na verdade, explorando uma área nebulosa da lei para vender produtos que beneficiavam a si mesmas. Eles alegavam ser fiduciários: uma pequena minoria de consultores legalmente obrigados a colocar os interesses de seus clientes em primeiro lugar. Na realidade, eram vendedores inescrupulosos que lucravam dissimulando suas reais intenções. *Inabalável* vai lhe dar todas as informações necessárias para se proteger dos lobos em pele de cordeiro. Igualmente importante, vamos fornecer as ferramentas e os critérios para ajudar você a identificar consultores honestos e isentos de conflitos que *realmente* vão buscar aquilo que é melhor para seus clientes.

Aquele encontro selou a base de uma amizade estreita com Peter, e fez com que ele se tornasse coautor deste livro. Ninguém poderia contar com um orientador mais experiente, honesto ou franco para esta jornada. Ele vai direto ao ponto e conhece todos os segredos!

A empresa de Peter, que gerencia US$ 22 bilhões em ativos, é única. Muitos bilionários possuem o que se chama de "escritório familiar": uma equipe interna que lhes fornece uma sofisticada consultoria sobre todos os assuntos, desde investimentos e seguros até a elaboração da declaração de impostos e planejamento de espólio. Peter presta esse mesmo abrangente nível de consultoria a clientes com ativos iguais ou superiores a US$ 500.000: médicos, dentistas, advogados, pequenos empresários. Eles são o pulso da economia norte-americana, e Peter acredita que não merecem menos cuidado e atenção que os ultrarricos.

Fiquei tão impressionado com a visão de Peter e com a criação de um "escritório familiar para todos" que ingressei no conselho da Creative Planning, me tornando coordenador de psicologia do investidor e usando os serviços da empresa para administrar meus investimentos e meu planejamento financeiro. Então, sugeri a Peter uma ideia radical: será que ele estaria disposto a criar uma divisão que oferecesse o mesmo tipo de serviço abrangente a clientes que estivessem no início de sua jornada de geração de riqueza — aqueles com apenas US$ 100.000 em total de ativos? Peter, que partilha do meu compromisso de ajudar o maior número possível de pessoas, fez exatamente isso.

Fico feliz ao informar que, se você tiver US$ 100.000 ou mais em ativos investíveis, a empresa de Peter vai fazer uma análise gratuita do seu portfólio atual e lhe dar um retorno concreto em relação aos seus objetivos. Talvez você chegue à conclusão de que é preferível lidar sozinho com suas finanças. Mas, se decidir que pode ser útil obter uma segunda opinião da empresa mais bem classificada do país, procure a Creative Planning, em **www.getasecondopinion.com** [em inglês].

O CAMINHO A SER PERCORRIDO

Antes de avançarmos, quero mostrar rapidamente um mapa do caminho a ser percorrido, para que você possa ver por si mesmo como os capítulos seguintes vão ajudá-lo. *Inabalável* está dividido em três seções. A primeira é o seu Livro de regras para a riqueza & sucesso financeiro. Por que começar com um livro de regras? *Porque se você não conhecer as regras do jogo, como pode pretender ganhar?*

O que trava muitos de nós é a sensação de que estamos despreparados. Para piorar, o mundo financeiro parece extremamente complexo. Atualmente, existem mais de 40.000 ações dentre as quais escolher, incluindo 3.700 nas várias bolsas de valores dos Estados Unidos. Até o fim de 2015, havia mais de 9.500 fundos mútuos nos EUA, o que significa que existem muito mais fundos, nesse caso, do que ações! Não é ridículo? Acrescentem-se aí cerca de 1.600 fundos negociados em bolsa e você vai estar diante de tantas opções de investimento diferentes que sua cabeça começa a rodopiar. Imagine estar diante da vitrine de uma sorveteria e ter que escolher entre 50.000 sabores.

Você e eu precisamos de regras sólidas para que possamos ordenar esse caos. Como você vai descobrir no Capítulo 3, uma das regras mais simples, porém mais relevantes, é esta: as taxas são importantes.

A grande maioria dos fundos mútuos é ativamente gerenciada, o que significa que são administrados por pessoas que tentam escolher os melhores investimentos no melhor momento possível. Seu objetivo é "superar o mercado". Elas vão tentar obter, por exemplo, um desempenho superior ao de uma cesta não gerenciada de ações líderes, como o índice S&P 500, que é apenas um dos muitos índices diferentes que acompanham mercados específicos em todo o mundo. A diferença é que as empresas de fundos mútuos ativamente gerenciadas cobram taxas elevadas em troca desse serviço. Nada mais justo, certo?

O problema é que a maioria dos fundos faz um ótimo trabalho cobrando taxas elevadas, mas um péssimo trabalho escolhendo investimentos bem-sucedidos. Um estudo mostrou que 96% dos fundos mútuos não conseguiram superar o mercado ao longo de um período de 15 anos*. O resultado? Você paga demais por um desempenho insatisfatório. É como pagar por uma Ferrari e sair da concessionária dirigindo um trator ultrapassado, todo sujo de lama.

---

* Robert Arnott, especialista do setor e fundador da Research Affiliates, estudou o desempenho, ao longo de 15 anos, de todos os 203 fundos de investimento ativamente gerenciados que possuíam pelo menos US$ 100 milhões sob gestão.

FUNDOS DE COBERTURA VS. FUNDOS MÚTUOS VS. FUNDOS DE ÍNDICE

Para aqueles que não estão familiarizados, um fundo de cobertura é um fundo privado disponível apenas para investidores de alto poder aquisitivo. Os gestores têm total flexibilidade para apostar em ambas as direções do mercado (para cima ou para baixo). Eles cobram vultosas taxas de administração (geralmente, 2%) e compartilham os lucros (geralmente 20% dos lucros são destinados ao gestor). Um fundo mútuo é um fundo público disponível para qualquer pessoa. Na maioria dos casos, eles são ativamente gerenciados por uma equipe que monta um portfólio de ações, títulos ou outros ativos e negocia continuamente suas participações, com a esperança de superar o "mercado". Um fundo de índice também é um fundo público, mas não exige nenhum gestor "ativo". O fundo, simplesmente, possui todas as ações do índice (por exemplo, eles possuiriam todas as 500 ações do índice S&P 500).

E o que é pior: essas taxas se acumulam maciçamente ao longo do tempo. **Se você pagar 1% a mais ao ano, isso vai lhe custar 10 anos da renda da aposentadoria***. Quando lhe mostrarmos como evitar fundos que cobram demais e apresentam desempenho insatisfatório, você vai poder economizar facilmente até 20 anos de renda.

Se você aprender apenas essa lição na primeira seção deste livro, o seu futuro já vai estar transformado. Mas há muito mais. Como já mencionamos, também vamos ensinar a evitar os vendedores que oferecem "conselhos" oportunistas, perigosos para sua saúde financeira, e a encontrar consultores sofisticados sem nenhum impedimento ético. Como diz o ditado: "Quando uma pessoa com experiência encontra uma pessoa que tem dinheiro, a pessoa com experiência consegue o dinheiro; e a pessoa que tem o dinheiro consegue a experiência." **Nós vamos mostrar o que fazer para transitar por esse jogo, para que você nunca mais seja enganado.**

---

* Pressupondo dois investidores com um investimento inicial de US$ 100.000, retornos idênticos de 8% ao longo de 30 anos, mas com taxas de 1% e 2%, respectivamente. Assumindo que as retiradas durante a aposentadoria sejam equivalentes, o investidor que paga 2% de taxas vai ficar sem dinheiro 10 anos mais cedo.

A segunda seção de *Inabalável* é um manual financeiro. Ela vai dizer exatamente o que fazer para que você possa colocar seu plano de ação em prática *neste exato momento*. Mais importante ainda, você vai aprender os "Quatro Princípios Básicos": um conjunto de regras simples e poderosas, derivadas de minhas entrevistas com mais de cinquenta dos maiores investidores do mundo. Embora possuam muitas maneiras distintas de ganhar dinheiro, observei que todos eles compartilham esses princípios fundamentais na hora de tomar decisões. Os Quatro Princípios Básicos foram transformadores em minha própria vida financeira, e também estou ansioso para oferecer a você esse conhecimento.

Em seguida, você vai aprender a "matar a fera": em outras palavras, a construir um portfólio diversificado, de modo que seu pecúlio não seja destruído quando, enfim, estivermos em um mercado em baixa. Na verdade, você vai aprender a se beneficiar enormemente das oportunidades criadas pelo medo e pela turbulência. O que a maioria das pessoas não percebe é que o sucesso nos investimentos é, em grande parte, uma questão de "alocação de ativos" inteligente — saber exatamente quanto do seu dinheiro deve ser colocado em quais diferentes classes de ativos, como ações, títulos, imóveis, ouro e espécie. A ótima notícia é que você vai aprender a fazer isso com mestres do dinheiro como Ray Dalio, David Swensen e nosso Peter Mallouk.

Se você já souber alguma coisa sobre investimentos, talvez esteja se perguntando, como um jornalista financeiro quis saber há pouco tempo: "Não se trata apenas de comprar e manter os fundos de índice?" Bem, Dalio, Swensen, Warren Buffett e Jack Bogle me disseram que a indexação é a estratégia mais inteligente para pessoas comuns*. Uma das razões é que os fundos de índice são projetados para corresponder aos retornos do mercado. A menos que você seja um superastro como Warren ou Ray, é melhor garantir esse retorno em vez de tentar superá-lo — e, muito provavelmente, fracassar. Melhor ainda, os fundos de índice cobram taxas ínfimas, e isso lhe vai economizar uma fortuna em longo prazo.

---

* De acordo com o site financeiro Investopedia: "Gestores ativos se baseiam em pesquisas analíticas, em prognósticos e em avaliação e experiência pessoais na tomada de decisões de investimento para escolher quais títulos comprar, manter e vender. O oposto da gestão ativa é chamado de gestão passiva, mais conhecida como 'indexação.'"

Eu gostaria, porém, que tudo fosse simples assim. Como eterno observador do comportamento humano, posso garantir uma coisa: a maioria das pessoas considera muito difícil aguardar e se manter no mercado quando tudo parece estar fugindo do controle. Comprar e manter tende a ir por água abaixo. Se você tiver nervos de aço, como Buffett ou Bogle, ótimo. Mas se quiser saber como a maioria das pessoas se comporta sob pressão, basta verificar um estudo da Dalbar, uma das principais empresas de pesquisa do setor financeiro.

A Dalbar revelou a gigantesca discrepância entre os retornos *do mercado* e os retornos que as pessoas *efetivamente* conseguem. O S&P 500, por exemplo, apresentou um retorno médio de 10,28% ao ano de 1985 a 2015. A essa taxa, o seu dinheiro duplica a cada sete anos. Graças ao poder da composição, você teria enriquecido apenas pelo fato de possuir um fundo de índice que tivesse acompanhado o S&P 500 durante aqueles 30 anos. Digamos que você tivesse investido US$ 50.000 em 1985. Quanto isso valeria em 2015? A resposta: US$ 941.613,61. É isso mesmo. Quase um milhão de dólares!

No entanto, apesar de o mercado ter apresentado um retorno de 10,28% ao ano, a Dalbar descobriu que o investidor médio conseguiu apenas 3,66% ao ano durante aquelas três décadas! A essa taxa, seu dinheiro duplica somente a cada 20 anos. O resultado? Em vez daquele lucro inesperado de 1 milhão de dólares, você terminou com apenas US$ 146.996.

O que explica esse enorme hiato de desempenho? Em parte, é o efeito desastroso de taxas de administração excessivas, comissões de corretagem ultrajantes e outros custos ocultos que vamos discutir no Capítulo 3. Tais despesas representam um escoamento constante de seus retornos — o equivalente a um vampiro implacável sugando seu sangue todas as noites, enquanto você dorme.

Mas existe ainda outro culpado: a natureza humana. Como você e eu sabemos, somos criaturas emocionais, com o dom de fazer coisas absurdas sob a influência de emoções como o medo e a ganância. Como me disse o lendário economista da Universidade de Princeton, Burton Malkiel: "As emoções nos dominam, e nós, como investidores, tendemos a fazer coisas bastante estúpidas." Por exemplo, "tendemos a colocar e a retirar o dinheiro do mercado exatamente na hora errada". Provavelmente você conhece pessoas que se empolgaram quando o mercado estava em alta e assumiram riscos imprudentes com quantias que não poderiam se dar ao luxo de perder. Talvez você também conheça pessoas que ficaram assustadas e venderam todas as suas ações em 2008, deixando de obter enormes ganhos quando o mercado se recuperou, em 2009.

Passei quase quatro décadas ensinando a psicologia da riqueza. Assim, na terceira seção de *Inabalável*, vou ensinar você a ajustar seu comportamento e evitar erros comuns provocados pela emoção. Por que isso é tão importante? Porque você não vai conseguir aplicar as estratégias vitoriosas apresentadas neste livro se não aprender a "silenciar o inimigo interior".

Então, juntos, vamos responder às questões aparentemente mais importantes de todas. O que você está buscando *realmente*? Como você atinge o nível máximo de felicidade que deseja na vida? **Você está realmente interessado no** dinheiro, **ou nas** sensações **que acha que o dinheiro pode trazer?** Muitos de nós acreditamos — ou fantasiamos — que o dinheiro vai nos levar a um ponto em que finalmente nos sentiremos livres, seguros, entusiasmados, capacitados, vivos e alegres. Mas a verdade é que você pode alcançar esse belo estado *neste exato momento*, independentemente do seu nível de riqueza material. Então, por que esperar para ser feliz?

Finalmente, no apêndice, incluímos um inestimável roteiro para ser usado com seus consultores financeiros e advogados. Os quatro checklists vão orientá-lo na proteção de seus ativos, na construção de seu legado financeiro e na garantia contra o desconhecido. Além disso, você vai descobrir novas maneiras de economizar em impostos!

A SERPENTE E A CORDA

Antes, quero falar sobre o próximo capítulo, pois estou convencido de que ele vai mudar sua vida financeira. Na verdade, mesmo que você leia *apenas* o Capítulo 2 e ignore todo o resto deste livro, vai estar em condições de conseguir recompensas incríveis!

Como mencionei anteriormente, esta é uma época de enorme incerteza para a maioria das pessoas. Depois de todos esses anos, a economia global ainda está vacilante. Os salários da classe média estão estagnados há décadas. A tecnologia está interferindo em tantas indústrias que nem sequer sabemos quais são os empregos que existirão no futuro. Além de tudo, existe a sensação irritante de que o mercado já deveria estar em baixa, após anos e anos de consistentes retornos. Não sei quanto a você, mas toda essa incerteza aterroriza muitas pessoas — e isso as impede de construir riqueza por meio de investimentos nos mercados financeiros e de se tornar proprietárias a longo prazo dessa economia, e não apenas consumidoras.

O próximo capítulo é o antídoto para esse medo. Você será apresentado a sete fatos específicos que vão transformar sua compreensão acerca do funcionamento do mercado e dos padrões econômicos e emocionais que orientam esse mercado. Você vai aprender que ajustes e crises ocorrem com regularidade surpreendente, mas *nunca* duram para sempre. Os melhores investidores se preparam para essa volatilidade — os dramáticos altos e baixos —, e usam isso em seu favor. **Ao compreender esses padrões, você pode agir sem medo, não porque esteja negando a realidade, mas porque terá conhecimento e clareza mental para tomar as decisões corretas.**

O mercado de ações tem menos altos e baixos do que meus relacionamentos afetivos.

Isso me faz recordar de uma antiga fábula, da qual talvez você se lembre, sobre um monge budista que, certa noite, está voltando para casa a pé, em uma área rural. Ele avista uma serpente venenosa bloqueando sua passagem, fica apavorado e corre na direção oposta, a fim de preservar sua estimada vida. Na manhã seguinte, ele retorna àquela cena de horror.

Mas agora, sob o brilho do dia, ele percebe que a serpente enroscada que aparecera em seu caminho era apenas um inofensivo pedaço de corda.

O Capítulo 2 vai mostrar que sua ansiedade é igualmente infundada — que a cobra que você teme é, na verdade, uma corda. Por que isso é tão importante? **Porque você não vai conseguir ganhar esse jogo a menos que tenha força emocional para** entrar e permanecer **nele por um longo período.** Quando você perceber que não existem cobras bloqueando sua passagem, vai poder caminhar com calma e confiança na estrada da liberdade financeira.

Está pronto? Então vamos começar!

O APLICATIVO PARA CELULAR E O PODCAST

Existem alguns recursos adicionais para acelerar sua jornada. Primeiro, criamos um aplicativo móvel contendo vídeos, ferramentas de planejamento e uma calculadora personalizada que vai ajudar você a descobrir o quanto você precisa acumular para alcançar diferentes níveis de segurança e liberdade financeiras. Depois, temos o podcast ***Unshakeable.*** Peter Mallouk e eu gravamos uma série de conversas rápidas em torno dos princípios fundamentais para se tornar inabalável.

www.unshakeable.com [em inglês]

CAPÍTULO 2

O INVERNO ESTÁ CHEGANDO (...) MAS QUANDO?

Estes sete fatos vão libertar você do medo dos ajustes e das crises

O segredo para ganhar dinheiro com
ações é não ficar com medo delas.

— Peter Lynch, renomado gestor de fundos da Fidelity Investments,
que conseguiu um retorno de 29% ao ano

Poder. A capacidade de moldar e influenciar as circunstâncias da vida. O combustível para produzir resultados extraordinários. De onde vem isso? O que torna uma pessoa poderosa? Qual é a fonte de poder em sua própria vida?

Quando vivíamos como caçadores-coletores, não tínhamos poder. Estávamos à mercê da natureza. Poderíamos ser dilacerados por predadores ferozes ou vencidos por condições meteorológicas adversas sempre que nos aventurássemos a caçar ou a procurar comida. E a comida nem sempre era encontrada. **Porém, gradualmente, ao longo de muitos milhares de anos, desenvolvemos uma habilidade inestimável: aprendemos a reconhecer — e a utilizar — padrões.**

Mais importante ainda, observamos os padrões das estações. E aprendemos a tirar proveito disso realizando o plantio de culturas no momento *certo*. Essa capacidade nos levou da escassez à abundância — a um modo de vida em que as comunidades e, em última instância, as cidades e as civilizações poderiam florescer. Nosso dom para o reconhecimento de padrões mudou, literalmente, o curso da história humana.

Ao longo do caminho, também aprendemos uma lição muito importante: não **somos recompensados quando fazemos a coisa certa no momento errado.** Se você planta no inverno, não vai obter nada além de sofrimento, não importa quão duro trabalhe. Para sobreviver e prosperar, você e eu devemos fazer a coisa certa no momento certo.

Nossa capacidade de reconhecer padrões também é a principal habilidade que pode nos capacitar a alcançar a prosperidade financeira. Quando você conseguir reconhecer os padrões nos mercados financeiros, vai poder se adaptar a eles, utilizá-los e lucrar com isso. Este capítulo vai lhe dar esse poder.

> A maioria dos investidores não consegue aproveitar o incrível poder da composição — o poder multiplicador do crescimento vezes o crescimento.
>
> — Burton Malkiel

Antes de chegar à essência deste capítulo, vamos discutir rapidamente um conceito fundamental que, tenho certeza, você já conhece, mas que precisamos utilizar e maximizar para construir uma riqueza duradoura.

O primeiro padrão que precisamos reconhecer é que existe uma maneira milagrosamente poderosa de construir riqueza, e ela está disponível para todos nós — uma maneira da qual Warren Buffett se valeu para acumular uma fortuna estimada, atualmente, em US$ 65 bilhões. **Qual é o segredo? É simples, diz Buffett: "Minha riqueza vem de uma combinação de vida nos Estados Unidos, alguns genes de sorte e juros compostos."**

Não posso responder pelos seus genes, embora acredite que eles sejam muito bons! O que *sei*, com certeza, é que a composição é uma força que pode catapultar você para uma vida de plena liberdade financeira. Evidentemente, todos já ouvimos falar da composição, mas vale a pena lembrar o quanto ela pode ser impactante quando compreendemos, realmente, como fazê-la funcionar em nosso favor. De fato, nossa capacidade de reconhecer e utilizar o poder da composição equivale à transformadora descoberta de nossos antepassados de que seria possível obter colheitas abundantes efetuando o plantio das culturas no momento certo!

Vamos ilustrar o gigantesco impacto da composição com um único exemplo simples, mas inspirador. Dois amigos, Joe e Bob, decidem investir US$ 300 por mês. Joe começa aos 19 anos, continua investindo por oito anos e, depois, para de fazer contribuições aos 27 anos. Ao todo, ele economizou US$ 28.800.

Na sequência, o dinheiro de Joe sofre os efeitos da composição a uma taxa de 10% ao ano (que equivale, aproximadamente, ao retorno histórico do mercado de ações norte-americano no último século). **Quando se aposenta, aos 65 anos, quanto ele tem? A resposta: US$ 1.863.287. Em outras palavras, aquele modesto investimento de US$ 28.800 havia aumentado para quase dois milhões de dólares! Impressionante, não é?**

Seu amigo Bob prefere um início mais lento. Ele começa investindo exatamente o mesmo valor — US$ 300 por mês —, mas só começa a fazer isso aos 27 anos. Ainda assim, é um sujeito disciplinado e continua investindo US$ 300 por mês até os 65 anos — um período de 39 anos. Seu dinheiro também sofre os efeitos da composição, à taxa de 10% ao ano. O resultado? Quando se aposenta, aos 65 anos, tem um pecúlio de US$ 1.589.733.

Pensemos nisso por um momento. Bob investiu um total de US$ 140.000, quase cinco vezes mais do que os US$ 28.800 investidos por Joe. No entanto, Joe terminou com US$ 273.554 a mais. É isso mesmo: Joe acaba ficando mais rico do que Bob, apesar de não ter investido um centavo sequer depois dos 27 anos de idade!

O que explica o incrível sucesso de Joe? Simples. *Ao começar mais cedo, os juros compostos que ele ganha em seu investimento agregam mais valor à sua conta do que ele jamais poderia agregar por si mesmo.* Ao completar 53 anos, os juros compostos acrescentam mais de US$ 60.000

por ano ao saldo de sua conta. Quando ele chegar aos 60 anos, sua conta vai estar crescendo mais de US$ 100.000 por ano! Tudo isso sem adicionar mais nenhum centavo. O retorno total de Bob sobre o dinheiro investido é de 1.032%, enquanto o retorno de Joe é de espetaculares 6.37%.

Agora vamos imaginar, por um momento, que Joe *não* tenha parado de investir aos 27 anos. Ao contrário, assim como Bob, ele continuou acrescentando US$ 300 por mês até os 65 anos. O resultado: ele acaba com um pecúlio de US$ 3.453.020! Em outras palavras, ele tem US$ 1,86 milhão a mais do que Bob, pelo fato de ter começado a investir 8 anos mais cedo.

Esse é o incrível poder da composição. Com o tempo, essa força pode transformar uma modesta soma de dinheiro em uma enorme fortuna.

Sabe o que é mais incrível? A maioria das pessoas jamais tira todo o proveito possível desse segredo tão evidente, desse milagre de construção de riqueza que está bem diante dos nossos olhos. Em vez disso, elas continuam acreditando que poderão *ganhar* o caminho até a riqueza. É uma percepção errônea e comum — a crença de que, se os seus rendimentos forem suficientemente elevados, você vai se tornar financeiramente livre.

A verdade é que não é tão simples assim. Todos nós já lemos histórias sobre estrelas de cinema, músicos e atletas que foram mais ricos do que Deus e, mesmo assim, terminaram quebrados por não saber *investir* aquela renda. Recentemente, após uma série de péssimos investimentos, o rapper 50 Cent declarou falência — apesar de ter possuído um patrimônio líquido estimado em US$ 155 milhões. A atriz Kim Basinger, no auge de sua popularidade, embolsava mais de US$ 10 milhões por filme. E também acabou falindo. Até mesmo o rei do Pop, Michael Jackson, que teria assinado um contrato de gravação no valor de quase US$ 1 bilhão e vendido mais de 750 milhões de discos, supostamente devia mais de US$ 300 milhões no momento de sua morte, em 2009.

Montante investido:
3.600
Taxa de retorno:
10%

US$ 300/mensalmente (US$ 3.600 anualmente), com taxa de crescimento de 10%				
Idade	Joe	Montante	Bob	Montante
19	3.600	3.960	-	-
20	3.600	8.316	-	-
21	3.600	13.108	-	-
22	3.600	13.378		
23	3.600	24.176	-	-
24	3.600	30.554	-	-
25	3.600	37.569	-	-
26	3.600	45.286	-	-
27	-	49.815	3.600	3.960
28	-	54.796	3.600	8.316
29	-	60.276	3.600	13.108
30	-	66.303	3.600	18.378
31	-	72.934	3.600	24.176
32	-	82.227	3.600	30.554
33	-	88.250	3.600	37.569
34	-	97.075	3.600	45.286
35	-	106.782	3.600	53.775
36	-	117.461	3.600	63.112
37	-	129.207	3.600	73.383
38	-	142.127	3.600	84.682
39	-	156.340	3.600	97.110
40	-	171.974	3.600	110.781
41	-	189.171	3.600	125.819
42	-	208.088	3.600	142.361
43	-	228.897	3.600	160.557
44	-	251.787	3.600	180.573
45	-	276.966	3.600	202.590
46	-	304.662	3.600	226.809
47	-	335.129	3.600	253.450
48	-	368.641	3.600	282.755
49	-	405.506	3.600	314.990
50	-	446.056	3.600	350.449
51	-	490.662	3.600	389.454
52	-	549.728	3.600	432.360
53	-	593.701	3.600	479.556
54	-	653.071	3.600	531.471
55	-	718.378	3.600	588.578
56	-	790.216	3.600	651.396
57	-	869.237	3.600	720.496
58	-	956.161	3.600	796.506
59	-	1.051.777	3.600	880.116
60	-	1.156.955	3.600	972.088
61	-	1.272.650	3.600	1.073.256
62	-	1.399.915	3.600	1.184.542
63	-	1.539.907	3.600	1.306.956
64	-	1.693.897	3.600	1.441.612
65	-	$1.863.287	3.600	1.589.733
Vantagem de investir mais cedo:		$273.554		

Mais recentemente, Johnny Depp — um dos atores mais bem pagos de Hollywood, que acumulou mais de US$ 650 milhões nos últimos 30 anos em grandes sucessos como *Piratas do Caribe*, e emprestou seu rosto a marcas de luxo como Dior —, segundo relatos, vem enfrentando sérios problemas financeiros. Ao mesmo tempo que o ator afirma que isso se deve à má condução dos recursos por seus gestores financeiros, os gestores denunciam o comportamento perdulário de Depp. De acordo com esses gestores, ele vinha gastando US$ 30.000 por mês com vinho, e chegou a pagar US$ 3 milhões para dispersar as cinzas do escritor Hunter S. Thompson com um canhão construído exclusivamente para isso. Não se pode fazer esse tipo de coisa!

A lição? Você nunca vai ganhar o seu caminho para a liberdade financeira. O verdadeiro trajeto até a riqueza é reservar uma parcela do seu dinheiro e investi-lo para que ele sofra os efeitos da composição ao longo de vários anos. É assim que você se torna rico enquanto dorme. É assim que você faz do dinheiro seu escravo, em vez de se tornar um escravo do dinheiro. É assim que você alcança a verdadeira liberdade financeira.

A esta altura, você provavelmente está pensando: "Tudo bem, mas quanto dinheiro eu preciso guardar para atingir meus objetivos financeiros?" Ótima pergunta! Para respondê-la, desenvolvemos, conforme mencionado, um aplicativo para celular que pode ser usado para descobrir exatamente o que você vai precisar economizar e investir. Está disponível em www.unshakeable.com [em inglês].

A situação de cada um é única. Por isso, recomendo que você procure um consultor financeiro para discutir seus objetivos específicos e como alcançá-los. Devo adverti-lo de que a maioria dos consultores subestima a quantidade de dinheiro que você provavelmente vai precisar para se tornar financeiramente seguro, independente ou livre. Alguns dizem que você deveria ter um pecúlio dez vezes maior do que o que ganha atualmente. Outros, um pouco mais realistas, dizem que você vai precisar de um pecúlio 15 vezes maior. Em outras palavras, se você estiver ganhando US$ 100.000, vai precisar de US$ 1,5 milhão. Se estiver ganhando US$ 200.000, vai precisar de US$ 3 milhões. Você já entendeu.

Na realidade, o número que você deveria ter *realmente* como meta é *vinte* vezes o valor da sua renda. Então, se você ganha atualmente US$ 100.000, vai precisar de US$ 2 milhões. Pode parecer muito, mas lembre-se de que o nosso amigo Joe chegou lá com apenas US$ 28.000, e aposto que você vai ter muito mais do que isso para investir nos próximos anos.

Você pode ler sobre isso mais detalhadamente em *Dinheiro: domine esse jogo*, que possui uma seção inteira dedicada a esse assunto. Como explico no livro, é fácil se impressionar quando você se depara com um número tão expressivo quanto esse. Mas tudo se torna menos intimidante quando você começa com um alvo mais fácil. Por exemplo, talvez seu primeiro objetivo seja a segurança financeira — e não a independência total. **Como você se sentiria se pudesse cobrir o custo de sua hipoteca, alimentos, serviços públicos, transporte e seguro, tudo isso sem nunca mais precisar trabalhar? Seria ótimo, não é? A boa notícia é que, de modo geral, esse número é 40% inferior à independência financeira plena, quando tudo de que você precisa já está pago, de modo que você pode atingi-lo mais rapidamente. Uma vez atingido esse alvo, você vai estar tão entusiasmado que o valor maior não vai parecer tão inalcançável assim.**

Mas como você vai conseguir chegar lá? Primeiro, você precisa economizar e investir — se tornar um proprietário, e não apenas um consumidor. Pague-se primeiro, separando uma porcentagem de sua renda e deduzindo-a automaticamente de seu salário ou conta bancária. **Isso vai constituir o seu Fundo de Liberdade: a fonte de renda vitalícia que vai permitir que você nunca mais precise trabalhar.** Acredito que você já esteja fazendo isso. Mas talvez seja hora de se dar um aumento: aumente o que economiza, de 10% da sua renda para 15%, ou de 15% para 20%.

Para algumas pessoas, 10% pode parecer impossível neste momento. Talvez você esteja em uma fase da vida em que precise pagar créditos educativos ou grandes dívidas familiares ou comerciais. Independentemente de qual seja sua situação, você deve dar o primeiro passo e começar. Existe um método comprovado, chamado "Poupe Mais Amanhã", que descrevo detalhadamente no Capítulo 1.3 de *Dinheiro: domine esse jogo*. Você começa economizando apenas 3% e vai aumentando gradualmente esse montante para 15% ou 20% com o passar do tempo.

Agora que você já economizou esse valor, onde vai investir para obter o máximo retorno e atingir sua meta mais rapidamente?

O melhor lugar para que o dinheiro sofra os efeitos da composição ao longo de muitos anos é o mercado de ações. No Capítulo 6, vamos discutir a importância de montar um portfólio diversificado que inclua outros ativos. Por enquanto, vamos nos concentrar no mercado de ações. Por quê? Porque esse é um terreno extremamente fértil! Assim como nossos antepassados, precisamos plantar nossas sementes onde possamos obter a melhor colheita.

ONDE DEVO COLOCAR MEU DINHEIRO?

Como você e eu sabemos, o mercado de ações já enriqueceu milhões de pessoas. Ao longo dos últimos duzentos anos, apesar de muitos altos e baixos, ele tem sido *o melhor* lugar para o investidor de longo prazo construir riqueza*. Mas você precisa entender as características do mercado. Você precisa compreender suas estações. É disso que trata este capítulo.

Qual é a principal pergunta financeira que ocupa todas as nossas mentes hoje em dia? Em minha experiência, todos estamos procurando, essencialmente, respostas para a mesma pergunta: **"Onde devo colocar meu dinheiro?"**

Ultimamente, essa questão tem se tornado mais urgente, pois todas as respostas parecem pouco atraentes. Em uma época com taxas de juros represadas, você não ganha nada **ao deixar seu dinheiro na poupança. Se você comprar um título de alta qualidade (por exemplo, se emprestar dinheiro aos governos suíço ou japonês), vai ganhar** menos **do que nada!** Existe uma piada segundo a qual investimentos tradicionalmente seguros como esses oferecem, agora, "riscos sem retorno" em vez de "retorno sem riscos"!

E quanto às ações? Centenas de bilhões de dólares de todas as partes do planeta inundaram o mercado de ações dos Estados Unidos, que muitas pessoas consideram um refúgio relativamente seguro em um mundo incerto. Mas isso criou uma incerteza ainda maior, pois os preços das ações norte-americanas — e suas avaliações — aumentaram nos últimos sete anos e meio, alimentando os temores de que o mercado estaria prestes a cair. Até mesmo as pessoas que obtiveram um bom desempenho nesse mercado em expansão estão preocupadas com o fato de que esse cenário possa desmoronar, já que não há nada para ampará-lo exceto os bancos centrais e suas políticas malucas!

---

* Para mais informações, consulte o gráfico de Robert Shiller, economista vencedor do Prêmio Nobel, na página 384 de *Dinheiro: domine esse jogo.*

Então o que você deveria fazer? Se preparar para um colapso do mercado de ações, vender tudo e fugir para as montanhas? Manter todo o seu dinheiro em espécie (não ganhando nada) e aguardar até que o mercado despenque para que você possa comprar a preços mais baixos? Mas por quanto tempo você pode esperar? E quanto àquelas almas infelizes que já estão esperando há anos, e que desperdiçaram todos os mercados em alta? Ou será que você deveria se manter no mercado, aguardar firmemente, fechar os olhos e assumir a "posição de emergência" enquanto se prepara para o impacto? Eu avisei: nenhuma dessas opções parece atraente!

Como você sabe, os seres humanos têm dificuldade para lidar com a incerteza. Mas como podemos tomar decisões inteligentes nesse ambiente onde *tudo* parece incerto? O que podemos fazer se não temos ideia de quando o mercado vai cair — de quando, enfim, vai chegar o equivalente financeiro do inverno?

Tenho uma notícia para lhe dar: nós sabemos quando o inverno vai chegar. Como? Ora, analisando retrospectivamente o mercado de ações ao longo de um século inteiro, descobrimos um fato extraordinário: em média, o inverno financeiro chega todos os anos.

Quando você começar a reconhecer esses padrões de longo prazo, vai poder utilizá-los. Melhor ainda: o medo da incerteza vai desaparecer, porque você vai constatar que aspectos importantes dos mercados financeiros são muito mais previsíveis do que havia imaginado.

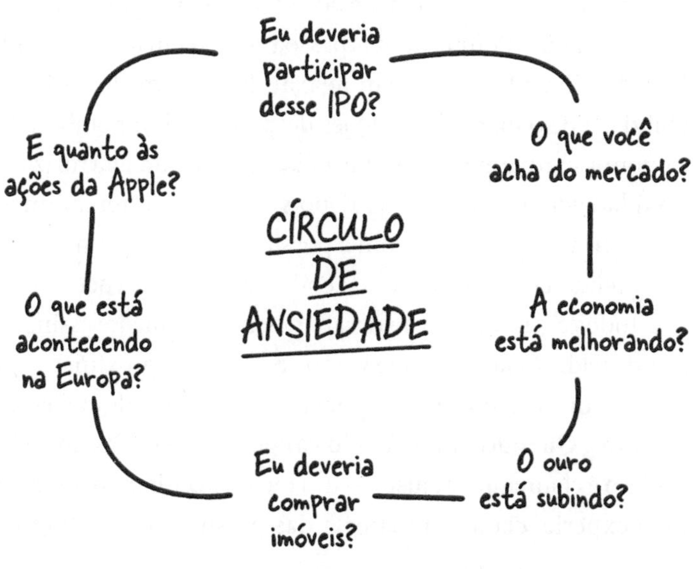

Vamos acompanhar você através de sete fatos que vão lhe mostrar como os mercados funcionam. Você aprenderá que certos padrões se repetem indefinidamente. E aprenderá a basear suas decisões na compreensão desses padrões comprovados — do mesmo modo que nossos ancestrais descobriram que efetuar o plantio de sementes na primavera era uma estratégia vitoriosa. Logicamente, nunca é possível ter certezas absolutas na agricultura, nos mercados financeiros ou na vida! Alguns invernos chegam mais cedo, alguns mais tarde; alguns são severos, alguns suaves. Quando você opta por uma abordagem eficaz ao longo de vários anos, sua probabilidade de sucesso aumenta maciçamente. O que separa os mestres do dinheiro da multidão é a capacidade de encontrar uma estratégia vitoriosa e optar por ela, de modo que as probabilidades estejam sempre firmemente a seu favor.

Depois de compreender os sete fatos irrefutáveis que estamos prestes a explicar, você vai saber como as estações financeiras funcionam. Você vai conhecer as regras do jogo e os princípios nos quais ele se baseia, dando a você uma vantagem enorme, pois, supreendentemente, existem muitos investidores experientes e sofisticados que desconhecem esses fatos. Munido desse conhecimento, você pode entrar no jogo, permanecer nele e vencer. **O melhor de tudo é que esses fatos vão libertar você de todo o medo e ansiedade que controlam a vida financeira da maioria das pessoas. É por isso que os denominamos Fatos da Liberdade.**

Devo esclarecer que a capacidade de investir sem medo é extremamente importante. Por quê? Porque muitas pessoas se sentem tão paralisadas pelo medo que dificilmente conseguem relaxar. Elas ficam aterrorizadas com a possibilidade de o mercado de ações despencar e levar embora todas as suas economias arduamente conquistadas. Elas ficam aterrorizadas com a possibilidade de investir e, logo depois, as ações sofrerem uma queda brusca. Elas ficam apavoradas com a possibilidade de serem prejudicadas por não entenderem o que estão fazendo. Mas, como você vai perceber em breve, todos esses medos vão desaparecer rapidamente assim que você conhecer os padrões factuais que vamos revelar nas próximas páginas.

Antes de começarmos, vou explicar rapidamente alguns jargões dos investimentos. **Quando um mercado cai pelo menos 10% em relação ao seu pico, isso é chamado de ajuste — um termo peculiar, insípido e neutro para uma experiência que a maioria das pessoas aprecia tanto quanto**

uma cirurgia odontológica! Quando um mercado cai pelo menos 20% em relação ao seu pico, isso se chama mercado em baixa.

Vamos começar compartilhando alguns surpreendentes Fatos de Liberdade sobre o tema dos ajustes. Em seguida, vamos voltar nossa atenção para os mercados em baixa. **Finalmente, vamos explicar o fato mais importante de todos: o maior perigo não é um ajuste ou um mercado em baixa, mas estar** fora **do mercado.**

Fato da Liberdade 1: Em média, os ajustes têm ocorrido aproximadamente uma vez por ano desde 1900

Você já ouviu os especialistas da CNBC ou da MSNBC opinando sobre o mercado de ações? Não é incrível o quanto eles fazem esse mercado parecer dramático? Eles adoram falar sobre a volatilidade e a instabilidade, porque o medo faz você prestar atenção à programação. Constantemente eles se dedicam à análise de microcrises que, segundo os especialistas, poderiam desencadear um caos do mercado. A crise em questão pode ser a inquietação no Oriente Médio, a desaceleração dos preços do petróleo, a desvalorização da dívida norte-americana, um "precipício fiscal", um limite orçamentário, o Brexit, uma desaceleração na China ou qualquer outra coisa que possa ser convertida compulsoriamente em alvoroço. A propósito, se você não entender nada dessas coisas, não se preocupe: a maioria dos especialistas também não entende!

Eu não os culpo por espalhar esses dramas. É o trabalho deles. Mas nada disso é *realmente* empolgante para mim ou para você. O fato é que uma parcela considerável de tudo isso é supervalorizada para impedir que você mexa no controle remoto. O problema é que toda essa conversa fiada, todo esse drama, toda essa emoção podem comprometer a clareza do nosso raciocínio. Quando ouvimos esses "especialistas" se expressando em tom solene sobre a possibilidade de um ajuste, uma queda ou uma crise, é fácil se entregar à ansiedade, porque parece que o céu está prestes a desabar. Talvez isso funcione na TV, mas a última coisa que você e eu queremos é tomar decisões financeiras com base no medo. Por isso, precisamos remover o máximo de emoção possível desse jogo.

Em vez de se deixar distrair com todo esse ruído, vale mais a pena focar em alguns fatos principais que realmente importam. **Por exemplo, em média,** os ajustes de mercado têm ocorrido todos os anos desde 1900.

Quando ouvi isso pela primeira vez, fiquei abismado. **Pense nisso: se você tem 50 anos de idade hoje e uma expectativa de vida de 85 anos, pode esperar passar por outros 35 ajustes. Em outras palavras, você vai viver o mesmo número de ajustes e de aniversários!**

Por que isso é importante? Porque mostra que os ajustes são apenas uma parte rotineira do jogo. Em vez de viver com medo deles, devemos aceitá-los como ocorrências regulares — como a primavera, o verão, o outono e o inverno. Sabe o que mais? **Historicamente, o ajuste médio durou** apenas 54 dias — **menos de dois meses!** Em outras palavras, a maioria dos ajustes acabou um pouco antes de você se dar conta de sua existência. Não é tão assustador, é?

Ainda assim, se você estiver em meio a um ajuste, talvez se sinta abalado e queira vender tudo o que possui, pois sua ansiedade vai trabalhar no sentido de evitar a possibilidade de mais sofrimento. Certamente você não está sozinho. Essas emoções generalizadas criam uma mentalidade de crise. **Mas é importante notar que, diante do ajuste médio dos últimos 100 anos, o mercado caiu apenas 13,5%. De 1980 até o fim de 2015, a queda média foi de 14,2%.**

Pode ser bastante desconfortável perceber que seus ativos estão sofrendo esse tipo de golpe — e a incerteza faz muitas pessoas cometerem grandes erros. Mas lembre-se de uma coisa: se você se mantiver firme, é muito provável que a tempestade, em breve, se dissipe.

Fato da Liberdade 2: Menos de 20% de todos os ajustes evoluem para um mercado em baixa

Quando o mercado começa a cair — especialmente quando cai mais de 10% —, muitas pessoas atingem seu limiar de sofrimento e começam a vender, com medo de que essa queda se converta em uma espiral mortal. Elas não estariam sendo apenas sensíveis e prudentes? Na verdade, nem tanto. **Acontece que** menos de um em cada cinco ajustes cresce até o ponto de se tornar um mercado em baixa. **Em outras palavras, 80% dos ajustes não evoluem para um mercado em baixa.**

Se você entrar em pânico e optar pelo dinheiro em espécie durante um ajuste, é bem possível que acabe fazendo isso imediatamente antes de o mercado se recuperar. Quando compreender que a grande maioria dos ajustes não é tão ruim assim, vai ser mais fácil manter a calma e resistir à tentação de apertar o botão de ejetar ao primeiro sinal de turbulência.

Fato da Liberdade 3: Ninguém é capaz de prever de forma consistente se o mercado vai subir ou cair

A mídia perpetua o mito de que, se você for suficientemente inteligente, vai conseguir prever os movimentos do mercado e evitar seus fluxos descendentes. A indústria financeira vende a mesma fantasia: os economistas e os "estrategistas de mercado" dos grandes bancos de investimentos preveem com convicção qual vai ser a posição do S&P 500 no fim do ano, como se tivessem uma bola de cristal ou (igualmente improvável) uma percepção superior.

Os redatores dos boletins de notícias também adoram agir como Nostradamus e nos alertar a respeito do "colapso iminente", esperando que você se sinta compelido a contratar seus serviços a fim de evitar tal destino. Muitos deles fazem os mesmos prognósticos tenebrosos ano após ano e de vez em quando acertam, como qualquer pessoa acertaria. Afinal, até mesmo alguém com um relógio quebrado é capaz de lhe dizer a hora certa duas vezes ao dia. Os autoproclamados adivinhos usam, então, esse prognóstico "preciso" para se autopromover, como se fossem os próximos e grandes videntes do mercado. Se você não estiver atento a esse truque, vai ser fácil se deixar levar por ele.

Alguns desses indivíduos podem, de fato, acreditar em seus próprios poderes de predição; outros são apenas vendedores habilidosos. A escolha é sua: eles são idiotas ou mentirosos? Eu não saberia afirmar! Mas digo uma coisa: se alguma vez você se sentir tentado a levá-los a sério, lembre-se desta observação clássica do físico Niels Bohr: "É muito difícil fazer previsões, principalmente sobre o futuro."

Não tenho certeza da sua opinião sobre a fada do dente ou o coelhinho da Páscoa. Porém, quando se trata de nossas finanças, é melhor enfrentar os fatos. E o fato é que *ninguém* é capaz de prever de forma consistente se os mercados vão subir ou cair. É ilusório acreditar que você ou eu conseguiríamos "prever o comportamento dos preços do mercado" com êxito, entrando e saindo dele nos momentos certos.

Se você não estiver convencido, eis aqui o que dois dos mais sábios mestres do mundo financeiro pensam sobre a previsão do comportamento do mercado e o desafio de antecipar seus movimentos. Jack Bogle, fundador do Vanguard, com mais de US$ 3 trilhões em ativos sob gestão, afirmou: "Obviamente, seria ótimo sair do mercado de ações na alta e retornar na baixa, mas em 65 anos nesse negócio nunca conheci alguém que soubesse fazer isso, e também não conheço ninguém que conheça alguém que saiba fazê-lo." E Warren Buffett disse: **"O único valor dos prognosticadores de ações é fazer os videntes terem uma boa imagem."**

Ainda assim, devo confessar, é divertido ver todos esses comentaristas, economistas e especialistas em mercado se prestando ao ridículo de tentar identificar um ajuste. Observe o gráfico a seguir e entenda o que quero dizer. Um dos meus exemplos favoritos é o economista Nouriel Roubini, que previu (e errou) que haveria um "significativo" ajuste de mercado em 2013. Roubini, um dos mais conhecidos prognosticadores do nosso tempo, foi apelidado de "Sr. Catástrofe" por causa de suas inúmeras profecias catastróficas. Ele previu com sucesso a crise do mercado em 2008. Infelizmente, ele também alertou sobre recessões em 2004 (e errou), 2005 (e errou), 2006 (e errou) e 2007 (e errou).

Em minha experiência, preditores do mercado como Roubini são inteligentes e articulados, e muitas vezes seus argumentos são convincentes. Mas eles prosperam assustando a tudo e a todos — e erram muito. Algumas vezes eles acertam. Se você der ouvidos a todas as suas assustadoras advertências, vai acabar se escondendo embaixo da cama, agarrado a um cofrinho com as economias da vida inteira. Tenho que lhe contar um segredo: historicamente, essa não tem sido uma estratégia vitoriosa para o sucesso financeiro a longo prazo.

Os anunciadores da catástrofe

Se desejar, reserve alguns minutos e observe estas 33 malsucedidas previsões feitas por autodeclarados prognosticadores do mercado. Cada um dos números abaixo corresponde à data de previsão que aparece no gráfico seguinte. O padrão em comum é que todos eles preveem que o mercado vai cair, quando, na realidade, está subindo.

1. "Ajuste do mercado em vista", Bert Dohmen, Dohmen Capital Research Group, 7 de março de 2012.
2. "Ações flertam com ajuste", Ben Rooney, CNN Money, 1º de junho de 2012.
3. "Vem aí 10% de ajuste do mercado: manter-se firme ou pular fora?", Matt Krantz, *USA Today*, 5 de junho de 2012.
4. "Um ajuste significativo no preço das ações pode ser, de fato, a força que vai lançar a economia dos EUA à contração definitiva em 2013", Nouriel Roubini, Roubini Global Economics, 20 de julho de 2012.
5. "Prepare-se para a crise do mercado de ações em 2013", Jonathan Yates, moneymorning.com, 23 de junho de 2012.

6. "Previsão do Dr. Catástrofe para 2013: Roubini afirma que uma instabilidade econômica global mais grave está se aproximando; cinco causas principais", Kukil Bora, *International Business Times*, 24 de julho de 2012.
7. "Cuidado com o ajuste — ou pior do que isso", Mark Hulbert, MarketWatch, 8 de agosto de 2012.
8. "Acreditamos que vamos sofrer um ajuste de 8 a 10% no mês de setembro", MaryAnn Bartels, Bank of America-Merrill Lynch, 22 de agosto de 2012.
9. "Estamos quase lá: um profissional prevê uma liquidação de ações em 10 dias", John Melloy, CNBC, 4 de setembro de 2012.
10. "Aviso: um ajuste de ações pode estar chegando", Hibah Yousuf, CNN Money, 4 de outubro de 2012.

11. "Venho avisando meus clientes de fundos de cobertura que a economia dos EUA está tendendo à recessão", Michael Belkin, Belkin Limited, 15 de outubro de 2012.
12. "O melancólico precipício fiscal pode provocar um ajuste", Caroline Valetkevitch e Ryan Vlastelica, Reuters, 9 de novembro de 2012.
13. "Por que estamos diante de um severo ajuste do mercado de ações", Mitchell Clark, Lombardi Financial, 14 de novembro de 2012.
14. "Até o verão, vamos ter mais uma crise", Harry Dent, Dent Research, 8 de janeiro de 2013.
15. "Um ajuste no mercado de ações pode ter começado", Rick Newman, *US News & World Report*, 21 de fevereiro de 2013.

16. "Economia lenta pode significar ajuste", Maureen Farrell, CNN Money, 28 de fevereiro de 2013.
17. "Acho que vem um ajuste por aí", Byron Wien, Blackstone, 4 de abril de 2013.
18. "O ajuste mais do que urgente do mercado parece estar começando", Jonathan Castle, Paragon Wealth Strategies, 8 de abril de 2013.
19. "5 sinais de alerta da chegada de um ajuste do mercado", Dawn Bennett, Bennett Group Financial Services, 16 de abril de 2013.
20. "Sinais de alerta do mercado de ações estão se tornando ameaçadores", Sy Harding, StreetSmartReport.com, 22 de abril de 2013.
21. "Não compre — venda os ativos de risco", Bill Gross, PIMCO, 2 de maio de 2013.
22. "Talvez não seja o momento de fugir correndo dos riscos, mas é hora de se afastar", Mohamed El-Erian, PIMCO, 22 de maio de 2013.
23. "Devemos ter um ajuste em breve", Byron Wien, Blackstone, 3 de junho de 2013.
24. "Enquete apocalíptica: 87% de riscos de crise no mercado de ações até o fim do ano", Paul Farrell, MarketWatch, 5 de junho de 2013.
25. "Retração das ações: o mercado deve passar por um ajuste severo", Adam Shell, *USA Today*, 15 de junho de 2013.
26. "Não seja complacente — um ajuste do mercado está a caminho", Sasha Cekerevac, Investment Contrarians, 12 de julho de 2013.
27. "Há dois meses, meus modelos vêm me informando que uma grande liquidação de ações deve ser deflagrada em 19 de julho", Jeff Saut, raymondjames.com, 18 de julho de 2013.
28. "Sinais de um ajuste do mercado em vista", John Kimelman, *Barron's*, 13 de agosto de 2013.
29. "Alerta de ajuste: vai ser logo? Vai ser ruim? Como se preparar?", Kevin Cook, Zacks.com, 23 de agosto de 2013.
30. "Acredito que há uma grande chance de uma crise no mercado de ações", Henry Blodget, Business Insider, 26 de setembro de 2013.
31. "5 razões para esperar um ajuste", Jeff Reeves, MarketWatch, 18 de novembro de 2013.
32. "Tempo de apertar os cintos para um ajuste de 20%", Richard Rescigno, *Barron's*, 14 de dezembro de 2013.
33. "Wien, do grupo Blackstone: mercado de ações está pronto para um ajuste de 10%", Dan Weil, Moneynews.com, 16 de janeiro de 2014.

Fato da Liberdade 4: O mercado de ações apresenta trajetória ascendente a longo prazo, apesar de vários recuos de curta duração

O índice S&P 500 sofreu um declínio médio intra-anual de 14,2% desde 1980 até o fim de 2015. Em outras palavras, tais quedas no mercado foram ocorrências notavelmente regulares ao longo de 36 anos. Mais uma vez, nada de assustador — apenas o inverno exibindo sua habitual aparência sazonal. Sabe o que *realmente* me impressiona? **Como você vai perceber no gráfico a seguir, o mercado acabou alcançando um retorno positivo em 27 desses 36 anos. Isso significa 75% das vezes!**

Finais felizes

Apesar de uma queda média de 14,2% no decurso de cada ano, o mercado dos Estados Unidos acabou apresentando um retorno positivo em 27 dos últimos 36 anos.

Por que isso é tão importante? Porque nos lembra que, de modo geral, o mercado apresenta uma trajetória ascendente em longo prazo — mesmo que tenhamos de nos desviar de um grande número de buracos durante o percurso. Você sabe tão bem quanto eu que o mundo teve uma boa dose de problemas durante esses 36 anos, incluindo duas guerras do Golfo, o 11 de Setembro, os conflitos no Iraque e no Afeganistão e a pior crise financeira desde a Grande Depressão. Mesmo assim, o mercado fechou em alta o tempo todo, exceto em 9 daqueles anos.

O que isso significa em termos práticos? Significa que deveríamos sempre nos lembrar de que a trajetória de longo prazo provavelmente vai ser boa, mesmo quando as notícias de curto prazo são desanimadoras e o mercado está sendo afetado. Não precisamos nos aprofundar em teoria econômica aqui. Mas vale a pena mencionar que o mercado de ações dos Estados Unidos se mantém geralmente em ascensão ao longo do tempo porque a economia se expande à medida que as empresas norte-americanas se tornam mais rentáveis, à medida que os trabalhadores norte-americanos se tornam mais eficientes e produtivos e à medida que a população cresce e a tecnologia produz mais inovações.

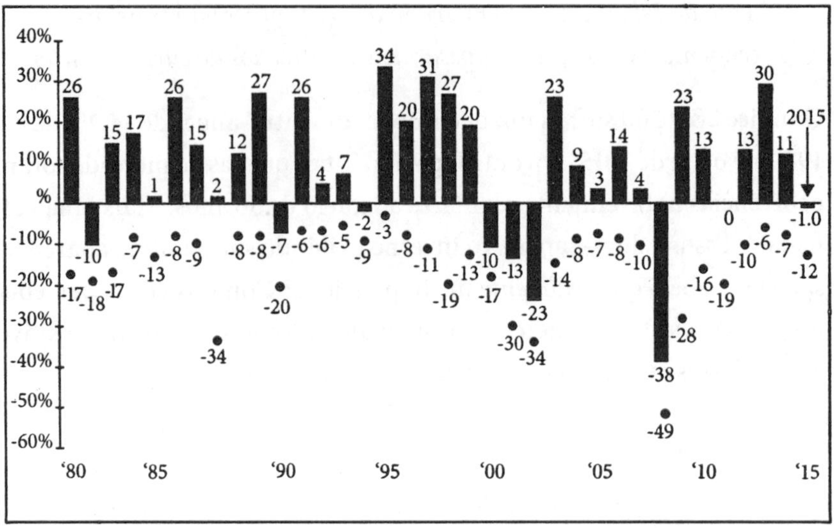

Não estou afirmando que todas as empresas — ou todas as ações individuais — vão apresentar um bom resultado ao longo do tempo. Como você e eu sabemos, o mundo dos negócios é uma selva darwiniana! Algumas empresas vão desaparecer, e algumas ações serão reduzidas a zero. Uma grande vantagem de possuir um fundo de índice que acompanha uma cesta de ações como o S&P 500 é que as empresas mais fracas são sempre eliminadas e substituídas por outras mais fortes. É a sobrevivência do mais forte em ação! A parte boa disso tudo é que você se beneficia dessas melhorias de qualidade nas empresas que compõem o índice. Como? Ora, como acionista de um fundo de índice, você possui parte dos fluxos de caixa futuros das empresas que fazem parte desse índice. Isso significa que a economia norte-americana está lhe rendendo dinheiro até mesmo enquanto você dorme!

Mas e se o futuro econômico dos Estados Unidos se mostrar devastador? É uma pergunta legítima. Todos sabemos que existem sérios desafios, seja a ameaça do terrorismo, o aquecimento global ou as obrigações da Seguridade Social. Mesmo assim, trata-se de uma economia incrivelmente dinâmica e resiliente, com algumas poderosas perspectivas a impulsionar seu crescimento futuro. **Em seu relatório anual de 2015, Warren Buffett abordou esse assunto extensivamente, explicando que o crescimento da população e os extraordinários ganhos em produtividade vão criar um enorme aumento de riqueza para a próxima geração de norte-americanos. "Essa tendência bastante poderosa certamente deve continuar atuando:**

a magia econômica dos Estados Unidos permanece viva e saudável", escreveu ele. "Há 240 anos, tem sido um erro terrível apostar contra os Estados Unidos, e agora não é o momento de começar."

Fato da Liberdade 5: Historicamente, os mercados em baixa surgiram com periodicidade de três a cinco anos

Espero que você esteja começando a perceber por que é uma boa ideia ser um investidor de longo prazo no mercado de ações, e não apenas um negociador de curto prazo. E espero que, a esta altura, esteja igualmente óbvio que você não precisa conviver com o medo dos ajustes. Apenas para recapitular por alguns instantes: agora você sabe que os ajustes ocorrem com regularidade, que ninguém pode prever *quando* eles acontecerão, e que o mercado geralmente se recupera rapidamente, retomando sua usual trajetória ascendente. Qualquer medo que você tenha sentido deve se transformar em poder. Acredite: esses fatos foram uma revelação para mim — depois de entendê-los, todas as minhas preocupações com os ajustes desapareceram. **Aqui está a prova definitiva de que a cobra não passava de uma corda inerte!**

Mas e os mercados em baixa? Não devemos ficar apavorados com *eles*? Na verdade, não. Aqui, novamente, precisamos entender alguns fatos-chave para que possamos agir com base no conhecimento, e não na emoção.

O primeiro fato que você precisa saber é que houve 34 mercados em baixa nos 115 anos compreendidos entre 1900 e 2015. Em outras palavras, em média, eles surgiram quase uma vez a cada três anos. Mais recentemente, os mercados em baixa apareceram com uma frequência um pouco menor: nos 70 anos desde 1946, houve 14 deles. **Isso corresponde a um mercado em baixa a cada cinco anos.** Então, dependendo do momento em que começamos a contar, é justo dizer que os mercados em baixa surgiram, historicamente, com periodicidade de três a cinco anos. A essa taxa, se você estiver com 50 anos, poderia facilmente conviver com outros oito ou dez mercados em baixa!

Você e eu sabemos que o futuro não vai ser uma réplica exata do passado. Ainda assim, é válido estudar o passado para obter uma ampla compreensão desses padrões recorrentes. Como diz o ditado, "a história não se repete, mas rima". Então, qual é a lição em mais de um século de história financeira? A lição é que, provavelmente, os mercados em baixa vão continuar a acontecer de tantos em tantos anos, quer gostemos disso ou não. Como afirmei antes, o inverno está chegando. Então, é melhor nos acostumarmos com a ideia — e nos prepararmos.

Até que ponto as coisas pioram quando o mercado *realmente* entra em crise? Bem, historicamente, o S&P 500 caiu, em média, 33% durante os mercados em baixa. **Em mais de um terço dos mercados em baixa, o índice afundou mais de 40%.** Não pretendo dourar essa pílula. Se você for alguém que entra em pânico, que vende tudo em meio ao caos e fica paralisado com perdas superiores a 40%, vai ter a sensação de que um urso-pardo o atacou *de verdade*. Mesmo que tenha conhecimento e força de vontade para *não* vender, provavelmente vai chegar à conclusão de que os mercados em baixa são uma experiência angustiante.

Até mesmo um velho cavalo de batalha como o meu amigo Jack Bogle admite que essas situações não são nada agradáveis. "Como eu me sinto quando o mercado cai 50%?", ele se pergunta, retoricamente. "Honestamente, me sinto péssimo. Me dá um nó no estômago. E aí, o que eu faço? Pego alguns dos meus livros que falam em 'manter o prumo' e releio todos eles!"

Infelizmente, muitos consultores são vítimas do mesmo medo e se escondem embaixo da mesa durante essas ocasiões conturbadas. Peter Mallouk afirmou que a comunicação ininterrupta durante as tempestades é o que distingue a Creative Planning. Sua empresa é um típico farol, retransmitindo a mensagem "Mantenha o prumo!"

Mas eis aqui o que você precisa saber: os mercados em baixa não duram para sempre. Se você analisar o gráfico a seguir, verá o que aconteceu nos 14 mercados em baixa vivenciados pelos Estados Unidos nos últimos 70 anos. **Eles variaram amplamente em duração, de um mês e meio (45 dias) a quase 2 anos (694 dias). Em média, perduraram por cerca de um ano.**

Quando atravessamos um mercado em baixa, é fácil perceber que a maioria das pessoas ao nosso redor se deixa consumir pelo pessimismo. Elas começam a acreditar que o mercado nunca mais vai subir, que suas perdas vão continuar aumentando, que o inverno vai durar para sempre. Mas lembre-se: o inverno *nunca* dura para sempre! Depois dele, sempre vem a primavera.

Os investidores mais bem-sucedidos tiram partido de todo esse medo e pessimismo, usando esses períodos tumultuados para investir mais dinheiro a preços de ocasião. Sir John Templeton, um dos maiores investidores do século passado, falou extensivamente sobre isso nas várias entrevistas que me concedeu antes de falecer, em 2008. Templeton, que fez fortuna comprando ações baratas durante a Segunda Guerra Mundial, explicou: "**As melhores oportunidades aparecem em tempos de pessimismo máximo.**"

Uma análise retrospectiva dos mercados em baixa		
Anos	Número de dias em duração	% de declínio no S&P 500
1946-1974	353	-23,2%
1956-1957	564	-19,4%
1961-1962	195	-27,1%
1966	240	-25,2%
1968-1970	543	-35,9%
1973-1974	694	-45,1%
1976-1978	525	-26,9%
1981-1982	472	-24,1%
1987	101	-33,5%
1990	87	-21,2%
1998	45	-19,3%
2000-2001	546	-36,8%
2002	200	-32,0%
2007-2009	515	-57,6%

Fato da Liberdade 6: Mercados em baixa se transformam em mercados em alta e o pessimismo se transforma em otimismo

Você se lembra de como o mundo parecia frágil em 2008, quando os bancos entraram em colapso e o mercado de ações estava em queda livre? Quando você pensava no futuro, ele parecia sombrio e perigoso? Ou parecia que os bons tempos estavam a poucos metros e que a festa estava prestes a começar?

Como você pode observar no gráfico, o mercado finalmente atingiu o fundo do poço em 9 de março de 2009. Sabe o que aconteceu depois? **O índice S&P 500 subiu 69,5% nos 12 meses seguintes.** Um retorno espetacular! Em um momento, o mercado cambaleava. No momento seguinte, conhecíamos um dos maiores mercados em alta da história! **Estamos no**

fim de 2016, e o S&P 500 já subiu surpreendentes 266% desde seu ponto mais baixo, em março de 2009.

Talvez você considere esse acontecimento uma aberração. Porém, como é possível observar no gráfico a seguir, o padrão de mercados em baixa, que subitamente dão lugar a mercados em alta, se repetiu com bastante frequência nos Estados Unidos nos últimos 75 anos.

Do mercado em baixa ao mercado em alta	
Limite inferior do mercado em baixa	**12 meses seguintes (S&P 500)**
13 de junho de 1949	42,07%
22 de outubro de 1957	31,02%
26 de junho de 1962	32,66%
26 de maio de 1970	43,73%
3 de outubro de 1974	37,96%
12 de agosto de 1982	59,40%
4 de dezembro de 1987	22,40%
21 de setembro de 2001	33,73%
23 de julho de 2002	17,94%
9 de março de 2009	69,49%

Você consegue entender agora por que Warren Buffett diz que gosta de ser ganancioso quando os outros estão com medo? Ele sabe que o estado de humor pode mudar rapidamente do medo e do desânimo para um otimismo exuberante. Na verdade, quando o humor do mercado está desolador, superinvestidores como Buffett tendem a enxergar aí um sinal *positivo* de que dias melhores estão se aproximando.

É possível perceber um padrão semelhante quando se trata da confiança do consumidor, que é uma medida de como os consumidores se sentem otimistas ou pessimistas em relação ao futuro. No mercado em baixa, os comentaristas geralmente observam que os gastos do consumidor diminuem, pois as pessoas ficam muito nervosas quanto ao futuro. É um ciclo vicioso: os consumidores gastam menos dinheiro e, portanto, as empresas *ganham* menos dinheiro. Se as empresas ganham menos, não seria o caso de afirmar que o mercado de ações vai ter dificuldade para se recuperar?

Talvez você pense assim. Mas esses períodos de pessimismo do consumidor são, muitas vezes, o momento ideal para investir. Observe a tabela a seguir e veja que vários mercados em alta tiveram início quando a confiança do consumidor estava reduzida.

Por quê? Porque o mercado de ações não está focado no hoje. O mercado sempre está focado no futuro. O mais importante não é onde a economia está neste momento, mas para onde ela vai. Quando tudo parece assustador, o pêndulo acaba se voltando para a direção oposta. Na verdade, todos os mercados em baixa na história dos Estados Unidos foram sucedidos por mercados em alta, sem exceção.

Esse histórico de incrível resiliência tornou a vida relativamente fácil para os investidores de longo prazo no mercado norte-americano. Seguidamente, depois da tempestade, veio a bonança. E quanto a outros países? Eles observaram um padrão similar de mercados em baixa seguidos por mercados em alta?

Em termos gerais, sim. Mas o Japão teve uma experiência muito mais problemática. Lembra-se da década de 1980, quando as empresas japonesas pareciam estar destinadas a governar o mundo? O índice de ações do Japão, o Nikkei 225, sextuplicou durante aqueles anos de otimismo vertiginoso, atingindo um máximo de 38.957 em 1989. Em seguida, o mercado se partiu em pedaços. Em março de 2009, o Nikkei atingiu um mínimo de 7.055. Isso significa uma perda de 82% em 20 anos! Nos últimos anos, no entanto, ele apresentou uma forte recomposição, recuperando-se até um máximo de 17.079. Mesmo assim, após quase três décadas, o mercado japonês ainda está muito aquém do seu auge.

Como vamos discutir mais adiante, você pode se proteger desse tipo de catástrofe montando um portfólio ampla e globalmente diversificado, escolhendo também entre diferentes tipos de ativos.

Quem precisa de confiança?	
Confiança do consumidor <60%	12 meses seguintes (S&P 500)
1974	+37%
1980	+32%
1990	+30%
2008	+60%
2011	+15%

O mercado de ações é um dispositivo para transferir
dinheiro dos impacientes para os pacientes.

— Warren Buffett

Alguma vez você já ouviu o locutor do noticiário mencionar que o mercado de ações havia acabado de atingir uma máxima histórica? Talvez você tenha tido aquela sensação incômoda de que estávamos voando muito perto do sol, de que a gravidade em breve exerceria seu papel, e de que o mercado, inevitavelmente, voltaria ao seu ponto de partida.

Enquanto escrevo estas linhas, o S&P 500 está apenas alguns pontos abaixo da máxima histórica. Nas últimas semanas, ele atingiu novos picos em múltiplas ocasiões. Como você sabe, esse mercado em alta está se estendendo por mais de sete anos. Por isso, a probabilidade de estarmos fadados a uma queda deve ter passado pela sua mente, assim como passou pela minha. Certamente, faz sentido não assumir riscos indevidos quando as ações já estão em ascensão há anos. Se existe uma lição da experiência japonesa, é que nós, seres humanos, temos uma tendência natural a nos deixar levar e não notar o perigo quando os preços das ações continuam disparando.

O fato de um mercado estar próximo de sua máxima histórica não significa, necessariamente, que haja problemas à frente. Como discutimos anteriormente, o mercado norte-americano tem um viés geral ascendente. Ele sobe no longo prazo porque a economia continua crescendo. **Na verdade, o mercado dos Estados Unidos atinge uma máxima histórica em aproximadamente 5% de todos os dias de operações. Em média, isso equivale a uma vez por mês***.

Graças à inflação, o preço de quase *tudo* está em sua máxima histórica quase o tempo todo. Se você não acredita em mim, verifique o preço do seu Big Mac, do seu café latte, da sua barra de chocolate, do seu peru do dia de Ação de Graças ou do seu carro novo. Existem grandes chances de que esses preços também estejam em sua máxima histórica.

* Lembre-se: a vida real não é uma média absoluta. A tendência é ter alguns dias bons e alguns dias ruins também. Mas é bom saber qual é a média.

Fato da Liberdade 7: O maior perigo é estar fora do mercado

A esta altura, espero que você concorde comigo que não é possível ser bem-sucedido entrando e saindo do mercado a toda hora. É muito difícil para os mortais comuns, como você e eu, prever os movimentos do mercado. Como Jack Bogle disse certa vez: "A ideia de que uma campainha vai tocar para sinalizar quando os investidores devem entrar ou sair do mercado de ações simplesmente não é crível." Mesmo assim, o fato de o mercado estar oscilando em torno de sua máxima histórica pode persuadi-lo a preferir a segurança, mantendo-se à margem, com o dinheiro em mãos, até que os preços das ações tenham caído.

O problema é que aguardar à margem, ainda que por curtos períodos de tempo, pode ser o erro mais caro de todos. Sei que isso parece contraditório, mas, como você pode observar no gráfico a seguir, há um impacto devastador em seus retornos quando você perde até mesmo alguns dos melhores dias de operações do mercado.

> Você perde 100% dos tiros que nunca dá.
>
> — WAYNE GRETZKY, jogador de hóquei cujo nome está no Hall da Fama

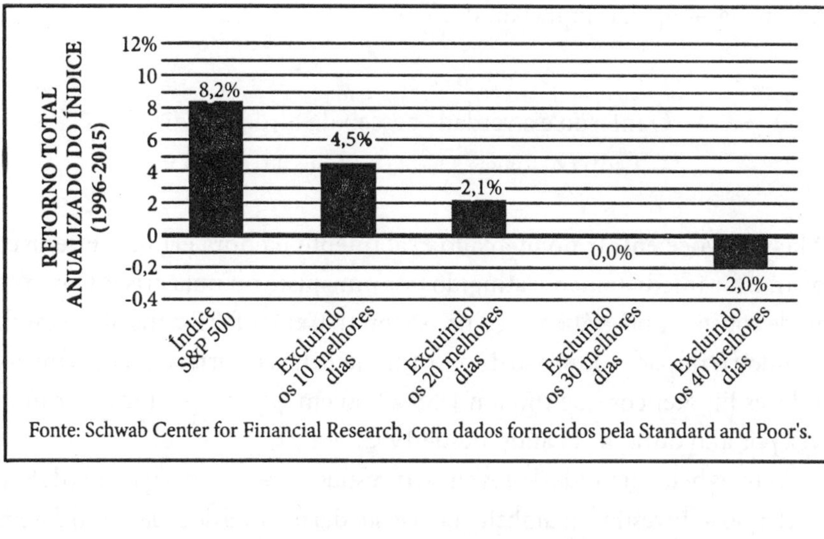

Fonte: Schwab Center for Financial Research, com dados fornecidos pela Standard and Poor's.

De 1996 a 2015, o S&P 500 apresentou um retorno médio de 8,2% ao ano. Se você tivesse perdido os 10 melhores dias de operações durante esses 20 anos, seus retornos teriam caído para apenas 4,5% ao ano. Você consegue acreditar nisso? Seus retornos teriam sido cortados quase pela metade apenas por ter perdido os 10 melhores dias de operações em 20 anos!

E a situação piora ainda mais! Se você tivesse perdido os 20 melhores dias de operações, seus retornos cairiam de 8,2% ao ano para irrisórios 2,1%. E se você tivesse perdido os 30 melhores dias de operações? Seus retornos evaporariam, despencando até zero!

Ao mesmo tempo, um estudo da JPMorgan descobriu que 6 dos 10 melhores dias do mercado nos últimos 20 anos ocorreram dentro do intervalo das duas semanas seguintes aos 10 piores **dias.** Moral da história: se você ficou assustado e vendeu no momento errado, perdeu os fabulosos dias que se seguiram, ocasião em que os investidores pacientes acumularam quase *todos* os lucros. **Em outras palavras, a instabilidade do mercado não é algo a temer. É a maior oportunidade para você dar o salto definitivo para a liberdade financeira. Você não vai ganhar nada sentado. Você** precisa **estar no jogo. Em outras palavras, o medo não é recompensado. A coragem, sim.**

A mensagem é clara: o maior perigo para sua saúde financeira não é uma crise no mercado; é estar *fora* do mercado. Na verdade, uma das regras mais fundamentais para alcançar o sucesso financeiro a longo prazo é que você precisa *entrar* no mercado e *permanecer* nele, para que possa absorver todos os seus ganhos. Jack Bogle diz isso de uma maneira perfeita: "Não faça nada — apenas fique parado!"

> O inferno é a verdade percebida tarde demais.
>
> — THOMAS HOBBES, filósofo britânico do século XVII

Mas e se você entrar no mercado exatamente na hora errada? E se tiver azar, e for imediatamente atingido por um ajuste ou uma crise? Como se pode constatar no gráfico a seguir, o Schwab Center for Financial Research estudou o impacto do senso de oportunidade nos retornos de cinco investidores hipotéticos que tinham US$ 2.000 em espécie para investir uma vez por ano durante 20 anos, desde 1993.

A mais bem-sucedida desses cinco investidores — vamos chamá-la de Sra. Perfeição — investiu seu dinheiro no *melhor* dia possível de cada ano: o dia em que o mercado atingiu, exatamente, seu ponto mais baixo naquele ano. Essa lendária investidora, que previu o comportamento do mercado *com perfeição* por 20 anos, terminou com US$ 87.004. O investidor com o pior senso de oportunidade — vamos chamá-lo de Sr. Azarado — investiu todo o seu dinheiro no *pior* dia possível de cada ano: o dia em que o mercado atingiu, exatamente, seu ponto mais alto naquele ano. O resultado? Ele terminou com US$ 72.487.

O impressionante é que, mesmo após essa trajetória de 20 anos de incrível má sorte, o Sr. Azarado *ainda* teve um lucro substancial. A lição? **Se você se mantiver no mercado por tempo suficiente, a composição vai exercer sua magia, e você vai acabar tendo um retorno razoável — mesmo que seu senso de oportunidade tenha sido irremediavelmente infeliz.** E sabe o que mais? **O investidor com pior desempenho não foi o azarado, mas aquele que ficou sentado no banco, o que ficou com o dinheiro na mão: ele acabou com apenas US$ 51.291.**

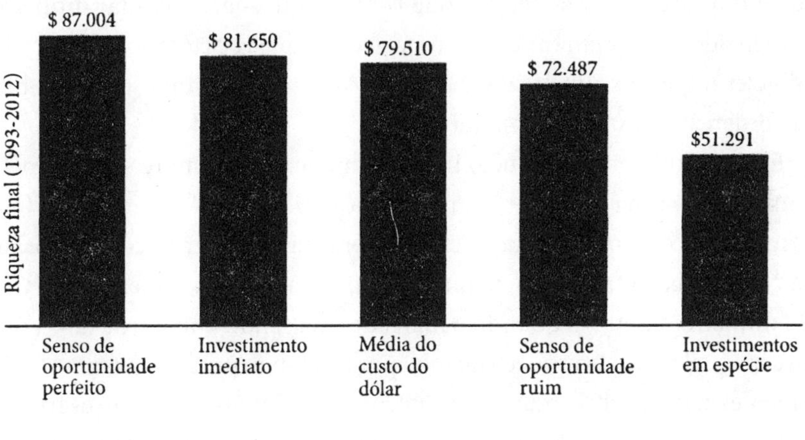

Fonte: Gráfico de Riepe 2013

FINALMENTE LIVRE!

Neste capítulo, você aprendeu sete fatos que mostram como o mercado funciona. Com base em mais de um século de história financeira, você consegue compreender agora que os ajustes, os mercados em baixa e as recuperações seguem padrões similares várias vezes seguidas. Agora que você tem o poder de *reconhecer* esses padrões de longo prazo, também vai ter o poder de *utilizá-los.*

Mais adiante, vamos explicar detalhadamente as estratégias específicas que podem ser usadas para tirar proveito desses padrões sazonais. Vamos mostrar, por exemplo, o que você deve ter em mente ao criar sua estratégia ideal de alocação de ativos, de modo a minimizar suas perdas em um mercado em baixa e maximizar seus ganhos quando o mercado se recuperar. Por enquanto, você deve abrir um grande sorriso! Você conhece os fatos. Você conhece as regras do jogo. Você sabe que os ajustes e os mercados em baixa são esperados, e logo vai aprender a tirar partido deles. Você está um pouco mais perto de se tornar verdadeiramente *inabalável.*

O melhor de tudo é que você está começando a controlar sua vida financeira. Está assumindo a responsabilidade. E quer saber de uma coisa? A maioria das pessoas nunca assume a responsabilidade. Elas preferem culpar o mercado por aquilo que acontece com elas. *Mas o mercado nunca pegou um centavo de ninguém!* Se você perder dinheiro no mercado, terá sido em função de uma decisão que *você* tomou — e, se ganhar dinheiro no mercado, vai ser em função de uma decisão que *você* tomou. O mercado vai fazer o que costuma fazer. Mas é *você* quem determina se vai ganhar ou perder. *Você* está no comando.

Este capítulo ensinou que o inverno financeiro é sempre seguido pela primavera — uma lição que vai permitir que você avance sem medo. Ou, no mínimo, com muito menos medo. O conhecimento traz a compreensão, e a compreensão traz a determinação. Você não vai ser aquele que retira seu dinheiro das ações quando o mercado está sendo bombardeado! Você vai ser aquele que permanece no jogo por um longo prazo — plantando as sementes certas, cultivando-as pacientemente e, depois, colhendo os frutos!

No próximo capítulo, porém, você vai descobrir que existe uma coisa da qual é realmente *saudável* ter medo: empresas financeiras que cobram de clientes como nós taxas ultrajantes por um desempenho insatisfatório. Como você verá, não existe maneira mais poderosa de assumir o controle de suas finanças do que eliminar essas taxas excessivas — e, muitas vezes, ocultas. Como você vai se beneficiar? Economizando pelo menos 10 anos de renda! Que tal assumir o controle?

Vire a página e vamos revelar as taxas ocultas e as meias verdades...

CAPÍTULO 3

TAXAS OCULTAS E MEIAS VERDADES

Como Wall Street faz você pagar mais por um desempenho insatisfatório

O nome do jogo? Tirar o dinheiro do bolso do cliente e colocá-lo no seu bolso.

— Matthew McConaughey para Leonardo Di Caprio, em *O lobo de Wall Street*

Muitas vezes, pergunto às pessoas: "Com que objetivo você está investindo?" Recebo respostas diversas: de "altos retornos" a "segurança financeira", de "aposentadoria" a "uma casa de praia no Havaí". Mas, em pouco tempo, quase todas as respostas começam a rimar. **O que a maioria das pessoas realmente quer, independentemente de quanto dinheiro possuam hoje, é a liberdade. Liberdade para fazer o que quiserem, sempre que quiserem, com quem quiserem.** É um belo sonho, e passível de ser realizado. Mas como você pode navegar em direção ao pôr do sol se o seu barco estiver furado? E se, de forma lenta, mas constante, estiver entrando tanta água que acabe afundando muito antes de chegar ao seu destino?

Odeio dizer isso, mas a maioria das pessoas se encontra *exatamente* nessa condição. Elas não percebem que estão condenadas a se decepcionar, devido ao impacto gradual — e, em última análise, devastador — do excesso de taxas no seu bem-estar financeiro. O que me desespera é que elas não sabem que isso está acontecendo. Elas *não têm ideia* de que são vítimas de uma indústria financeira que as sobrecarrega sub-reptícia e *sistematicamente.*

Mas não se limite a acreditar no que eu digo. A organização sem fins lucrativos AARP publicou um relatório em que afirma ter descoberto que 71% dos norte-americanos acreditam que não pagam nenhuma taxa pela titularidade de um plano 401(k). É isso mesmo: 7 em cada 10 pessoas *desconhecem totalmente* que estão pagando uma taxa! Isso equivale a acreditar que as refeições rápidas não contêm calorias. Enquanto isso, 92% admitem que não têm a menor ideia de *quanto* realmente estão pagando*. Em outras palavras, elas confiam cegamente na indústria financeira, imaginando que ela está interessada em atender aos seus melhores interesses! Sim, esse é o mesmo setor que provocou a crise financeira global! Talvez você também decida, simplesmente, entregar sua carteira e a senha de seu cartão de débito.

Você conhece o velho ditado "a ignorância é uma bênção"? Bem, eu preciso lhe dizer: quando se trata das suas finanças, a ignorância *não* é uma bênção. A ignorância é sofrimento e pobreza. A ignorância é um desastre para você e sua família — e uma bênção para as empresas financeiras que estão explorando sua desatenção!

Este capítulo vai lançar luz sobre o assunto das taxas, para que você saiba *exatamente* o que está acontecendo. A boa notícia: quando você souber exatamente o que está acontecendo, vai poder colocar um ponto final permanente e transformador nisso tudo. **Por que isso é tão importante? Porque as taxas excessivas podem destruir** dois terços **de seu pecúlio!** Jack Bogle me explicou tudo isso de uma forma bem simples:

"Vamos supor que o mercado de ações dê um retorno de 7% ao longo de 50 anos", começou ele. A essa taxa, devido ao poder da composição, "cada dólar se transforma em até 30 dólares". Mas o fundo médio cobra cerca de 2% ao ano em custos, o que reduz seu retorno anual médio para 5%.

---

* "Nove em cada 10 norte-americanos cometem este erro nos planos 401(k): a avaliação da aposentadoria", http://www.financial-planning.com/news/nine-in-10-americans-make-this-401-k-mistake-retirement-scan.

A essa taxa, "você ganha 10 dólares. Então, são 10 dólares contra 30. **Você colocou 100% do capital, assumiu 100% dos riscos e obteve 33% de retorno!**".

Deu para entender? Você perdeu dois terços do *seu* pecúlio para encher os bolsos de gestores de dinheiro que *não* se arriscaram, não colocaram *nenhum* capital e muitas vezes apresentaram um desempenho *medíocre*! Então, quem você acha que vai acabar comprando a casa de praia no Havaí?

Depois de ler este capítulo, você vai saber como recuperar o controle! Minimizando as taxas, você vai economizar anos — ou, mais provavelmente, décadas **— de renda para a aposentadoria.** Esse único movimento vai acelerar dramaticamente sua trajetória até a liberdade financeira. Mas isso não é tudo. Você também vai aprender a reduzir os impostos que paga sobre seus investimentos. Isso é crucial, porque os impostos excessivos, assim como as taxas, são uma força destrutiva que pode invalidar todos os passos positivos que você tiver dado.

Como você acha que vai se sentir quando não apenas tiver identificado esses dois inimigos, mas também os tiver derrotado? Você vai se sentir verdadeiramente inabalável!

OS LOBOS DE WALL STREET

Se você estiver em busca de segurança financeira, o caminho óbvio é investir em fundos mútuos. Talvez seu cunhado tenha tido a sorte de comprar ações da Amazon, do Google e da Apple antes de elas dispararem. No entanto, para o resto de nós, selecionar ações individuais é um esforço inútil. Há muitas coisas que não conhecemos, muitas variáveis, e quase tudo pode dar errado. Os fundos mútuos oferecem uma alternativa simples e lógica. Para começar, eles fornecem o benefício de uma ampla diversificação, o que ajuda a reduzir seu risco geral.

Mas como escolher os fundos corretos? Certamente há opções suficientes. Como mencionamos anteriormente, existem cerca de 9.500 fundos mútuos nos Estados Unidos — mais que o *dobro* do número de empresas norte-americanas negociadas em bolsa! Portanto, é seguro dizer que o mercado de fundos mútuos está ligeiramente saturado. Por que tantas empresas querem estar nesse negócio? Sim, você entendeu bem: porque é incrivelmente lucrativo!

O problema é que ele tende a ser muito mais lucrativo para Wall Street do que para clientes reais como você e eu. Não me interprete mal. Não estou sugerindo que o setor esteja conscientemente disposto a nos prejudicar. Não estou sugerindo que seja um negócio repleto de picaretas ou charlatões! Pelo contrário, a maioria dos profissionais financeiros é inteligente, trabalhadora e atenciosa. Mas Wall Street evoluiu para um ecossistema que existe, antes de mais nada, para ganhar dinheiro para si mesmo. Não é um setor doentio composto por indivíduos doentios. É composto por corporações cujo objetivo é maximizar os lucros para seus acionistas. Esse é o trabalho delas.

Até mesmo os colaboradores mais bem-intencionados trabalham dentro dos limites desse sistema. Eles sofrem intensa pressão para aumentar os lucros, e são recompensados por fazer isso. Se você — o cliente — também obtiver um bom resultado, vai ser ótimo! Mas não se engane. Você não é a prioridade!

Quando conheci David Swensen, diretor de investimentos da Universidade de Yale, ele me ajudou a entender o quanto o setor de fundos mútuos atende mal à maioria de seus clientes. Swensen é o astro do investimento institucional, famoso por ter transformado um portfólio de US$ 1 bilhão em US$ 25,4 bilhões! Mas ele também é uma das pessoas mais afetuosas e sinceras que já conheci. Ele poderia ter abandonado facilmente Yale e se tornado um bilionário, abrindo seu próprio fundo de cobertura. Mas o que o move é um profundo senso de dever e responsabilidade pela sua *alma mater*, de modo que não fiquei surpreso quando percebi sua consternação com o fato de que muitas empresas de fundos tratem mal os seus clientes.

Como ele afirmou: **"Majoritariamente, os fundos mútuos extraem enormes somas dos investidores e, em troca, proporcionam um atendimento revoltante."**

Qual o serviço que os fundos *deveriam* fornecer? Ora, quando você compra um fundo ativamente gerenciado, essencialmente está pagando para que o gestor traga retornos superiores aos do mercado. Caso contrário, não seria melhor simplesmente deixar seu dinheiro em um fundo de índice de baixo custo, que *tenta mimetizar* os retornos do mercado?

Como se pode imaginar, as pessoas que administram fundos ativamente gerenciados não são tolas. Elas gabaritaram seus testes de matemática no ensino médio, estudaram economia e contabilidade e obtiveram MBAs nas melhores escolas de pós-graduação do mundo. Muitas delas usam terno e gravata! E elas se dedicam a pesquisar e selecionar as melhores ações para montar seus fundos.

Então, o que poderia dar errado? Praticamente tudo...

O fator humano

Os gestores de fundos tentam agregar valor ao prever quais empresas terão melhor desempenho nas próximas semanas, meses ou anos. Eles podem evitar ou "subestimar" setores (ou países) específicos que, segundo sua avaliação, apresentam perspectivas pouco atraentes. Eles podem manter o dinheiro guardado caso não consigam encontrar ações que valham a pena ser compradas — ou podem investir mais agressivamente quando estiverem se sentindo otimistas. **Acontece que esses profissionais não são tão melhores do que nós na hora de prever o futuro.** A verdade é que, geralmente, os seres humanos são péssimos em fazer previsões! Talvez seja por isso que você nunca leia uma manchete de jornal dizendo "Um paranormal acertou na loteria!".

Quando os gestores de fundos ativos negociam ações ininterruptamente, há muitas possibilidades de cometerem erros. Por exemplo, eles não apenas têm que decidir *quais* ações comprar ou vender, mas *quando* comprar ou vender. E cada decisão os obriga a tomar outra decisão. Quanto mais decisões eles tomam, mais chances têm de se equivocar.

Para piorar as coisas, toda essa negociação é cara. Toda vez que um fundo negocia uma ação, uma empresa de corretagem cobra uma comissão para executar a transação. É um pouco como jogar em um cassino: a casa vai receber o seu pagamento, independentemente do que acontecer. Então, no fim, a casa *sempre* sai ganhando! Nesse caso, a casa é uma empresa de corretagem (como a empresa financeira suíça UBS ou a Merrill Lynch, divisão de gestão de patrimônio do Bank of America) que cobra uma taxa sempre que o gestor do fundo executa um movimento. Com o tempo, essas taxas vão se acumulando. Por coincidência, estou trabalhando neste capítulo enquanto me hospedo em um hotel em Las Vegas, administrado pelo meu amigo Steve Wynn, que se tornou bilionário criando alguns dos cassinos mais populares do mundo. Como Steve afirma, é muito melhor ser aquele que *cobra* as taxas do que aquele que tem que pagá-las!

Assim como o pôquer, o investimento é um jogo de soma zero: há fichas demais sobre a mesa. Quando duas pessoas negociam uma ação, uma delas precisa ganhar e a outra precisa perder. Se a ação subir depois que você a adquirir, você ganha. Mas é preciso ganhar por uma margem suficientemente alta para cobrir aqueles custos de negociação.

Aguarde, vai piorar ainda mais! Se a sua ação subir, você também vai ter que pagar impostos sobre seus lucros quando for vendê-la. Para quem investe em um fundo ativamente gerenciado, a combinação de altos custos de transação e impostos é um assassino silencioso, avançando sorrateiramente sobre os retornos do fundo! Para agregar valor *após* os impostos e as taxas, o gestor do fundo deve alcançar uma margem *realmente* alta. E, como você vai ver em breve, isso não é fácil.

Você arregala o olho quando começamos a falar de impostos? Eu sei, eu sei! Não é um tema dos mais sedutores. Mas *deveria* ser! **Porque a maior despesa da sua vida são os impostos, e pagar mais do que o necessário é uma insanidade — especialmente quando isso é absolutamente evitável!** Se você não tiver cuidado, os impostos podem ter um impacto catastrófico nos seus retornos. A seguir, apresentamos um exemplo extremo, porém surpreendentemente comum.

Digamos que você invista em um fundo em dezembro. Então, no dia seguinte, o gestor vende uma ação que vem disparando nos últimos 10 meses. Considerando que você já é um dos proprietários do fundo, você vai ser taxado por aqueles ganhos, mesmo que *você* não tenha se beneficiado nem um pouco com o aumento meteórico da ação*. Ninguém disse que o código tributário era justo.

Outro problema comum tem a ver com o tempo de permanência dos investimentos nos fundos ativamente gerenciados. A maioria dos fundos

---

* Isso se chama imposto sobre os ganhos de capital, e o afeta mesmo que você não tenha obtido aqueles ganhos de capital. Possuir um fundo por um longo período de tempo não garante, necessariamente, ganhos de capital de longo prazo. Muito pelo contrário. Possuir um fundo ativo significa que você vai sofrer deduções fiscais a cada ano, devido aos lucros obtidos pelo gestor do fundo, e esses lucros são tipicamente tributados segundo o imposto de renda ordinário.

negocia incessantemente. Eles vendem grande parte dos seus investimentos em um intervalo inferior a um ano. Isso significa que você deixa de se beneficiar da menor alíquota do imposto sobre os ganhos de capital. Então, independentemente de quanto tempo você mantiver o fundo, vai ser tributado segundo a maior alíquota do imposto de renda ordinário.

Por que você deveria se importar com isso? Porque seus lucros podem ser reduzidos em 30% ou mais, a menos que você esteja mantendo o fundo dentro de uma conta de imposto diferido, como uma IRA (conta de aposentadoria individual) ou um plano 401(k). Não é de surpreender que as empresas de fundos não gostem de se deter nessas questões fiscais, preferindo divulgar seus retornos pré-tributários!

Imagine que, ao longo do tempo, você está perdendo dois terços do seu pecúlio potencial para as taxas — e está abrindo mão de outros 30% em impostos desnecessários. Quanto realmente vai sobrar para o futuro da sua família?

Sendo assim, qual é o antídoto?

Os fundos de índice adotam uma abordagem "passiva" que elimina quase todas as atividades de negociação. Em vez de negociar o tempo todo no mercado, eles simplesmente compram e mantêm todas as ações em um índice como o S&P 500. Isso inclui empresas como Apple, Alphabet, Microsoft, ExxonMobil e Johnson & Johnson — atualmente, as cinco maiores ações da S&P 500. Os fundos de índice funcionam quase que inteiramente no piloto automático: eles fazem pouquíssimas negociações, de modo que seus custos de transação e seus impostos são incrivelmente baixos. Eles também economizam uma fortuna em outras despesas. Para começar, eles não precisam pagar enormes salários para todos aqueles gestores de fundos ativos e seus times de analistas com diplomas de universidades importantes!

Quando você possui um fundo de índice, também está protegido contra todas as decisões absolutamente idiotas, ligeiramente equivocadas ou simplesmente infelizes que os gestores de fundos ativos são capazes de tomar. Por exemplo, um gestor ativo provavelmente vai manter uma parcela dos ativos do fundo em espécie, pronta para ser investida caso surja uma oportunidade atraente — ou pronta para atender a pedidos de resgate, se muitos investidores decidirem vender suas participações no fundo. Manter um pouco de dinheiro em espécie na mão não é má ideia, e é útil na eventualidade de uma queda no mercado. Mas o dinheiro em espécie não gera retorno, portanto vai apresentar um desempenho inferior ao das ações ao longo do tempo, assumindo que o mercado continue sua trajetória ascendente geral. Em última análise, o consequente "escoamento do dinheiro" tende a ter um impacto negativo nos retornos dos fundos ativamente gerenciados.

E quanto aos fundos de índice? Em vez de ficarem sentados sobre o dinheiro, eles permanecem quase que totalmente investidos o tempo todo.

"BOA SORTE COM ISSO"

Por que é tão difícil prever com sucesso o comportamento do mercado, adquirindo e se desfazendo de ações no momento certo para se beneficiar de suas recuperações e evitar o sofrimento nos momentos de retração? Muitas pessoas assumem, erroneamente, que basta estar certo um pouco mais de 50% do tempo para que essa abordagem se mostre recompensadora. Mas um estudo exaustivo de William Sharpe, economista vencedor do Prêmio Nobel, mostrou que um investidor de mercado deve estar certo entre *69% e 91% do tempo* — um obstáculo incrivelmente difícil de ser superado.

Em outro estudo de referência, os pesquisadores Richard Bauer e Julie Dahlquist examinaram mais de um milhão de sequências de previsões de comportamento do mercado entre 1926 e 1999. *Sua conclusão: a simples posse do mercado (através de um fundo de índice) superou o desempenho de mais de 80% das estratégias de previsão do comportamento do mercado.*

Se você estiver chateado neste exato momento, eu entendo. Provavelmente está se perguntando: "O que eu realmente ganho quando invisto em um fundo ativamente gerenciado?" Bem, provavelmente você adquire uma mistura tóxica composta por erro humano, taxas elevadas e impostos desagradáveis! Não é de admirar que David Swensen seja tão cético quanto às suas chances de alcançar a liberdade financeira através dos fundos ativos. Ele adverte: **"Observando os resultados em uma base pós-taxas e pós-impostos depois de períodos razoavelmente longos de tempo, não há quase nenhuma chance de superar o fundo de índice."**

Você obtém o que paga — exceto quando não paga

> A indústria de fundos mútuos é, atualmente, a maior operação de roubo do mundo, um canal de US$ 7 trilhões do qual os gestores de fundos, corretores e outros iniciados drenam constantemente uma parte excessiva da poupança destinada à aposentadoria, aos estudos universitários e às famílias da nação.
>
> — SENADOR PETER FITZGERALD, DE ILLINOIS, copatrocinador do Projeto de Reforma dos Fundos Mútuos, de 2004 (arquivado pelo Comitê Bancário do Senado)

Quando eu era adolescente, às vezes marcava um encontro com uma garota no Denny's. Eu tinha tão pouco dinheiro que pedia um chá gelado e fingia que já tinha comido. A verdade é que eu não podia me dar ao luxo de pagar uma refeição para os dois! A experiência de crescer pobre aguçou minha percepção em relação a quanto as coisas *deveriam* custar e quanto elas *realmente* custam. Se você estiver interessado em uma refeição fantástica em um ótimo restaurante, a expectativa é a de que isso custe caro. Sem problemas. Mas você pagaria US$ 20 por um taco que vale US$ 2? De jeito nenhum! Mas devo lhe dizer que é isso que a maioria das pessoas faz quando investe em fundos mútuos ativamente gerenciados.

Você já tentou descobrir as taxas *reais* que está pagando pelos fundos que possui? Se a resposta for afirmativa, provavelmente já se deparou com a "relação de despesas", que cobre a "taxa de consultoria de investimentos" da empresa de fundos, seus custos administrativos para itens como postagem e manutenção de registros, além de despesas fundamentais do escritório, como refrigerantes e cappuccinos gratuitos. Um fundo típico que investe em ações pode ter uma relação de despesas variando entre 1% e 1,5%. O que você provavelmente *não* percebeu é que esse é apenas o início da prosperidade tributária do fundo!

Alguns anos atrás, a *Forbes* publicou um artigo fascinante intitulado "O custo real de possuir um fundo mútuo", que revelava o quanto os fundos poderiam ser verdadeiramente caros. Como apontou o autor, você não vai se encarregar apenas da relação de despesas, que a revista estimou, conservadoramente, em pouco menos de 1% (0,9%) ao ano. Você também será obrigado a pagar uma fortuna pelos "custos de transação" (todas as comissões que seu fundo paga sempre que compra ou vende ações), que a *Forbes* estimou em 1,44% ao ano. Depois, há o "escoamento de dinheiro", estimado em 0,83% ao ano. Em seguida, há o "custo fiscal", estimado em 1% ao ano, se o fundo estiver em uma conta tributável.

O total geral? **Se o fundo estiver sendo mantido em uma conta não tributável, como uma 401(k), você vai estar diante de custos totais de 3,17% ao ano! Se estiver em uma conta tributável, os custos totais representam incríveis 4,17% ao ano!** Em comparação, aquele taco de US$ 20 está começando a parecer uma verdadeira pechincha!

Deve-se ler com muito cuidado as letras miúdas.
Aliás, não gosto de nada que tenha essas letrinhas miúdas.
— Jack Bogle

Espero que você esteja prestando muita atenção agora, porque estar informado sobre todas essas taxas ocultas vai lhe poupar uma fortuna! Mas e se você estiver lendo e pensando: "Sim, mas estamos falando apenas de 3% ou 4% ao ano. O que são alguns pontos percentuais entre amigos?"

SOME TUDO ISSO

Conta não tributável	Conta tributável
Relação de despesas: 0,90%	Relação de despesas: 0,90%
Custos de transação: 1,44%	Custos de transação: 1,44%
Escoamento de dinheiro: 0,83%	Escoamento de dinheiro: 0,83%
	Custo fiscal: 1%
Custos totais: 3,17%	Custos totais: 4,17%

"O custo real de possuir um fundo mútuo", *Forbes*, 4 de abril de 2011.

É verdade que, à primeira vista, os números parecem pequenos. Mas o impacto é impressionante quando você calcula os custos excessivos multiplicados ao longo de muitos anos.

Eis aqui outra maneira de colocar isso em perspectiva: um fundo ativamente gerenciado que cobra 3% ao ano é sessenta vezes mais caro

que um fundo de índice que cobra 0,05%! Imagine-se indo à Starbucks com uma amiga. Ela pede um venti café latte e paga US$ 4,15. Mas você fica feliz em pagar sessenta vezes mais. Seu preço: US$ 249! Acho que você pensaria duas vezes antes de fazer isso.

Caso você ache que estou exagerando, consideremos o exemplo de dois vizinhos, Joe e David. Ambos têm 35 anos, e cada um economizou US$ 100.000, que decidem investir. Ao longo dos próximos trinta anos, o universo sorri para ambos, e cada um deles obtém um retorno bruto de 8% ao ano. Joe consegue isso investindo em um portfólio de fundos de índice que lhe cobra 0,5% ao ano em taxas. David, por sua vez, adquirindo fundos ativamente gerenciados ao custo de 2% ao ano. (Estou sendo generoso aqui, assumindo que os fundos ativos correspondam ao desempenho dos fundos de índice.)

Confira o gráfico a seguir e veja os resultados. Aos 65 anos, Joe viu seu pecúlio aumentar de US$ 100.000 para aproximadamente US$ 865.000. Quanto a David, seus US$ 100.000 se transformaram em apenas US$ 548.000. Ambos atingiram o mesmo nível de retorno, mas pagaram taxas diferentes. O resultado? Joe tem 58% a mais — um adicional de US$ 317.000 para sua aposentadoria.

Como o gráfico também mostra, esses dois vizinhos começam a efetuar retiradas de US$ 60 mil por ano para se sustentarem durante a aposentadoria. David fica sem dinheiro aos 79 anos de idade. Mas Joe tem uma experiência de vida totalmente diferente. **Ele consegue retirar US$ 80.000 por ano — 33% a mais —, e o dinheiro dura até ele completar 88 anos!** Felizmente, Joe permite que David viva no porão de sua casa. De graça.

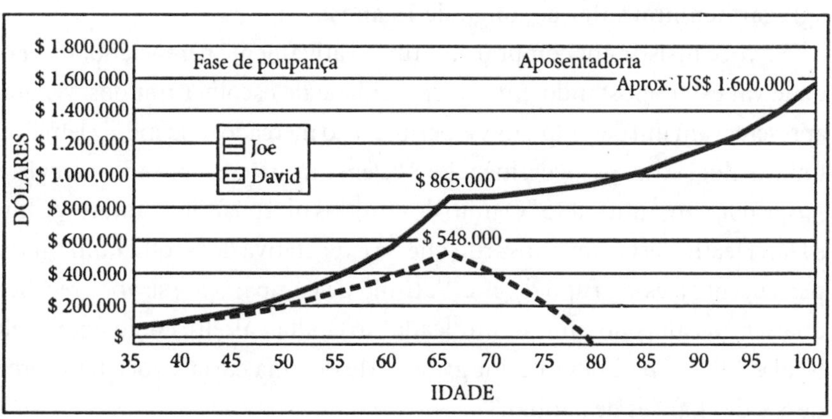

Entende agora por que é preciso prestar tanta atenção às taxas que está pagando? Esse fator crucial pode fazer toda a diferença entre a pobreza e o conforto, a tristeza e a alegria.

Pagando demais por um desempenho insatisfatório: a armadilha das cinco estrelas

Eis aqui uma pergunta que, provavelmente, você nunca pensou em fazer: como encontrar um gestor de fundo ativo que não apenas lhe cobre essas tarifas ultrajantes, mas também lhe forneça retornos medíocres? Não se preocupe. A indústria de serviços financeiros vai se encarregar disso. Se existe uma coisa cuja oferta é abundante são gestores ativos que cobram caro por um desempenho insatisfatório!

E o mais incrível é o seguinte. Não se trata apenas de fundos ativamente gerenciados estarem cobrando demais de seus clientes. Seu desempenho no longo prazo é péssimo. É como se fosse uma ofensa dupla. Imagine que você acabou de comprar aquele café latte por US$ 249, tomou um gole e descobriu que o leite estava estragado.

Um dos estudos mais chocantes sobre esse tema do desempenho dos fundos mútuos foi realizado por Robert Arnott, especialista do setor e fundador da Research Affiliates. Ele analisou todos os 203 fundos de investimento ativamente gerenciados, com pelo menos US$ 100 milhões em ativos, rastreando seus retornos nos 15 anos compreendidos entre 1984 e 1998. E sabe o que ele descobriu? Que apenas oito daqueles 203 fundos superaram o índice S&P 500. **Isso significa menos de 4%! Em outras palavras, 96% daqueles fundos ativamente gerenciados não conseguiram agregar nenhum valor ao longo de 15 anos!**

Se você insistir em comprar um fundo ativamente gerenciado, na verdade vai estar apostando em sua capacidade de escolher um dos 4% que apresentaram um desempenho superior ao do mercado. Isso me faz lembrar uma analogia com os jogos, mencionada em um artigo publicado na revista *Fast Company*, intitulado "O mito dos fundos mútuos". Seus autores, Chip e Dan Heath, destacam o absurdo que é a expectativa de escolher um fundo pertencente a esse grupo de 4%: "A título de comparação, se você receber duas cartas altas no vinte-e-um [cada carta alta vale 10, então agora seu total é 20], e seu idiota interior gritar: 'Me dê uma carta!', você tem cerca de 8% de chances de ganhar."

Não sei quanto a você, mas eu prefiro não deixar meu idiota interior ser o protagonista do espetáculo! Então, por que eu apostaria em minha capacidade de identificar a *minúscula* minoria de gestores de fundos capazes de apresentar um desempenho superior durante vários anos?

Talvez você seja um pesquisador voraz, que adora ler o *Wall Street Journal* e acompanhar a Morningstar em busca do ilustríssimo fundo de cinco estrelas — o que apresenta o melhor desempenho. **Há outro problema que poucos antecipam: os ganhadores de hoje quase sempre serão os perdedores de amanhã.** O *Wall Street Journal* mencionou um estudo que regrediu até 1999 e analisou o que aconteceu nos 10 anos *seguintes* em todos os fundos de alto desempenho que haviam recebido a classificação de "cinco estrelas" da Morningstar. E o que os pesquisadores descobriram? "Dos 248 fundos mútuos de ações com classificações de cinco estrelas no início do período, apenas quatro ainda mantinham essa classificação após 10 anos." O termo extravagante para esse processo é "reversão à média": uma maneira elegante de dizer que a maioria dos mais bem-sucedidos vai acabar tombando, retornando à mediocridade.

Infelizmente, muitas pessoas escolhem os fundos de melhor classificação, sem perceber que estão entrando na armadilha de comprar o que está aquecido — de modo geral, imediatamente antes do resfriamento. David Swensen explica: **"Ninguém quer dizer: 'Eu tenho vários fundos de uma e duas estrelas'. Todo mundo quer ter fundos de quatro e cinco estrelas e se vangloriar disso no escritório. Mas os fundos de quatro e cinco estrelas são os que** tiveram **um bom desempenho, e não os que vão ter um bom desempenho. Se você comprar sistematicamente os que tiveram um bom desempenho e vender os que tiveram um mau desempenho, vai acabar com um desempenho aquém do esperado."**

SERÁ QUE AINDA PODE PIORAR?

As empresas de fundos mútuos são notórias por abrir vários fundos, na esperança de que alguns deles possam apresentar um desempenho superior. Com isso, elas podem fechar silenciosamente todos os fundos que se saíram mal e comercializar agressivamente os poucos que se saíram bem. Afinal, elas não conseguem vender um desempenho passado de má qualidade, por mais brilhante que seja o prospecto. Jack Bogle explica: "Uma empresa lança cinco fundos de incubação, tentando sobressair em todos. Claro que isso não vai acontecer em quatro deles, mas apenas em um. Então, a empresa abandona os outros quatro e escolhe aquele que atraiu bastante público pelo seu desempenho excelente, e comercializa esse desempenho."

Bogle acrescenta que, estatisticamente, surgem alguns desempenhos superiores quando se cria um número suficiente de fundos: **"Tony, se você enfiar 1.024 gorilas em um ginásio e ensinar cada um deles a jogar uma moeda para cima, um deles vai tirar cara dez vezes seguidas. A maioria chamaria isso de sorte, mas quando isso acontece no negócio dos fundos nós chamamos esse cara de gênio!"**

Tudo isso significa que é *impossível* superar o mercado por longos períodos de tempo? Na verdade, não. É extremamente difícil, mas existem alguns "unicórnios" por aí que superaram amplamente o mercado durante várias décadas. São superastros como Warren Buffett, Ray Dalio, Carl Icahn e Paul Tudor Jones, que têm não apenas uma inteligência brilhante, mas também o temperamento ideal que lhes permite permanecer calmos e racionais mesmo quando os mercados estão implodindo e a maioria das pessoas está perdendo a cabeça. Uma das razões pelas quais eles são vencedores é que baseiam cada decisão de investimento em uma compreensão profunda das probabilidades, e não nas emoções, no desejo ou na sorte.

A maioria desses unicórnios administra gigantescos fundos de cobertura que não permitem a entrada de novos investidores. Ray Dalio, por exemplo, costumava aceitar dinheiro de investidores que tivessem um patrimônio líquido de pelo menos US$ 5 bilhões, e que lhe confiassem um mínimo de US$ 100 milhões. Atualmente, ele não aceita *nenhum* investidor novo, independentemente de quantos bilhões você tenha escondido sob seu colchão!

Quando perguntei a Ray sobre a dificuldade de superar o mercado em longo prazo, ele não hesitou. "Você não vai superar o mercado", me disse ele. "Competir nos mercados é mais difícil do que vencer nos Jogos Olímpicos. Existem mais pessoas tentando fazer a mesma coisa, e as recompensas são muito maiores se você for bem-sucedido. Do mesmo modo que nos Jogos Olímpicos, apenas uma porcentagem infinitesimal consegue competir, mas, ao contrário dos Jogos Olímpicos, a maioria das pessoas pensa que é capaz de vencer. Antes de tentar superar o mercado, reconheça que suas probabilidades de sucesso são extremamente reduzidas, e se pergunte se você passou tempo suficiente treinando e se preparando para ser um dos poucos que realmente poderão ser chamados de vencedores."

Não podemos ignorar quando um dos gigantes que *realmente* superaram o mercado ao longo das décadas afirma que nem deveríamos nos atrever a fazer isso, mas, ao contrário, aderir aos fundos de índice.

Warren Buffett, que superou o mercado com uma margem significativa, também aconselha as pessoas comuns a investirem em fundos de índice, a fim de evitar a drenagem provocada pelas taxas excessivas. Para comprovar seu argumento de que quase todos os gestores ativos apresentam um desempenho inferior ao dos fundos de índice, em 2008 ele apostou US$ 1 milhão contra uma empresa de Nova York chamada Protégé Partners. Ele desafiou a Protégé a escolher cinco principais gestores de fundos de cobertura que conseguissem superar, coletivamente, o S&P 500 durante um período de 10 anos.

E o que aconteceu? Após 8 anos, a *Fortune* informou que aqueles fundos de cobertura haviam subido apenas 21,87%, contra 65,67% do S&P 500! A corrida ainda não terminou. Mas, no estágio em que está, esses gestores ativos parecem competidores com problemas de locomoção tentando alcançar Usain Bolt, o homem mais rápido do mundo.

Enquanto isso, Buffett diz ter deixado instruções para que, após a sua morte, o dinheiro que ele deposita em um fundo fiduciário para sua esposa seja investido em fundos de índice de baixo custo. Sua explicação? "Acredito que, com essa política, os resultados dos fundos no longo prazo vão ser superiores aos alcançados pela maioria dos investidores — sejam fundos de pensão, instituições ou indivíduos — que empregam gestores com alta remuneração."

Até mesmo quando estiver no túmulo, Buffett estará absolutamente determinado a evitar os efeitos corrosivos das taxas elevadas!

Em sua carta de 2016 aos acionistas, ele critica os ricos e os "sofisticados" por buscarem aqueles que apresentam os melhores desempenhos. Buffett afirmou que "a busca da elite por uma consultoria de investimentos excepcional causou, em termos globais, um desperdício de mais de US$ 100 bilhões na última década". Seu discurso não para por aí: "Os ricos estão acostumados a achar que seu destino na vida é obter os melhores alimentos, a melhor formação escolar, o melhor entretenimento, a melhor habitação, a melhor cirurgia plástica, o melhor ingresso para uma partida esportiva, seja o que for. Eles acham que seu dinheiro deve lhes servir para comprar coisas superiores, em comparação com a parte menos favorecida da população. (Eles) têm grande dificuldade para adotar com resignação um produto financeiro (fundos de índice) ou serviço que também esteja disponível para pessoas que investem apenas alguns milhares de dólares." Uma simplérrima, embora brilhante, orientação do próprio Oráculo de Omaha.

Você se lembra quando afirmei que o conhecimento é apenas um poder *potencial*? Somente quando você usa seu conhecimento e *age* com base nele é que adquire um poder verdadeiro. Neste capítulo você aprendeu o surpreendente impacto que as taxas podem exercer em seu futuro financeiro. Mas o que você *vai fazer* com esse conhecimento? Como vai agir com base nisso e se beneficiar dessas informações?

Imagine, por um momento, que você pare de comprar fundos ativamente gerenciados que cobram taxas exorbitantes. Em vez de fazer isso, a partir de agora você decide investir apenas em fundos de índice de baixo custo. Qual é o resultado? No mínimo, eu estimaria que você vai conseguir reduzir as despesas do fundo em 1% ao ano. Mas, como você sabe, esse não é o único benefício ao mudar para os fundos de índice. **Hipoteticamente, vamos imaginar que seus fundos de índice superaram aqueles fundos ativamente gerenciados em 1% ao ano. No total, você acabou de acrescentar 2% ao ano aos seus retornos. Isso, por si só, pode lhe trazer 20 anos de renda de aposentadoria extra*.**

Entende agora o poder que você tem para assumir o controle de seu futuro financeiro? Pegue esse poder e o use para diminuir drasticamente seus custos. Isso vai ajudar você a se tornar inabalável!

Enquanto isso, vamos tomar fôlego. Entremos, então, em outra área onde você pode economizar uma fortuna: seu plano 401(k). Vire a página... Estamos prestes a embarcar em uma missão para salvar sua aposentadoria.

---

* Pressupondo dois investidores com um investimento inicial de US$ 100.000 e retornos idênticos de 8% ao longo de 30 anos, mas com taxas de 1% e 2%, respectivamente. Assumindo que as retiradas durante a aposentadoria sejam equivalentes, o investidor que paga 2% de taxas vai ficar sem dinheiro 10 anos mais cedo.

CAPÍTULO 4

RESGATANDO NOSSOS PLANOS DE APOSENTADORIA

O que o seu fornecedor de 401(k) não quer que você saiba

O plano 401(k) foi uma bela invenção. Criado em 1984, deu às pessoas comuns como nós a chance de gerar riqueza, por meio de contribuições fiscalmente dedutíveis para uma conta de aposentadoria, diretamente de nossos salários. Que grande ideia! Você e eu conquistamos essa oportunidade de possuir uma parte do sonho americano, de investir em nossos próprios futuros e de assumir toda a responsabilidade por alcançar a nossa própria liberdade financeira. Hoje, cerca de 90 milhões de norte-americanos participam de planos 401(k). Para colocar isso em perspectiva, apenas 75 milhões de norte-americanos possuem uma casa própria. Com mais de US$ 6 trilhões investidos atualmente em 401(k)s, esse é o veículo mais importante para a segurança financeira da população dos Estados Unidos.

Sabe o que aconteceu? Em algum lugar ao longo do percurso, o sonho descarrilou. Com trilhões de dólares em disputa, as empresas financeiras inventaram inúmeras maneiras de enfiar todos os dedos nessa torta. Esse é o lado mais repugnante da maneira como nossa nação recompensa as inovações! E nos coloca sob enorme pressão para aprender a nos proteger desses apreciadores do lucro fácil.

Talvez você não acredite nisso, mas por quase três décadas as empresas fornecedoras dos planos 401(k) nem sequer eram obrigadas por lei a divulgar o quanto cobravam de seus clientes! Foi somente em 2012 que o governo finalmente forçou essas empresas a divulgar detalhadamente o quanto estavam sugando do que você economizava. Em que outro setor os clientes tolerariam esse estilo "Confie em mim!" de fazer negócios? Você consegue imaginar uma loja de roupas sem etiquetas de preço? Você consegue imaginar reservar um pacote de férias e deixar que a companhia aérea e o hotel decidam quanto vão sacar da sua conta bancária, sem informá-lo?

É evidente que as empresas financeiras resistiram à tentação de tirar proveito dessa falta de transparência, pois entendiam que lidar com o dinheiro da aposentadoria era um dever sagrado. Brincadeirinha! *É claro* que elas se aproveitaram!

Agora que a lei mudou, você imaginaria que o problema foi corrigido? Dificilmente! Todo o sistema 401(k) *ainda* é uma caixa preta. Atualmente, as empresas financeiras emitem boletins de informações com extensão usual de 30 a 50 páginas, escritos em linguagem impenetrável. Surpresa: pouquíssimas pessoas dedicam seus fins de semana a ler esses documentos ultracomplicados. Em vez de esquadrinhar as letrinhas miúdas, a maioria dos participantes dos planos simplesmente confia que seus empregadores estão cuidando dos empregados. E a maioria dos empregadores confia no corretor que lhes vendeu o plano durante uma partida de golfe. **Lembre-se: 71% das pessoas inscritas em planos 401(k) acreditam que** não **existe nenhuma taxa, e 92% admitem que não têm ideia do que sejam essas taxas! A verdade é que a grande maioria dos planos é caracterizada por altas comissões de corretagem, dispendiosos fundos ativamente gerenciados e camada após camada de encargos adicionais — e, muitas vezes, ocultos.**

Robert Hiltonsmith, analista sênior de políticas de um grupo de pesquisa chamado Dēmos, tomou a iniciativa de estudar e decifrar os prospectos de 20 fundos presentes em seu plano 401(k). Ele percorreu o emaranhado dos desconcertantes jargões jurídicos e das confusas siglas e, logo depois, escreveu um relatório intitulado *Drenando as economias da aposentadoria: os custos ocultos e excessivos dos 401(k)s*. **O que ele descobriu? Que clientes como ele — e você e eu — estavam pagando 17 taxas e custos adicionais diferentes!**

Deixando bem claro, não estamos nos referindo, aqui, às taxas absurdamente altas que você paga aos fundos mútuos em seu plano 401(k). Como se já não bastasse pagar todos aqueles fundos ativamente gerenciados — aqueles que a *Forbes* diz que podem estar lhe custando 3,17% ao ano! Não, essas são as taxas *adicionais*, que também vêm sendo cobradas pelo fornecedor do plano que administra seu 401(k). Normalmente, tais fornecedores são empresas de seguros ou responsáveis pela folha de pagamento — mas talvez você prefira identificá-los como mais um conjunto de cobradores de pedágio, excepcionalmente bem remunerados.

Você acaba se tornando refém desses fornecedores: eles são verdadeiramente engenhosos quando se trata de inventar diferentes meios de drenar o dinheiro do seu 401(k)! Eis aqui uma pequena amostra das muitas categorias de taxas que eles já inventaram: despesas de investimento, despesas de comunicação, despesas de contabilidade, despesas administrativas, despesas fiduciárias, despesas jurídicas, despesas transacionais e despesas de gerenciamento. Por que não adicionar, simplesmente, uma categoria chamada "despesas com despesas"?

Sempre fico impressionado com o que é possível encontrar escondido sob as letrinhas miúdas dos boletins de informações dos fornecedores — a vaga terminologia que ofusca exatamente aquilo que vem sendo feito em prol do cliente. É muito frequente, por exemplo, observar termos intencionalmente sem sentido, como "taxa contabilística líquida", "taxa de gerenciamento de ativos", "taxa de ativos contratuais", "taxa GDA" ou "taxa DAC". Uma fornecedora — uma das principais empresas de seguros — foi tão descarada que chegou ao ponto de adicionar um item chamado "renda exigida". Exigida por *quem*? Por que motivo? Para que o diretor-executivo possa comprar um iate?

Quanto tudo isso lhe custa? Hiltonsmith calculou o impacto dessas taxas adicionais de 401(k) sobre um trabalhador médio que ganha cerca de US$ 30.000 por ano e economiza 5% de sua renda anual. Ao longo da vida, esse trabalhador perderia US$ 154.794 em taxas. São mais de cinco anos de renda. **Um trabalhador que ganha cerca de US$ 90.000 por ano perderia US$ 277.000 em taxas de 401(k).**

Você sabe tanto quanto eu como é difícil, para a maioria das pessoas, economizar dinheiro para a aposentadoria. Isso exige sacrifícios reais. Mas o excesso de despesas pode destruir facilmente os benefícios de todo esse esforço. Alguns planos levam as taxas excessivas a outro patamar. Certos fornecedores, não satisfeitos com a mordida típica, cobram antecipadamente um "tributo sobre as vendas" em todos os depósitos iniciais. **Um dos piores que vimos fica com gritantes 5,75% de cada dólar que você guarda. É como se fosse um dízimo para os deuses corporativos que administram essas empresas. Somem-se a isso os 2% cobrados em taxas anuais, e já contabilizamos um desfalque de 7,75%, logo no começo.**

Infelizmente, professores, enfermeiros e colaboradores de organizações sem fins lucrativos são mais vulneráveis a essa enorme operação de roubo. Isso porque seus planos 403(b) — o equivalente a um 401(k) — não estão cobertos pelas mesmas normatizações da ERISA (Lei de Garantia de Rendimentos de Aposentadoria de Trabalhadores, de 1974), que foram (pelo menos, teoricamente) projetadas para proteger os trabalhadores. Fico bastante enojado ao pensar que aqueles que mais se sacrificam para melhorar nossa sociedade estão sendo explorados por corretores que, de alguma forma, conseguem dormir à noite — provavelmente, em lençóis de algodão de 2.000 fios.

Em um artigo do *New York Times* intitulado "Acha que seu plano de aposentadoria é ruim? Converse com um professor", a repórter Tara Siegel Bernard faz um brilhante trabalho, expondo como essas pobres pessoas são assaltadas. Em um dos cenários mais horríveis que se pode imaginar, "os professores tiveram de pagar uma taxa de pelo menos 2% de suas economias para administrar o dinheiro, além de encargos sobre as vendas de até 6% todas as vezes que faziam um depósito. (...) Além disso, os cálculos não incluíam as despesas das dezenas de fundos mútuos em que foram instruídos a investir, alguns dos quais excediam o valor de 1%".

Isso representa, por si só, 9% em despesas no primeiro ano. Não se trata de um mero furo em seu barco. É a parte de trás inteira do barco danificada e enchendo de água.

É por isso que é tão importante estar ciente de como o setor financeiro conjuga todas as probabilidades para que elas operem contra você. O conhecimento é a sua primeira defesa. Afinal, como você pode se proteger de uma ameaça ao seu bem-estar financeiro se não *perceber* que essa ameaça existe?

Uma pessoa que compartilha minha indignação com as despesas de 401(k) é o comediante John Oliver, que investigou o assunto em seu programa da HBO, *Last Week Tonight with John Oliver.* Quando os membros de sua equipe de pesquisa dissecaram seus próprios planos 401(k), descobriram que as taxas cobradas pelo fornecedor totalizavam 1,69% ao ano, *excluindo* as taxas exorbitantes que também estavam sendo cobradas para investir nos fundos ativamente gerenciados presentes em seus respectivos planos. **Oliver explica que "taxas aparentemente pequenas podem se acumular" até "você perder quase dois terços do que teria tido". Ele adverte: "Pense em taxas como cupins: elas são pequenas, quase imperceptíveis e podem destruir a p... do seu futuro."**

SE DER CARA EU GANHO, SE DER COROA VOCÊ PERDE

O que torna tudo isso tão perturbador é que um 401(k) *deveria* ser — e *pode* ser — uma ferramenta poderosa para a geração de riqueza, desde que usado corretamente. Entretanto, a grande maioria dos planos está repleta de acordos tarifários nebulosos e de conflitos de interesse. Em 2015, o governo Obama anunciou que "taxas ocultas e pagamentos indiretos" custavam aos norte-americanos mais de US$ 17 bilhões por ano. E o Secretário do Trabalho, Thomas E. Perez, disse: "O poder corrosivo das letras miúdas e das taxas ocultas pode debilitar as economias de uma pessoa como se fosse uma doença crônica."

No início de 2016, o Congresso aprovou novas leis destinadas a obrigar os fornecedores de 401(k)s a atuar em favor dos interesses de seus clientes. Infelizmente, àquela altura, os lobistas já haviam causado grandes estragos, e tais regulamentações perderam sua força. Os corretores de 401(k)s ainda são capazes, por exemplo, de cobrar comissões, vender seus próprios e famosos fundos superfaturados e dilapidar os clientes com encargos antecipados sobre as vendas. Negócios, como sempre.

Na minha opinião, um dos piores abusos é que quase todos os grandes fornecedores aceitam, rotineiramente, pagamentos dos fundos mútuos oferecidos nos planos 401(k). **Esse acordo legal, mas imoral, é chamado de compartilhamento de receitas, ou "pagar para jogar".** É o equivalente a comprar espaço nas prateleiras de uma loja para assegurar que ela vai colocar em exposição um péssimo produto que, na verdade, os compradores deveriam evitar.

Qual é o resultado? **Muitos dos fundos que você encontra como opção em seu plano 401(k) estão na lista apenas porque a empresa de fundos**

pagou ao fornecedor para ser incluída ali! Esses fundos tendem a ser ativamente gerenciados, por isso são caros. Mas raramente são os que apresentam os melhores desempenhos. Em alguns casos, eles chegam a cobrar um "tributo adiantado": uma taxa que geralmente equivale a 3% de seus ativos, apenas para, antes de mais nada, comprar o fundo.

Então, por que não escolher simplesmente fundos de índice de baixo custo quando você está investindo em seu plano 401(k)? Grande pergunta! O problema é que a maioria dos fornecedores disponibiliza fundos de índice somente se o plano tiver um alto número de ativos. Por quê? Porque os fundos de índice não são suficientemente lucrativos para os fornecedores. Assim, eles preferem excluí-los do cardápio caso não consigam se livrar deles. **Se você trabalha para uma empresa menor, é provável que seja** forçado **a investir em fundos com taxas mais altas.** Na verdade, 93% dos planos 401(k) têm menos de US$ 5 milhões no total de ativos do plano. São pequenas e médias empresas que não têm o poder de compra para exigir melhores opções de investimento para seus colaboradores. Ainda assim, é totalmente injusto penalizar as pessoas por trabalharem em empresas menores.

Alguns fornecedores de 401(k) oferecem fundos de índice aos planos menores, mas normalmente promovem uma significativa majoração nos preços. **Uma das principais empresas de seguros oferece um fundo de**

índice S&P 500 por 1,68% ao ano, quando o custo real é de apenas 0,05%. Isso significa uma majoração de 3.260%! Pense nisso da seguinte forma: seu amigo compra um Honda Accord pelo preço de varejo normal de US$ 22.000. Mas você é forçado a pagar um ágio de 3.260%. O custo que você vai pagar pelo mesmíssimo carro: US$ 717.200! Bem-vindo ao mundo das altas finanças.

Outra famosa empresa de seguros cobra um tributo sobre as vendas de 3% para comprar um fundo de índice Vanguard e, depois, cobra 0,65% ao ano em taxas para esse mesmo fundo — um roubo disfarçado sob uma simples majoração de 1.300%. Esse é o equivalente ao colarinho branco dos mafiosos implacáveis que procuram sua pequena empresa e o achacam para extorquir um dinheiro de proteção. A única justificativa é que *você* tem dinheiro, e é isso que *eles* querem.

Enquanto isso, alguns fornecedores permitem que você abra sua própria conta 401(k) "autodirigida", caso você deseje acessar fundos de índice de baixo custo ou queira gerenciar seus próprios investimentos. Parece uma boa opção, não é? Um amigo meu achou que era. Ele abriu uma conta autodirigida, comprou alguns fundos de índice e se felicitou por ignorar todos os fundos ridiculamente caros disponíveis em seu plano. E aí descobriu que o fornecedor estava cobrando um adicional de 1,9% ao ano pelo privilégio de usar uma conta autodirigida! Em outras palavras: se der cara você perde, se der coroa eu ganho.

Finalmente, esses truques nas negociações estão produzindo o efeito contrário e se voltando para assombrar muitos fornecedores de 401(k). Enquanto escrevo, pelo menos dez grandes fornecedores foram processados pelos seus colaboradores por cobrar taxas excessivas em seus próprios planos 401(k)! Um dos maiores fornecedores de 401(k) fechou um acordo de US$ 12 milhões em duas ações judiciais coletivas após acusações por parte de seus próprios colaboradores de que suas taxas de 401(k) eram muito elevadas. Imagine frequentar um restaurante e descobrir que os garçons e a equipe da cozinha se recusam a comer a comida do chef! Quando os próprios membros não gostam do que a empresa está vendendo, você e eu devemos simplesmente sorrir com educação e aceitar que aquilo satisfaça nossos gostos?

Uma das razões pelas quais me sinto tão envolvido com isso é que experimentei pessoalmente o quanto é fácil ser explorado por inescrupulosos fornecedores de 401(k). Quando comecei a constatar esses abusos generalizados nas empresas ao redor dos Estados Unidos, liguei para o chefe de recursos humanos de uma de minhas empresas para me informar sobre o plano que estávamos oferecendo aos nossos colaboradores. Penso neles como uma família, e queria garantir que estivessem sendo tratados com todo o cuidado que merecem.

Para meu espanto, descobri que nosso renomado plano 401(k) — administrado por uma grande empresa de seguros — estava repleto de dispendiosos fundos mútuos, "despesas administrativas" excessivas e gordas comissões pagas ao corretor que nos vendera o plano. Constatou-se que as despesas totais de nosso plano 401(k) chegavam a 2,17% ao ano. Ao longo do tempo, essas taxas consumiriam grande parte do dinheiro que nossos colaboradores estavam economizando escrupulosamente para seu futuro. Fiquei transtornado.

Então, comecei a procurar uma solução. Depois de muita investigação, fui apresentado por um amigo a Tom Zgainer, diretor-executivo de uma empresa chamada America's Best 401k (ABk). Como se pode imaginar, eu estava meio cético. Por que eu deveria acreditar que a empresa dele faria jus ao seu nada modesto nome? Mas não demorou muito para eu perceber que ele é um homem honrado, determinado a desafiar as práticas indecorosas do seu setor. **Como Tom me disse, o negócio 401(k) é "a maior** dark pool **[bolsa informal] de ativos, em que ninguém sabe, de fato, como as mãos estão sendo subornadas, nem a quem elas pertencem".**

Em contrapartida, a ABk é inteiramente transparente. Por exemplo, Tom não está nem um pouco interessado na sórdida brincadeira do pague-para-jogar. **Em vez de aceitar propina de empresas de fundos mútuos que querem que ele venda seus fundos superfaturados, ele oferece apenas fundos de índice de baixo custo, de empresas como Vanguard e Dimensional Fund Advisors. A empresa de Tom cobra uma única taxa — sem majoração de preços ou custos ocultos. É uma solução totalmente integrada que elimina corretores, comissões e intermediários altamente remunerados.**

Tenho o prazer de lhe dizer que, de forma rápida e simples, transferi o antigo plano de minha empresa para um novo plano administrado pela America's Best 401k. Os custos totais de nosso novo plano 401(k) — incluindo as despesas de investimento, os serviços de gestão de investimentos e as taxas de manutenção de registros — perfazem uma soma de apenas 0,65% ao ano. Isso significa uma economia de cerca de 70% em nossas despesas anuais. **Ao longo dos anos, isso deve devolver até US$ 5 milhões aos bolsos dos meus colaboradores. E Tom não cobra nada das empresas para fazer a alteração.**

Fiquei tão impressionado que recomendei a ABk para muitos outros amigos. Para meu deleite, todos ficaram empolgados. Não é de admirar. **A empresa de Tom faz o seu cliente médio economizar mais de 57% em taxas!** Fiquei entusiasmado e decidi me associar a Tom na missão de resgatar os planos de aposentadoria de milhões de pessoas. É hora de interromper o golpe desumano que esse setor aplica contra o futuro financeiro de nossas famílias.

Seja você um empresário ou um colaborador, é possível observar como o plano 401(k) de sua empresa se comporta usando a ferramenta on-line gratuita Verificador de Taxas, em **www.ShowMeTheFees.com** [em inglês]. Ela vai analisar o seu plano e calcular em segundos o quanto você está pagando em termos de taxas. Os empresários podem dar um passo além e providenciar uma cópia das "informações sobre taxas" para uma análise mais detalhada. Mais importante ainda, esse rápido processo também pode lhe mostrar o quanto é possível economizar ao longo do tempo mudando para um plano melhor. Não vou ficar surpreso se você economizar centenas de milhares de dólares com o passar dos anos.

Estava conversando sobre isso com meu dentista e amigo Dr. Craig Spodak. Ele tem mais de quarenta colaboradores, e queria ter certeza de que não estavam sendo enganados. Não pretendo citar nomes específicos aqui, pois esses problemas são sistêmicos, não se limitando apenas a um pequeno grupo de empresas. Quando Craig me revelou o nome da abominável empresa que fornecia seu plano 401(k), não pude deixar de me retrair de medo. Meu diagnóstico foi imediato: sua clínica de odontologia precisaria ser submetida a uma extração urgente. Caso contrário, a dor só tenderia a piorar.

Coloquei Craig em contato com meus parceiros da America's Best 401k. Em questão de minutos, ele enviou por e-mail o formulário de "informações sobre taxas" de seu plano, e eles o esmiuçaram para revelar as taxas que estavam sendo cobradas. Ele ficou chocado com os resultados. Descobriu que seu plano continha uma longa lista de fundos mútuos superfaturados e uma camada adicional de gigantescas "taxas de ativos contratuais". Os custos totais que ele e seus colaboradores pagavam por aquele terrível plano eram superiores a 2,5% ao ano! De repente, Craig entendeu por que o seu corretor costumava lhe presentear com donuts — e por que o homem vivia sorrindo de orelha a orelha!

Você não vai se surpreender ao saber que Craig demitiu seu corretor, dispensou seu fornecedor e confiou seu plano à America's Best 401k.

Como você pode constatar no quadro a seguir, os empregadores precisam acordar — assim como Craig e eu fizemos — para assegurar que seus colaboradores não estejam sendo explorados. Caso contrário, o preço a pagar poderia ser muito alto, não apenas para os colaboradores, mas também para o empregador.

Se você for um colaborador nos Estados Unidos, depois de usar o Verificador de Taxas, pode encaminhar o relatório para o proprietário de sua empresa ou para a gerência sênior. Quando eles conhecerem a verdade sobre o que está acontecendo, podem querer melhorar seu plano 401 (k). Afinal, o futuro financeiro deles também está em jogo.

ATENÇÃO, EMPRESÁRIOS! GASTEM 3 MINUTOS PARA DESCOBRIR COMO É POSSÍVEL ELIMINAR AS OBRIGAÇÕES LEGAIS E PROTEGER VOCÊ E SUA EMPRESA DAS NOVAS MULTAS DO DEPARTAMENTO DE TRABALHO:

Se você possui ou administra uma empresa que oferece um plano 401 (k), você é oficialmente considerado um "patrocinador" do plano — quer você saiba disso ou não. Isso significa que é sua obrigação legal agir como um "fiduciário" para seu plano e para seus colaboradores, ou seja, você precisa operar em favor de seus melhores interesses. Se você falhar, poderá facilmente se ver diante de uma grande responsabilidade que poderia prejudicar seu negócio e, até mesmo, suas próprias finanças. É um pouco como possuir uma casa cuja estrutura está comprometida: você pode viver bem ali por anos — até não viver mais. Portanto, se você ignorar isso, vai estar correndo um grande perigo!

O que você deve fazer? Primeiro, precisa demonstrar ao Departamento de Trabalho (DOL, na sigla em inglês) que está tomando as medidas necessárias para cumprir seu papel como patrocinador do plano. Isso inclui realizar uma aferição comparativa periódica de seu plano com outros, a fim de garantir que as taxas cobradas sejam razoáveis. A maioria dos empresários com quem converso não tem a menor ideia dessa obrigação. **Isso os deixa potencialmente expostos à poderosa ira do DOL. Em 2014, o departamento considerou que 75% dos planos examinados eram ilegais. A multa média: US$ 600.000.**

E esse é apenas o começo. Você também está exposto ao risco de que seus próprios colaboradores possam processá-lo. Em 2015, o Supremo Tribunal dos Estados Unido emitiu uma decisão importante contra a Edison International, gigante da eletricidade. Essa decisão tende a facilitar que membros de planos 401(k) possam processar seus empregadores por escolherem investimentos com taxas excessivas. As pequenas empresas são particularmente vulneráveis — não apenas porque para elas é difícil arcar com grandes multas, mas também porque tendem a ter planos 401(k) pequenos, que normalmente cobram as taxas mais elevadas.

Uma ação prática que poderia lhe poupar uma fortuna é entrar em contato com meus parceiros na America's Best 401k e pedir que lhe forneçam uma aferição comparativa gratuita de seu plano. São necessários apenas alguns minutos para enviar a declaração de informações sobre as taxas de seu plano. **O fato de você ter obtido essa aferição comparativa demonstra ao DOL que você assumiu seriamente sua obrigação legal.** Melhor ainda, muitas empresas descobrem que podem cortar com facilidade as taxas de seus planos pela metade — ou mais. Se assim for, você e seus colaboradores poderão contar com uma enorme e inesperada riqueza durante muitos anos.

www.showmethefees.com [em inglês]

Para onde vamos agora? Antes de voltarmos nosso foco para o manual de investimentos, temos mais uma inestimável lição para aprender: como encontrar uma consultoria financeira sofisticada e isenta de conflitos que possa catapultar sua jornada até o sucesso financeiro.

Você vai aprender a evitar todos aqueles vendedores disfarçados que enriquecem oferecendo conselhos que beneficiam apenas a eles próprios, e não a você. Escolher o consultor certo pode significar a diferença entre a pobreza e a riqueza, entre a insegurança e a liberdade. A escolha é sua.

Então, vamos descobrir: em quem você pode confiar realmente?

CAPÍTULO 5

EM QUEM VOCÊ PODE CONFIAR REALMENTE?

Revelando os truques da negociação

É difícil ensinar um homem a compreender algo quando seu salário depende do fato de que ele não compreenda.

— Upton Sinclair

Quando pergunto às pessoas como elas estão, a resposta mais comum que recebo é: "Ocupada." Nos dias de hoje, todos nós estamos andando mais rápido do que nunca. Portanto, não é nenhuma surpresa que mais e mais pessoas estejam contratando consultores financeiros para lhes ajudar a trilhar a complicada jornada até a liberdade financeira. De 2010 a 2015, o percentual da população dos Estados Unidos que utilizou consultores financeiros dobrou. **Na verdade, atualmente mais de 40% dos norte-americanos usam os serviços de um consultor. Quanto mais dinheiro você tiver, maior a probabilidade de procurar uma consultoria: 81% das pessoas com mais de US$ 5 milhões contam com um consultor.** Mas como encontrar um consultor em quem confie — e que *mereça* sua confiança?

É surpreendente o número de pessoas que *não* confiam no profissional que lhes presta consultoria financeira! **Uma pesquisa realizada em 2016**

pelo Certified Financial Planner Board of Standards descobriu que 60% dos entrevistados "acreditam que os consultores financeiros atuam em prol dos melhores interesses de suas empresas, em vez de defender o que é melhor para os clientes". Esse número estava em 25% em 2010*. **Para colocar isso em perspectiva, a posição atualmente ocupada pelo Congresso na classificação de aprovação é de desastrosos 20%**, mas apenas 10% dos norte-americanos pesquisados confiam em instituições financeiras.** É difícil pensar em qualquer outro setor em que os clientes se sintam tão desconfiados — exceto, talvez, o negócio de carros usados.

O que explica essa epidemia de desconfiança? Ora, não é fácil colocar toda a sua fé e confiança em um setor que ocupa permanentemente o noticiário com escândalos. **Confira a tabela "Hall da Vergonha" a seguir e veja que 10 das maiores empresas financeiras do mundo tiveram de pagar US$ 179,5 bilhões em acordos judiciais apenas nos 7 anos compreendidos entre 2009 e 2015.** Entre elas, os quatro maiores bancos dos Estados Unidos — Bank of America, JPMorgan Chase, Citigroup e Wells Fargo — firmaram 88 *acordos*, atingindo um montante de *US$ 145,84 bilhões*!

Hall da Vergonha
Tabela de Acordos Corporativos

Empresa	Total de acordos	Somas pagas (bilhões de US$)
Bank of America	34	$77,09 bilhões
JPMorgan Chase	26	$40,12 bilhões
Citigroup	18	$18,39 bilhões
Wells Fargo	10	$10,24 bilhões
BNP Paribas	1	$8,90 bilhões
UBS	8	$6,54 bilhões
Deutsche Bank	4	$5,53 bilhões
Morgan Stanley	7	$4,78 bilhões
Barclays	7	$4,23 bilhões
Credit Suisse	4	$3,74 bilhões

Fonte: Keefe, Bruyette & Woods

* "Participant Trust and Engagement Study", National Association of Retirement Plan Participants (2016), www.ireachcontent.com/news-releases/consumer-trust-in-financial-institutions-hits-an-all-time-low-575677131.html.

** "Congressional Job Approval Ratings Trend (1974-Present)", Gallup.com.

Algumas das histórias por trás desses acordos são tão ultrajantes que nos deixam incrédulos. Eis aqui uma amostra de quatro manchetes de jornais típicas, publicadas nos últimos meses:

- "O Bank of America vai pagar US$ 415 milhões para liquidar a investigação da SEC": o *Wall Street Journal* revela que a unidade de corretagem do banco Merrill Lynch "usou indevidamente dinheiro e valores mobiliários dos clientes para gerar lucros", colocando em risco até US$ 58 bilhões em ativos pertencentes aos clientes!
- "O Citigroup é multado no inquérito sobre manipulação de taxas, mas evita encargos criminais": o *New* York *Times* informa que o banco foi multado em US$ 425 milhões por manipular taxas de juros de referência de 2007 a 2012. A motivação do Citigroup: "Beneficiar suas próprias posições de negociação à custa de seus parceiros comerciais e clientes."
- "Ex-colaboradores do Barclays culpados por manipular a LIBOR": *USA Today* informa que três ex-colaboradores do Barclays conspiraram "para manipular um indicador financeiro mundial usado para definir taxas de trilhões de dólares em hipotecas e outros empréstimos". Entendeu bem? São *trilhões*, com *T*!
- "Wells Fargo recebeu uma multa de US$ 185 milhões por abrir contas fraudulentas": o *New York Times* revela que colaboradores do banco "abriram aproximadamente 1,5 milhão de contas bancárias e solicitaram 565 mil cartões de crédito" *sem o consentimento dos clientes*! O banco demitiu pelo menos 5.300 colaboradores envolvidos nesse escândalo.

Como você consegue colocar seu futuro financeiro nas mãos de pessoas que trabalham em um setor com esse histórico *comprovado* de colocar seus próprios interesses acima dos interesses de seus clientes? Como você pode esperar que eles não enganem, explorem e abusem de você?

Afinal, tais empresas não são operadoras marginais com reputação ilícita. Elas são — ou *eram* — algumas das mais respeitadas e mais importantes gigantes nesse negócio! O Wells Fargo, por exemplo, é celebrado há muito tempo como um dos bancos mais bem-sucedidos do mundo. No entanto, seu diretor-executivo foi forçado a renunciar, sob o vexame da abertura de contas bancárias falsas sob responsabilidade de sua empresa, perdendo US$ 41 milhões em opções de ações que ele teria recebido como recompensa pelo seu desempenho.

Entretanto, preciso ser absolutamente claro: não estou criticando nenhum indivíduo que trabalhe nessa área ou nessas empresas específicas. Eu ficaria surpreso se o diretor-executivo do Wells Fargo realmente estivesse ciente dessa infração generalizada dentro de sua enorme empresa, que conta com mais de 250 mil colaboradores. Estabelecer políticas para empresas desse tamanho se tornou um desafio quase impossível para alguns. Tenho muitos amigos e clientes na indústria financeira, por isso falo com conhecimento de causa quando afirmo que eles — e a grande maioria de seus colegas — são indivíduos da mais absoluta integridade. Eles têm bom coração e boas intenções.

O problema é que eles trabalham em um sistema que foge ao seu controle — um sistema que oferece incentivos financeiros extremamente poderosos para que o foco se volte, acima de tudo, para a maximização dos lucros. Esse é um sistema que recompensa generosamente os colaboradores que colocam os interesses de seus empregadores em primeiro lugar, seus próprios interesses em segundo lugar e os interesses de seus clientes em um longínquo terceiro lugar. Para pessoas como você e eu, essa é uma receita para a catástrofe — a menos que tomemos a precaução de aprender como o sistema funciona contra nós, e o que poderemos fazer diante disso.

"VOCÊ PODE CONFIAR EM MIM... PARA LEVAR VANTAGEM SOBRE VOCÊ!"

Antes de prosseguir, vale a pena explicar onde os consultores financeiros se encaixam nesse sistema com fome de lucro — e o que eles fazem exatamente. Eles operam em um reino em que quase nada é o que parece ser. Então, faz sentido que sejam conhecidos por muitas denominações diferentes, que muitas vezes parecem absolutamente falaciosas!

De acordo com o *Wall Street Journal*, existem mais de 200 designações diferentes para consultores financeiros, incluindo "assessores financeiros", "administradores de patrimônio", "consultores financeiros", "consultores de investimentos", "conselheiros de patrimônio" e (caso este último termo não pareça suficientemente exclusivo) "conselheiros de patrimônio privado". Essas são apenas maneiras diferentes de dizer "Eu sou respeitável! Sou profissional! *É lógico* que você pode confiar em mim!"

Independentemente do rótulo, o que você realmente precisa saber é que 90% dos cerca de 310 mil consultores financeiros dos Estados Unidos são, na verdade, apenas corretores. Em outras palavras, eles são pagos para vender produtos financeiros a clientes como nós, em troca de uma comissão.

Por que isso é importante? Porque os corretores têm particular interesse em vender produtos caros, que podem incluir fundos mútuos ativamente gerenciados, apólices vitalícias de seguro de vida, pensões variáveis e contas integradas. Normalmente, esses produtos pagam uma comissão de vendas única ou, melhor ainda (para eles), taxas anuais contínuas. É possível que um corretor de uma grande empresa seja obrigado a alcançar pelo menos US$ 500.000 por ano em vendas. Portanto, pouco importa a extravagância do título: são vendedores sob intensa pressão para gerar receitas. Se o fato de se autodenominarem consultores financeiros ou conselheiros de patrimônio privado os ajuda a atingir suas agressivas metas de vendas, que assim seja. Se os nomes de mago, duende ou elfo os ajudassem ainda mais, também não haveria problema algum.

Isso significa que eles são desonestos? De modo algum. Mas significa, *sim*, que estão trabalhando para a casa. E lembre-se: a casa sempre ganha. Há uma grande chance de seu corretor ser uma pessoa séria e totalmente íntegra, mas ele está vendendo o que foi treinado para vender — e você deveria sempre presumir que tudo o que ele está vendendo vai beneficiar a casa em primeiro lugar. **Os clientes sofisticados sabem que esse é um procedimento operacional padrão: uma pesquisa descobriu que 42% dos clientes ultrarricos acreditam que seu consultor está mais preocupado com a venda de produtos do que em ajudá-los!**

Warren Buffett brinca que nunca devemos perguntar a um barbeiro se estamos precisando cortar o cabelo. Ora, os corretores são os barbeiros do mundo financeiro. Eles são treinados e incentivados para vender, independentemente de precisarmos ou não do que eles estão vendendo! Não é uma crítica. É apenas um fato.

Também quero deixar claro que não pretendo criticar ou demonizar as empresas financeiras que empregam esses corretores. Elas fizeram coisas estúpidas, antiéticas e ilegais? Pode apostar que sim. Mas elas não são nocivas ou mal-intencionadas. **Elas nunca se propuseram a sabotar o sistema econômico global! Essas empresas simplesmente fazem o que são incentivadas a fazer, isto é, atender às necessidades dos acionistas. E os acionistas precisam de quê? De mais lucros. E o que gera mais lucros? Mais taxas. Se houver uma área juridicamente nebulosa que essas empresas possam explorar para gerar aquelas taxas adicionais, é provável que façam isso, porque é o que elas são incentivadas a fazer.**

Poderíamos esperar que todos os gigantescos acordos jurídicos atuassem como dissuasores, encorajando essas empresas a melhorar seu comportamento. **Mas tais penalidades são insignificantes para esses negócios colossais. O Bank of America teve que pagar US$ 415 milhões em multas por usar indevidamente os ativos de seus clientes. Grande coisa! Em um período de três meses em 2015, o banco obteve lucro de US$** 5,3 bilhões. **Isso em apenas 12 semanas! Para empresas assim tão ricas, essas incômodas multas são apenas um custo rotineiro da atividade econômica — o equivalente ao valor de um bilhete de estacionamento para você ou para mim.**

Em vez de mudar seus métodos, essas empresas concentram grande parte de seu esforço promovendo suas marcas por meio de engenhosas campanhas publicitárias com imagens sonhadoras de veleiros e passeios românticos à beira-mar. Por que estou dizendo isso? Porque estamos condicionados a confiar em marcas. Precisamos nos libertar desse condicionamento e analisar com olhos mais críticos a realidade, e não a ilusão. Do contrário, como podemos nos precaver contra esse poderoso sistema saturado de interesses próprios?

Fico irritado e triste pelo fato de o sistema financeiro estar tão destroçado. Mas irritação e tristeza não vão impedir que você seja enganado. O que vai *protegê-lo* é saber como o sistema pode trabalhar contra você. **Se você não compreende os incentivos recebidos pelo seu consultor, em breve vai descobrir que fez maravilhas pelo futuro financeiro dele, enquanto destruía, potencialmente, o seu próprio futuro.**

Este capítulo vai ajudar você a atravessar esse campo minado. Você vai aprender a distinguir entre três tipos diferentes de consultores, para que possa se esquivar dos vendedores e escolher um fiduciário que esteja *obrigado por lei* a agir em prol de seus melhores interesses. Também vamos lhe oferecer os critérios para avaliar se determinado consultor é adequado ou inadequado para você, com base em fatos, e não no seu grau de simpatia. Afinal, é fácil ser persuadido pelas pessoas de quem você gosta, especialmente quando elas são sinceras. Lembre-se que as pessoas podem ser sinceras e estar sinceramente erradas.

Talvez você esteja se perguntando, afinal, se precisa mesmo de um consultor. Se decidir gerenciar suas próprias finanças, este livro e *Dinheiro: domine esse jogo* vão colocar você no caminho certo para alcançar seus objetivos financeiros. De acordo com a minha experiência, os melhores consultores financeiros podem agregar um valor extraordinário, ajudando você em tudo, desde os investimentos até impostos e seguros. Eles fornecem conselhos abrangentes que são verdadeiramente inestimáveis. Se não estiver convencido, confira o estudo do Vanguard apresentado a seguir.

No meu caso, obter uma consultoria de primeira qualidade foi transformador, me poupando uma enorme quantidade de dinheiro e de tempo. Sou uma pessoa capaz, e me orgulho de compreender os princípios mais importantes de todas as coisas das quais faço parte, mas não gosto de quebrar a cabeça!

EM DÚVIDA SOBRE O VALOR DO CONSULTOR CORRETO?

Enquanto os consultores errados podem prejudicar sua saúde financeira, os corretos podem valer ouro. Um estudo recente do Vanguard explorou exatamente a quantidade de valor monetário que um consultor pode representar para seus investimentos.

- Redução da relação de despesas: 45 pontos-base (0,45%) devolvidos ao seu bolso
- Rebalanceamento do portfólio: 35 pontos-base (0,35%) de desempenho superior
- Alocação de ativos: 75 pontos-base (0,75%) de desempenho superior
- Retirada dos investimentos corretos durante a aposentadoria: 70 pontos-base (0,70%) em poupança
- Treinamento comportamental: 150 pontos-base (1,50%) para atuar como um verdadeiro psicólogo

O total geral: 3,75% de valor agregado! Isso é mais de três vezes o que um consultor sofisticado cobraria. E não inclui a redução de impostos e muito mais!

Francis M. Kinniry Jr. et al., *Putting a Value on Your Value: Quantifying Vanguard Advisor's Alpha,* Vanguard Research (setembro de 2016).

UMA APOSTA INÚTIL

Um desses não é igual aos outros.

— Garibaldo

Você já sentiu aquela desconfiança perturbadora de que alguém não estava lhe contando "toda" a verdade, sem, no entanto, conseguir explicar por que não era possível confiar naquela pessoa — ou de que modo exatamente ela poderia estar mentindo? Quando procuramos ajuda financeira, vivenciamos um sentimento parecido. Como afirmar que a pessoa que está lhe oferecendo "ajuda" é a melhor do ramo? E como saber por onde começar, quando tantas pessoas diferentes, com tantos títulos diferentes, estão lhe oferecendo potenciais soluções?

Para tentar resolver esse problema, vou ser o mais simples e direto possível. Na realidade, todos os consultores financeiros se enquadram em apenas uma das três categorias seguintes. **O que você realmente precisa saber é se o seu consultor é:**

- um corretor,
- um consultor independente, ou
- um consultor com duplo registro.

Vamos detalhar isso para que você saiba exatamente com o que está lidando.

Corretores

Como mencionei anteriormente, cerca de 90% de todos os consultores financeiros dos Estados Unidos são corretores, independentemente do título ostentado em seus cartões de visita. Eles recebem uma taxa ou uma comissão pela venda de produtos. Muitos deles trabalham para enormes bancos de Wall Street, empresas de corretagem e companhias de seguros — o tipo de estabelecimento que costuma cobrir as arenas esportivas com seus nomes.

Como você sabe se o produto recomendado por um corretor é o melhor para você? **Eu gostaria de esclarecer esse ponto. Os corretores não precisam recomendar o melhor produto para você.** O quê?! Sim, você ouviu direito. Tudo o que eles estão obrigados a fazer é seguir o que se conhece como padrão de "adequação". Isso significa que eles devem, simplesmente, acreditar que todas as recomendações que fizerem são "adequadas" para seus clientes.

A adequação é um obstáculo *extremamente* fácil de transpor. Você sonha se casar com uma pessoa *adequada* ou com sua alma gêmea? Para um corretor, porém, adequado já é mais do que suficiente.

O problema é que os corretores e seus empregadores ganham mais quando recomendam determinados produtos. Por exemplo, um fundo ativamente gerenciado com despesas elevadas será muito mais lucrativo para o corretor e a empresa de corretagem do que um fundo de índice de baixo custo, que será muito mais lucrativo para você e sua família. Você tem a sensação de que há um sério conflito de interesses aqui? Está absolutamente certo!

Como foi que o lucro, e não as pessoas, se tornou o padrão aceito? Para contextualizar essa questão, o Reino Unido possui uma norma fiduciária, o que significa que *todos* os consultores financeiros são obrigados por lei a atuar em prol dos interesses de seus clientes. A Austrália também possui uma norma fiduciária. Então, por que os profissionais norte-americanos não são obrigados a atuar como fiduciários? Na verdade, eles são — exceto no caso dos profissionais financeiros. Médicos, advogados e contadores públicos certificados dos Estados Unidos são legalmente obrigados a atuar em nome dos interesses das pessoas a quem auxiliam. No entanto, os consultores financeiros têm passe livre!

Houve muitas tentativas de promulgar leis exigindo que os consultores atendessem aos melhores interesses de seus clientes. Mas a indústria financeira fez muita pressão para barrar essas leis. Por quê? **Claramente, os consultores e seus empregadores ganhariam muito menos dinheiro se não pudessem mais dar as cartas.** Imagine a situação pavorosa se eles não pudessem mais vender seus próprios produtos superfaturados, ou receber substanciais comissões e propina disfarçada, como ofertas de compartilhamento de receitas de outras empresas.

Uma das notícias (moderadamente) boas é que, há pouco, o Departamento do Trabalho dos Estados Unidos aprovou uma nova regulamentação exigindo que os consultores coloquem os interesses de seus clientes em primeiro lugar em uma situação específica: ao lidar com contas de aposentadoria 401(k)s e IRAs. Mesmo assim, ainda existem grandes lacunas*. Além disso, com a recente eleição de Donald Trump, seus assessores estão

* Se você estiver trabalhando com um corretor, em algum momento provavelmente vai receber um telefonema ou uma carta solicitando que assine uma "isenção contratual para seus melhores interesses", ou BICE, na sigla em inglês. O corretor pode lhe dizer: "O governo aprovou uma lei ridícula que limita suas escolhas. Se você assinar esse formulário, posso continuar a lhe oferecer um cardápio completo de opções." Não acredite nisso. Esse é um código para "Por favor, assine este formulário para que eu possa continuar vendendo os produtos mais lucrativos da minha empresa e recebendo altas comissões!"

falando em revogar as novas regulamentações antes mesmo de serem implementadas. Então, no momento em que você estiver lendo isso, talvez essas proteções nem sequer existam!

Eis aqui o resultado: esse sistema está tão envolvido em conflitos de interesse que nos coloca em posição altamente vulnerável. Mas e se você já estiver trabalhando com um corretor de quem você gosta e em quem confie?

Não estou sugerindo que seja impossível encontrar corretores talentosos e confiáveis que façam um bom trabalho. **Mas participar de um jogo em que as chances estejam tão conjugadas contra você não é uma jogada inteligente.** Os investidores mais bem-sucedidos — inclusive, os jogadores profissionais — sempre tentam garantir que as chances estejam do seu lado. De que forma as chances podem estar do seu lado se o seu corretor mantiver uma agenda financeira oculta? David Swensen, guru do investimento de Yale, me alertou que, por mais que você goste do seu corretor, "o seu corretor *não* é seu amigo".

"QUEM É QUE VAI DIZER QUE O MEU MELHOR AMIGO TAMBÉM NÃO PODE SER MEU CONSULTOR FINANCEIRO?"

Consultores de investimento registrados

Dos 308.937 consultores financeiros dos Estados Unidos, *apenas 31.000* — aproximadamente 10% — são consultores de investimento registrados* (também conhecidos como RIAs ou consultores independentes). Assim como os médicos e os advogados, eles têm um dever fiduciário e uma obrigação legal de atuar em prol dos melhores interesses de seus clientes em *todos* os momentos. É questão de bom senso, certo? Porém, na estranha penumbra da indústria financeira, trata-se de qualquer coisa, menos de sensatez.

Para que você tenha uma ideia da força dessas leis, se o seu RIA lhe recomendar a compra da Apple durante a manhã, e ele comprá-la para si mesmo a um preço mais baixo à tarde, vai estar obrigado a lhe dar as ações *dele*! Tente pedir ao seu corretor para fazer isso! Além disso, antes de fazer negócios com você, o seu RIA deve divulgar quaisquer conflitos de interesse e explicar antecipadamente como é remunerado. Não há nenhuma mágica, nada oculto, nenhum truque, nenhuma mentira; todas as cartas devem estar sobre a mesa!

Por que você escolheria um consultor financeiro que não precisa **atuar em prol de seus melhores interesses em detrimento de outro que** atua**?** Você não escolheria! No entanto, a maioria das pessoas faz exatamente isso! Uma das razões é que elas simplesmente não conhecem alternativas melhores. O fato de você estar lendo este livro o coloca em um grupo de elite — que entende as regras fundamentais deste jogo de altos riscos. Outra razão pela qual tantas pessoas recorrem a corretores é que os RIAs são como pássaros raros: há apenas uma chance em dez de avistar um.

E por que existem tão poucos RIAs, se esse é um modelo tão superior? O motivo mais óbvio é que os corretores tendem a ganhar muito mais dinheiro. Todas aquelas taxas excessivas provenientes da venda de produtos financeiros podem ser extremamente lucrativas. **Em contrapartida, os RIAs não aceitam comissões de vendas.** Geralmente eles cobram uma taxa fixa pela consultoria financeira, ou uma porcentagem dos ativos de seus clientes sob sua gestão. É um modelo mais transparente, que elimina desconfortáveis conflitos de interesse.

* Fidelity Institutional Asset Management.

Consultores com duplo registro

Quando compreendi a diferença entre corretores e RIAs, tudo ficou muito claro e simples para mim! Você, sem dúvida, quer alguém que atue em prol de seus melhores interesses, não é? Por isso, pareceria óbvio insistir em trabalhar com um consultor independente, que está legalmente obrigado a agir como fiduciário. Achei que os fiduciários fossem o padrão de excelência. Mas depois descobri que esse assunto é mais obscuro do que eu havia imaginado!

Eis aqui o problema: a grande maioria dos consultores independentes possui registro tanto **como fiduciário** quanto **como corretor.** Que diabo é isso?! Na verdade, de um total de 31.000 RIAs, cerca de 26.000 operam nessa área nebulosa, atuando simultaneamente em campos opostos. É isso mesmo: apenas 5.000 dos 310.000 consultores financeiros do país são fiduciários. **Isso significa um mísero percentual de 1,6%. Agora você sabe por que é tão difícil obter uma consultoria isenta de conflitos e transparente.**

Quando escrevi *Dinheiro: domine esse jogo*, me tornei um defensor dos fiduciários, apenas para descobrir essa inconveniente realidade sobre o duplo registro, que me foi revelada por Peter Mallouk.

Fiquei indignado ao saber como esses "registrantes duplos" realmente operam. Em um momento, eles desempenham o papel do consultor independente, garantindo que respeitam a norma fiduciária e que estão aptos a lhe fornecer uma consultoria isenta de conflitos, em troca de uma taxa. Um segundo depois, mudam de posição e atuam como corretores, recebendo comissões pela venda de produtos. Quando estão desempenhando o papel de corretores, não precisam mais cumprir a norma fiduciária. Em outras palavras, às vezes eles são obrigados a atender aos seus melhores interesses, e às vezes não! Que distorção é essa?

Como você vai conseguir identificar o papel que eles estão desempenhando em cada momento? Acredite, não é fácil. Passei pela experiência de perguntar a um consultor se ele era fiduciário e ele me olhou nos olhos para me garantir que era. Ele me falou sobre o quanto os corretores não inspiravam confiança e o quanto era melhor ser fiduciário. Ele me assegurou que nossos interesses estavam perfeitamente alinhados. E aí eu descobri que ele *também* estava atuando como corretor, já que possuía um registro duplo, e que fazia todos os tipos de negociações paralelas que lhe rendiam inúmeras comissões! Acreditei que pudesse recomendar aquele fiduciário, e ele mentiu na minha cara. Ainda assim, ele não estava violando nenhuma lei. Fiquei furioso quando percebi o quanto é fácil ser enganado.

Ironicamente, quase todos os registrantes duplos eram, a princípio, corretores que abriram mão dos grandes escritórios e de rendimentos consideráveis para dar um salto qualitativo e se tornar RIAs. Eles buscavam a independência plena, para poder fornecer aos seus clientes toda a gama de opções de investimento — e não apenas o cardápio de produtos cuidadosamente elaborado e imposto pelos seus antigos empregadores. Eles queriam estar do lado bom, não do lado mau. Então, eles assumiram o risco e passaram a ser RIAs, apenas para descobrir a triste realidade de que é financeiramente muito difícil ser um fiduciário puro.

Esses consultores com registro duplo são bem-intencionados, mas ficam aprisionados entre dois mundos, tentando ser honrados e, ao mesmo tempo, tendo de fazer concessões. Não é culpa dos indivíduos; é que o setor está estruturado para que a venda de produtos seja a maneira mais fácil de ganhar dinheiro e pagar as contas.

UM POUCO DE RESPEITO

> Estou a ponto de lhe dar todo o meu dinheiro / E tudo o que estou pedindo em troca, meu bem / É um pouco de respeito.
>
> — Aretha Franklin, "Respect"

Até agora, você ficou sabendo de alguns fatos importantes que vão lhe poupar muitos sofrimentos e dissabores. Você sabe que, na verdade, 90% dos consultores financeiros são apenas corretores disfarçados. Você sabe que eles não precisam colocar os interesses dos clientes em primeiro lugar. Você sabe que eles sofrem uma enorme pressão para vender produtos superfaturados. Você sabe que as chances de encontrar uma boa consultoria melhoram drasticamente se você mantiver distância de todos os corretores — por mais injusto que pareça — e trabalhar, ao contrário, com consultores independentes que tenham o dever fiduciário de colocar os interesses dos clientes em primeiro lugar. Você sabe que todos os fiduciários *não* são iguais, uma vez que alguns podem, de repente, se transformar em corretores.

Agora você já sabe o que deve ser evitado. Eliminamos cerca de 98% de todos os consultores que estão por aí, pelo fato de serem corretores ou híbridos com registro duplo. E o que é que sobra? Milhares de consultores independentes que estão legalmente obrigados a atuar como fiduciários. Não deveria ser muito difícil encontrar alguém que atenda às suas necessidades.

Mas você *ainda* precisa ser cauteloso. Por quê? Porque conflitos de interesse podem surgir até mesmo quando você está trabalhando com um consultor independente — normalmente envolvendo esquemas astuciosos, embora legais, para ganhar dinheiro extra à sua custa enquanto você está distraído. Apresentamos a seguir três truques de negócios aos quais você deve prestar atenção.

O veneno dos fundos privados

Rotineiramente, os corretores vendem fundos privados criados por sua própria empresa. É uma estratégia não muito sutil de manter as comissões dentro dos limites familiares — um esquema comum de geração de dinheiro que depende do fato de os clientes serem suficientemente ingênuos a ponto de não se perguntarem se outra empresa poderia oferecer fundos melhores ou mais econômicos. Esse é exatamente o tipo de comportamento movido pelo autointeresse que deveria deixá-lo reticente ao trabalhar com corretores. Mas lamento dizer que muitos consultores independentes também descobriram maneiras furtivas de usar esse artifício.

Veja como funciona normalmente: a empresa de consultoria tem dois braços, um dos quais é uma consultoria de investimento registrada que oferece consultoria independente. Até aqui, tudo bem. Mas o *segundo* braço da empresa é uma empresa-irmã que possui e opera uma série de fundos mútuos privados. O RIA finge oferecer consultoria imparcial, mas, no fundo, recomenda que você compre os fundos superfaturados vendidos por sua empresa-irmã! Muito cômodo. A grande sacada é que todos os lucros ficam em casa, o que é melhor para todos — ah, sim, exceto para o cliente.

O pobre cliente (nós também podemos chamá-lo de *alvo*) paga o consultor duas vezes: pela consultoria "independente" sobre os investimentos a serem feitos *e* pelos medíocres fundos da própria empresa principal. A maioria dos clientes nem sequer se dá conta de que está comprando fundos que pertencem à mesma empresa. Isso acontece porque, de modo geral, o braço do fundo e o braço da consultoria operam sob marcas diferentes. É como assistir a um exímio batedor de carteira em ação. O truque é tão dissimulado e cínico que é quase admirável.

Uma taxa adicional para não fazer nada

Eis aqui outro esquema que se tornou cada vez mais comum: você paga uma taxa a um consultor para administrar seu dinheiro — digamos, 1% de seus ativos. O consultor, então, recomenda um "portfólio modelo" (ele pode até batizá-lo com um nome extravagante, como "Série de Portfólios XYZ"), que possui sua própria taxa adicional — digamos, 0,25% de seus ativos. Essa taxa está bem acima do custo dos investimentos subjacentes em seu portfólio.

Mas nada de *adicional* está sendo feito por você: o "portfólio modelo" consiste em vários investimentos reunidos pelo consultor, mas ele foi pago para fazer exatamente isso em primeiro lugar. É como comprar US$ 100 de mantimentos e depois receber uma facada de US$ 25 pelo direito de retirá-los da loja em uma bolsa de papel!

Se um consultor cobra uma taxa pela gestão do dinheiro para selecionar investimentos, isso já deveria ser suficiente. Ponto final. Por que eles precisariam acrescentar *outra* taxa para agrupar todos aqueles investimentos? Vou lhe dizer por quê: porque eles conseguem fazer isso. Porque talvez você não note.

"Não posso aceitar uma comissão, então vamos chamá-la de 'taxa de consultoria'!"

Alguns consultores independentes fazem acordos privados com empresas de investimento, permitindo o recebimento de comissões sem que você tenha conhecimento disso. Veja como funciona: seu consultor recomenda os fundos de determinada empresa de fundos mútuos. Não há nada mais indecoroso para um consultor do que receber uma comissão indireta da empresa de fundos como recompensa pela recomendação de seus produtos. Isso representa um terrível dilema para o consultor. O que fazer? Fácil! Dê outro nome a essa compensação!

Assim, o engenhoso consultor procura a empresa de fundos e resolve solicitar uma "taxa de consultoria". A empresa de fundos paga com prazer essa taxa e todos vivem felizes para sempre. Exceto você, o cliente, que acabou de ser enganado pensando que estava recebendo, de fato, uma consultoria "independente". Qual é a moral? Se caminha como um pato e grasna como um pato, provavelmente é um pato. Ou um corretor.

COMO ENCONTRAR O MELHOR CONSULTOR PARA SUAS NECESSIDADES

A competência é uma ave rara nessa floresta,
e eu sempre a aprecio quando a vejo.
— FRANK UNDERWOOD, *House of Cards*

A esta altura, espero que esteja claro que sua melhor aposta é contratar um consultor independente que seja um verdadeiro fiduciário. Mas como você seleciona um consultor específico que faça sentido para *você*?

Como se pode observar no quadrante a seguir, nem todos os fiduciários são iguais. Não basta encontrar alguém que esteja legalmente obrigado a colocar os interesses dos clientes em primeiro lugar. Você também precisa de alguém financeiramente sofisticado e altamente qualificado. Em outras palavras, seu fiduciário deve ocupar o canto superior direito do quadrante: um alto fiduciário com alta sofisticação. Esse é o oposto diametral do canto inferior esquerdo, ocupado por um vendedor com baixa sofisticação.

Nem todos os fiduciários são iguais

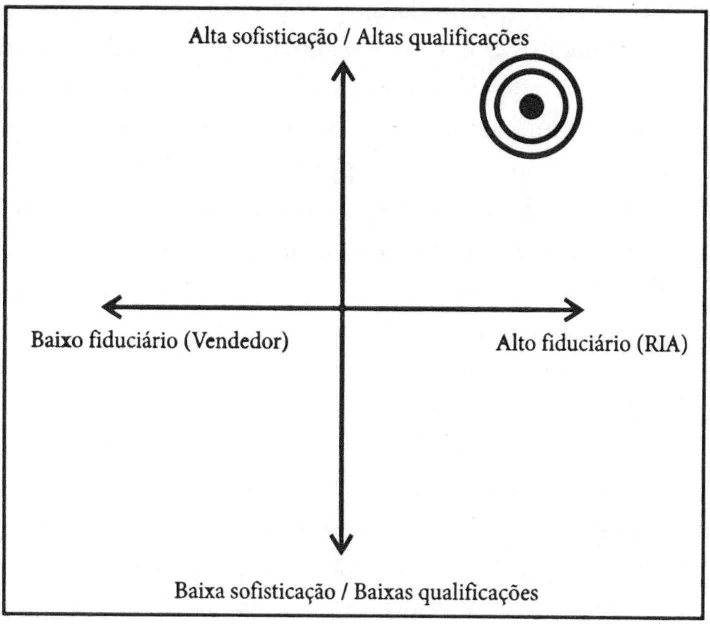

Como você pode afirmar se um fiduciário possui as habilidades e a experiência corretas para você? Na hora da seleção e da avaliação, aplique os cinco critérios seguintes:

1. **Primeiro, verifique as credenciais do consultor.** Você precisa ter certeza de que a pessoa, ou alguém de sua equipe, tenha as qualificações adequadas para a tarefa que precisa ser executada. Aqui, não estamos falando de títulos pomposos. Estou me referindo às verdadeiras credenciais profissionais. Se você estiver querendo ajuda para planejamento, verifique se o consultor conta com um planejador financeiro certificado (CFP, na sigla em inglês) na equipe. Se estiver procurando suporte jurídico, verifique se há advogados especialistas em planejamento de espólio na equipe. Está à procura de consultoria fiscal? Verifique se há contadores públicos certificados (CPAs, na sigla em inglês) na equipe.

   Tais credenciais não são uma garantia da excelência das qualificações. Mesmo assim, é importante saber que todos os consultores que você está avaliando atingiram o nível mínimo de competência necessário para prestar consultoria nas áreas relevantes.
2. **Idealmente, se você for recorrer a um consultor, deve ser alguém que procure ir além da mera concepção de sua estratégia de investimento.** O que você realmente precisa é de alguém que, com o passar dos anos, possa ajudá-lo a aumentar seu patrimônio total, mostrando como economizar dinheiro em sua hipoteca, seguros, impostos e assim por diante — alguém que também possa ajudá-lo a conceber e preservar sua herança. **Isso pode parecer desnecessário no momento, mas é importante ter essa amplitude de experiência, já que os impostos, por si sós, podem fazer uma diferença de 30% a 50% no que você conseguirá reter de seus investimentos atuais!**

   Acho irônico quando observo anúncios de gestores de patrimônio e tudo o que eles se comprometem a fazer é montar um portfólio. É melhor começar com uma pessoa que o faça crescer ao longo do tempo. Então, certifique-se de que ela disponha dos recursos para crescer ao seu lado, mesmo que você esteja começando de forma modesta. Não se esqueça, também, de que o tamanho importa. Você não quer acabar contratando um consultor honesto, mas inexperiente, que gerencia apenas uma quantia relativamente pequena para poucas dúzias de clientes.

3. **Em seguida, você precisa se certificar de que seu consultor tem experiência em trabalhar com pessoas exatamente iguais a você.** Ele tem um histórico para provar que apresentou um bom desempenho com clientes em situação idêntica à sua, com as mesmas necessidades que você? Por exemplo, se o seu foco principal é gerar riqueza para poder se aposentar, precisa de um autêntico especialista em planejamento de aposentadoria. **No entanto, em uma pesquisa anônima, o** Journal of Financial Planning **descobriu que 46% dos consultores não tinham um plano de aposentadoria próprio! Não consigo acreditar que eles admitiram isso! Você consegue se imaginar contratando um instrutor pessoal que não pratique exercícios há décadas, ou um nutricionista que se entupa de doces enquanto lhe recomenda o consumo de vegetais?**
4. **Também é importante ter certeza de que você e seu consultor estão alinhados em termos filosóficos.** Ele acredita, por exemplo, que vai conseguir superar o mercado em longo prazo, selecionando ações individuais ou fundos ativamente gerenciados? Ou ele reconhece que as chances de superar o mercado são baixas, levando-o a se concentrar na seleção de um portfólio bastante diversificado de fundos de índice? Alguns consultores podem atender à necessidade de serem verdadeiros fiduciários, e, ainda assim, deixarem a desejar por estarem comprometidos com a seleção de ações. Pessoalmente, eu me afastaria correndo de qualquer consultor que afirmasse superar o mercado regularmente. Talvez seja verdade, mas duvido muito. O mais provável é que ele seja muito otimista ou esteja mentindo para si mesmo.
5. **Finalmente, é importante encontrar um consultor com quem você possa se relacionar no nível pessoal.** Um bom consultor será um parceiro e um aliado por muitos anos, orientando-o em uma longa jornada financeira. Evidentemente, é uma relação profissional, mas o dinheiro também não é um assunto profundamente pessoal para você, tanto quanto para mim? Ele está ligado às nossas esperanças e sonhos, ao nosso desejo de cuidar da próxima geração, a causar

um impacto beneficente, a viver uma vida extraordinária sob nossas próprias regras. É muito melhor poder ter essas conversas com um consultor com o qual você se conecte, em quem confie e de quem goste.

O GRANDE PRÊMIO

Grande parte deste capítulo privilegiou os muitos obstáculos que precisamos superar em nossa busca por uma consultoria financeira de excelência: os conflitos de interesse, a dissimulação e a mentira, o comportamento cínico e egoísta. Você não acha extraordinário que seja tão difícil encontrar consultores altamente qualificados, preocupados com o cliente e que realmente forneçam o serviço que *afirmam* fornecer? Não admira que muitas pessoas se sintam desanimadas e decidam cuidar de suas finanças por conta própria!

Mas preciso lhe informar que um grande prêmio o aguarda quando você cruza a linha de chegada dessa insana corrida de obstáculos e encontra um consultor verdadeiramente excepcional. Para muitas pessoas, nada tem um impacto mais positivo em seu futuro financeiro do que associar-se a um guia inteligente que conheça o território e possa lhes indicar métodos comprovados para vencer em qualquer ambiente. Um consultor de alta classe vai ajudá-lo imensamente do início ao fim: definindo suas metas, mantendo-o firme nessa trajetória — particularmente, ajudando-o a enfrentar a volatilidade do mercado — e aumentando maciçamente a probabilidade de você atingir, de fato, aquelas metas.

A empresa de consultoria de investimentos registrada Creative Planning, administrada pelo coautor deste livro, Peter Mallouk, fornece consultoria de investimentos isenta de conflitos, além de ser incrivelmente abrangente. Ele estruturou a empresa para que os clientes sejam assessorados por uma equipe única, que inclui especialistas em investimentos, hipotecas, seguros, impostos e, até mesmo, planejamento de espólio. O custo? Menos de 1% ao ano (em média) por toda essa equipe de especialistas.

Isso pode soar como um serviço concebido exclusivamente para indivíduos de alto poder aquisitivo. Mas Peter e sua equipe não prestam serviços apenas para os ultrarricos. A meu pedido, ele criou uma divisão especial para ajudar os clientes que estejam no início de sua jornada financeira e tenham um mínimo de US$ 100.000 em ativos.

Gostaria de enfatizar que não estou fazendo pressão para que você use a Creative Planning, mesmo ocupando um assento no conselho e sendo coordenador de psicologia do investidor.

Se você puder contar com qualquer outra pessoa que preste um excelente serviço, fico muito feliz. Mas sei que começar a procurar bons consultores e descobrir em quem confiar podem ser tarefas assustadoras. Se você estiver interessado em uma via mais rápida, pode começar pedindo à Creative Planning uma segunda opinião gratuita visitando **www.getasecondopinion.com** [em inglês]. Um dos gestores de patrimônio da empresa poderá avaliar sua situação e descobrir se seu atual consultor está ou não atuando em nome de seus melhores interesses. Se você quiser ir mais longe e contratar a Creative Planning para servir como seu fiduciário, adoraríamos recebê-lo em nossa família.

Gostaria de dar um exemplo de por que essa abordagem holística é tão poderosa. Muitas pessoas possuem investimentos imobiliários fora de seu portfólio de investimentos mais tradicional, mas tais investimentos raramente são contabilizados quando se contratam os serviços de um típico consultor. Imagine que você possua uma série de propriedades. Um consultor com a experiência adequada vai estudar como maximizar seu fluxo de caixa e pode ajudar a reestruturar as hipotecas dessas propriedades. O resultado? A capacidade de investir potencialmente em uma propriedade adicional, ou em duas, sem dinheiro extra. Na verdade, a soma de seus pagamentos hipotecários pode se tornar ainda menor do que antes. Esse é o benefício de uma consultoria verdadeiramente sofisticada.

SETE PERGUNTAS FUNDAMENTAIS PARA FAZER A QUALQUER CONSULTOR

Uma maneira de garantir que você contrate o consultor correto é fazer a ele várias perguntas fundamentais a fim de descobrir possíveis conflitos e temas que poderiam lhe passar despercebidos. Se você já tiver um consultor, é igualmente importante obter essas respostas. Eis aqui o que *eu gostaria* de saber antes de colocar meu futuro financeiro nas mãos de qualquer consultor:

1. **Você é um consultor de investimentos registrado?** Se a resposta for não, esse consultor é um corretor. Sorria docemente e se despeça. Se a resposta for sim, ele é obrigado por lei a ser um fiduciário. Mas você ainda precisa descobrir se esse fiduciário está desempenhando mais de um papel.
2. **Você (ou sua empresa) é afiliado a alguma sociedade de corretagem?** Se a resposta for sim, você está lidando com alguém que pode atuar como corretor e que normalmente recebe um incentivo para direcioná-lo a investimentos específicos. Uma maneira simples de descobrir isso nos Estados Unidos é observar a última linha do site ou do cartão de visitas do consultor e verificar se há uma frase como esta: "Valores mobiliários oferecidos através da [nome da empresa do consultor], membro da FINRA e da SIPC." Isso se refere, respectivamente, à Financial Industry Regulatory Authority [Autoridade Regulatória da Indústria Financeira] e à Securities Investor Protection Corporation [Organização para Proteção do Investidor em Valores Mobiliários]. Essas palavras significam que ele pode atuar como corretor. Se a resposta for sim, corra! Corra para salvar sua vida!
3. **Sua empresa oferece fundos mútuos privados ou contas gerenciadas separadamente?** Você deseja que a resposta seja um enfático não. Se for sim, vigie sua carteira como se fosse um gavião! Provavelmente isso significa que a empresa está tentando gerar receitas adicionais, direcionando-o àqueles produtos que são altamente lucrativos para ela (mas provavelmente não para você).
4. **Você ou sua empresa recebem alguma compensação de terceiros pela recomendação de determinados investimentos?** Essa é a principal resposta que você deseja. Por quê? Porque você precisa se certificar de que seu consultor não recebe nenhum incentivo para recomendar produtos que vão cobri-lo de comissões, propinas, taxas de consultoria, viagens ou outras ofertas.
5. **Qual é sua filosofia quando se trata de investimentos?** Isso vai ajudá-lo a entender se o consultor acredita ou não que é capaz de superar o mercado, selecionando ações individuais ou fundos ativamente gerenciados. Com o passar do tempo, vai ficar claro que se trata de um esforço inútil, a menos que a pessoa seja um superastro absoluto, como Ray Dalio ou Warren Buffett. Cá entre nós, provavelmente ela não é.

6. **Que serviços de planejamento financeiro você oferece além da estratégia de investimento e da gestão do portfólio?** A assistência nos investimentos pode ser tudo de que você precisa, dependendo de seu estágio de vida. À medida que você for envelhecendo e/ou ficando mais rico, com várias participações para administrar, as coisas tendem a se tornar mais complexas do ponto de vista financeiro: você pode precisar lidar, por exemplo, com a poupança para bancar o ensino superior de um filho, o planejamento para a aposentadoria, opções de ações adquiridas ou planejamento de espólio. A maioria dos consultores tem capacidade limitada quando decide se aventurar para além dos investimentos. Conforme mencionado, devido à dupla condição de corretores, quase nenhum deles está legalmente autorizado a oferecer consultoria fiscal. O ideal é um consultor que possa contribuir com ferramentas para a eficiência tributária em todos os aspectos do seu planejamento — desde o planejamento de investimentos até o planejamento de negócios e o planejamento de espólio.
7. **Onde o meu dinheiro vai ser guardado?** Um consultor fiduciário sempre deveria usar um depositário para guardar os fundos dos clientes. Empresas como Fidelity, Schwab e TD Ameritrade, por exemplo, têm braços de custódia para manter seu dinheiro em um ambiente seguro. **Você, então, assina uma procuração dando ao consultor o direito de administrar o dinheiro, mas nunca de fazer retiradas.** A boa notícia sobre esse mecanismo é que, se você quiser demitir seu consultor, não precisa transferir suas contas. Você pode, simplesmente contratar um novo consultor, que vai conseguir assumir a gestão de suas contas sem qualquer interrupção. Esse **sistema de custódia também o protege do perigo de ser enganado por um charlatão como Bernie Madoff.**

MISSÃO CUMPRIDA!

Cobrimos uma enorme quantidade de assuntos na Seção I deste livro. Como você deve se lembrar, esta seção foi planejada para servir como um manual de regras para o sucesso financeiro. Pense por um momento em algumas das regras mais importantes que você aprendeu até agora:

- Você aprendeu o poder de se tornar um investidor de longo prazo que não negocia ininterruptamente no mercado, que mantém o prumo sem se deixar abalar nem afetar por ajustes ou crises.
- Você aprendeu que a grande maioria dos fundos mútuos ativamente gerenciados cobra demais por um desempenho insatisfatório, e é por isso que você se encontra em uma situação muito mais favorável com fundos de índice de baixo custo, que podem ser mantidos por vários anos.
- Você aprendeu que as taxas excessivas têm um efeito devastador, como cupins que corroem as bases do seu futuro financeiro.
- E você aprendeu a encontrar um consultor independente que realmente merece — e que vai recompensar generosamente — sua confiança.

Após concluir o livro de regras, você é um dos poucos que realmente compreendem como nosso sistema financeiro funciona. Agora que conhece as regras, está pronto para entrar no jogo!

A Seção II de *Inabalável* vai oferecer um manual financeiro que vai capacitar você a colocar em prática o seu plano de ação pessoal aqui e agora. No Capítulo 6, vou compartilhar os Quatro Princípios Básicos que os melhores investidores do mundo usam para tomar decisões de investimento. No Capítulo 7, você vai aprender a "matar a fera", montando um portfólio diversificado para protegê-lo durante os colapsos do mercado. Depois, no Capítulo 8, vou lhe ensinar a "silenciar o inimigo interior" — revelando os segredos mais importantes que aprendi há mais de quarenta anos sobre a psicologia da criação de riqueza.

Este manual vai oferecer o conhecimento e as ferramentas práticas de que você precisa para alcançar a plena liberdade financeira! Você sente essa *força*, esse *poder*, percorrendo suas veias? Então, vire a página — porque é hora de definir seu manual, assumir o controle e *entrar no jogo...*

SEÇÃO II

O MANUAL INABALÁVEL

CAPÍTULO 6

OS QUATRO PRINCÍPIOS BÁSICOS

Quatro princípios que podem ajudar a orientar todas as decisões de investimento que você tomar

Vamos manter as coisas simples. Realmente simples.

— Steve Jobs, cofundador da Apple

Qualquer um pode ter sorte e acertar na loteria. Qualquer um pode escolher uma ação vencedora de tempos em tempos. Porém, se você quiser alcançar o sucesso financeiro *duradouro*, vai ser necessário mais do que apenas um golpe de sorte ocasional. **O que descobri ao longo de quase quatro décadas estudando o sucesso é que as pessoas mais bem-sucedidas em todos os setores não são apenas afortunadas. Elas têm um conjunto de crenças diferente. Elas têm uma estratégia diferente. Elas fazem as coisas de modo diferente das outras pessoas.**

Observo isso em todos os aspectos da vida, seja mantendo um casamento feliz e apaixonado por mais de meio século, perdendo peso e deixando de engordar novamente por décadas ou construindo um negócio estimado em bilhões de dólares.

O segredo é reconhecer esses padrões sistematicamente bem-sucedidos e mimetizá-los, usando-os para orientar as decisões que você toma em sua própria vida. Esses padrões constituem o manual para seu sucesso.

Quando embarquei em minha jornada para encontrar soluções que pudessem ajudar financeiramente as pessoas, estudei os melhores dos melhores, entrevistando, por fim, mais de 50 gigantes dos investimentos. Eu estava decidido a decifrar o código — a descobrir as razões de seus impressionantes resultados. **Acima de tudo, continuei me fazendo esta pergunta: quais são os padrões que eles têm em comum?**

Logo de início, percebi que era uma pergunta extremamente difícil de responder. O problema é que todos esses brilhantes investidores têm estilos e abordagens inteiramente distintos para ganhar dinheiro. Paul Tudor Jones, por exemplo, é um negociador que faz grandes apostas com base em sua visão macroeconômica do mundo. Warren Buffett realiza investimentos de longo prazo em empresas públicas e privadas que possuem uma vantagem competitiva durável. Carl Icahn mira as empresas com desempenho aquém do esperado e, em seguida, convence (ou força) a gerência a mudar sua estratégia, de forma a beneficiar os acionistas. Claramente, existem muitos caminhos diferentes até a vitória. Encontrar um denominador comum foi um desafio!

No entanto, ao longo dos últimos sete anos, fiz o que sempre amei fazer: escolher temas complexos que parecem assustadores e organizá-los em alguns princípios fundamentais que pessoas como nós realmente consigam utilizar. E o que foi que eu descobri? **Cheguei à conclusão de que existem quatro pontos principais que quase todos os grandes investidores usam para se orientar ao tomar decisões de investimento. Eu os chamo de Quatro Princípios Básicos. Esses quatro padrões, que explicarei neste capítulo, podem influenciar decisivamente sua capacidade de alcançar a liberdade financeira.**

Você se lembra do que afirmei anteriormente sobre o fato de a complexidade ser inimiga da boa execução? Ora, quando eu lhe revelar esses quatro princípios, você vai responder assim: "Como é básico! Como é simples!" Quer saber de uma coisa? Você está certo!

Mas não basta conhecer **um princípio. Você precisa** colocá-lo em prática.

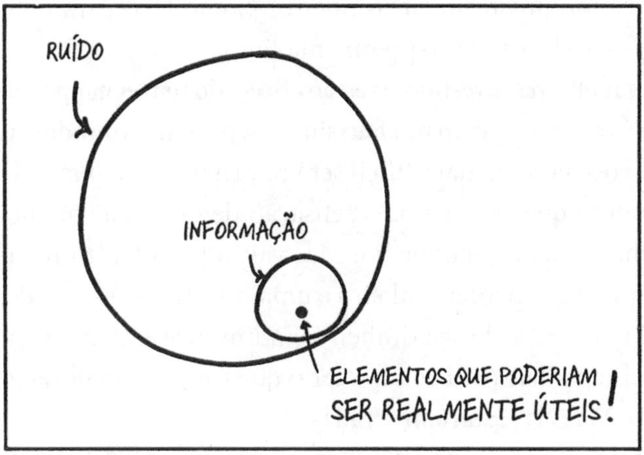

A execução é tudo. Não quero complicar de forma desnecessária as coisas, para que você não termine sentado sobre uma montanha de valiosas informações, sem saber o que *fazer* com elas. Meu objetivo não é fasciná-lo com argumentos elaborados. É sintetizar, simplificar e esclarecer, para que você se sinta capacitado a agir imediatamente!

Juntos, esses princípios nos fornecem um inestimável checklist. Sempre que converso com meus consultores financeiros sobre um investimento em potencial, procuro saber se ele atende ou não à maioria desses quatro critérios. Caso contrário, simplesmente perco o interesse.

Por que sou tão inflexível em relação a isso? Porque não basta dizer "são percepções válidas; vou tentar mantê-las em mente". **Os melhores investidores entendem que esses princípios devem funcionar como obsessões. Eles são tão importantes que você precisa internalizá-los, segui-los e torná-los a base de tudo o que você faz como investidor. Em suma, os Quatro Princípios Básicos devem estar no cerne de seu manual de investimento.**

PRINCÍPIO BÁSICO 1: NÃO PERCA

A primeira pergunta que todos os grandes investidores se fazem constantemente é: "Como posso evitar a perda de dinheiro?" Isso pode parecer contraditório. Afinal, a maioria de nós se concentra exatamente na pergunta oposta: "Como posso *ganhar* dinheiro? Como faço para obter o maior retorno possível e ganhar o prêmio máximo?"

Mas os melhores investidores estão obcecados em evitar perdas. **Por quê? Porque eles compreendem um fato simples, porém profundo: quanto mais dinheiro você perder, mais difícil será retornar ao seu ponto de partida.**

Não quero que você tenha a sensação de que está voltando às aulas de matemática do ensino médio! Mas vale a pena fazer uma pausa para esclarecer por que perder dinheiro é uma catástrofe tão grande. Digamos que você perca 50% do seu dinheiro em um investimento ruim. Quanto você precisa ganhar para voltar a ter o que tinha? A maioria das pessoas diria 50%. Mas elas estariam erradas.

Vamos analisar esse ponto. Se você investiu US$ 100.000 e perdeu 50%, ficou com US$ 50.000. Se você obtiver um lucro de 50% sobre aqueles US$ 50.000, agora tem um total de US$ 75.000. Você ainda vai estar com US$ 25.000 a menos.

Na realidade, você precisa de um ganho de *100%* apenas para recuperar suas perdas e retornar aos seus US$ 100.000 originais, o que **poderia lhe custar, facilmente, uma década inteira.** Isso explica a famosa frase de Warren Buffett sobre suas duas primeiras regras de investimento: "Regra número um: nunca perca dinheiro. Regra número dois: nunca se esqueça da regra número um."

Outros lendários investidores também se mostram obcecados em evitar perdas. Meu grande amigo Paul Tudor Jones, por exemplo, me disse: "Para mim, a defesa é dez vezes mais importante do que o ataque. (...) É preciso estar muito focado nos resultados negativos, em todos os momentos."

Em termos práticos, como você consegue, de fato, evitar a perda de dinheiro? Para começar, é importante reconhecer que os mercados financeiros são extremamente imprevisíveis. Os comentaristas da TV podem fingir o quanto quiserem que sabem o que vai acontecer. Mas não se deixe enganar! **Os investidores mais bem-sucedidos reconhecem que nenhum de nós consegue prever consistentemente o que o futuro nos reserva. Com isso em mente, eles sempre se protegem do risco de eventos inesperados — e o risco de que eles mesmos possam estar errados, independentemente de seu nível de inteligência.**

Considere o caso de Ray Dalio. A *Forbes* afirma que ele gerou US$ 45 bilhões de lucros para seus investidores — mais do que qualquer outro gestor de fundos de cobertura na história. Seu patrimônio líquido está estimado em US$ 15,9 bilhões! Conheci muitas pessoas extraordinárias ao longo dos anos, mas nunca encontrei ninguém mais inteligente do que Ray. Mesmo assim, ele me revelou que toda a sua abordagem de investimentos baseia-se na conscientização de que, por vezes, o mercado conseguirá ludibriá-lo, assumindo uma direção totalmente inesperada. Ele aprendeu essa lição logo no início da carreira, graças ao que descreveu como "uma das experiências mais dolorosas" de sua vida.

Em 1971, quando Ray era um jovem investidor aprendendo seu ofício, o presidente Richard Nixon retirou os Estados Unidos do padrão-ouro. Em outras palavras, os dólares já não podiam mais ser convertidos diretamente em ouro, o que significava que a moeda dos EUA não valia nada além do papel no qual havia sido impressa. Ray e todos os que ele conhecia na comunidade de investimentos se convenceram de que o mercado de ações despencaria em resposta àquele acontecimento histórico. E o que aconteceu? As ações dispararam! É isso mesmo. Elas fizeram *exatamente o oposto* do que a lógica e a razão lhe diziam e todos os outros especialistas esperavam. "O que percebi é que ninguém sabe e ninguém nunca saberá", diz ele. "Então, preciso conceber uma alocação de ativos que, mesmo que eu esteja errado, ainda fique bem."

Essa, meu amigo, é uma percepção da qual você e eu nunca deveríamos nos esquecer: temos de conceber uma alocação de ativos que assegure que "ainda ficaremos bem", mesmo quando estivermos errados.

A alocação de ativos é simplesmente uma questão de estabelecer a combinação correta de diferentes tipos de investimentos, diversificando entre eles de tal forma que você reduza seus riscos e maximize suas recompensas.

> Não fico procurando saltar obstáculos de dois metros de altura: procuro obstáculos de trinta centímetros, sobre os quais eu possa pisar.
>
> — Warren Buffett

Vamos discutir os prós e os contras da alocação de ativos com muito mais profundidade no próximo capítulo. Por enquanto, é importante lembrar uma coisa: sempre devemos *esperar o inesperado*. Isso significa que devemos nos esconder apavorados, já que tudo é tão incerto? De forma alguma. **Significa, simplesmente, que deveríamos investir de um modo que nos proteja das surpresas desagradáveis.**

Como você e eu sabemos, muitos investidores se prejudicam com as bolhas do mercado porque começam a agir como se o futuro fosse eternamente ensolarado. Como resultado, eles se arriscam. Os vitoriosos de longa data, como Bogle, Buffett e Dalio, sabem que o futuro vai estar cheio de surpresas, tanto agradáveis quanto desagradáveis. Por isso, eles nunca se esquecem do risco das perdas, e se protegem investindo em diferentes tipos de ativos, alguns dos quais vão subir enquanto outros vão cair.

Não sou economista nem preditor do mercado! Mas me impressiona que essa ênfase em evitar a perda seja particularmente relevante hoje em dia, considerando que nenhum de nós é capaz de prever o efeito das políticas econômicas radicais que estamos presenciando ao redor do mundo. Estamos entrando em território inexplorado. Como Howard Marks me disse no fim de 2016: "Em meio a um mundo de incertezas, com ativos a preços elevados e baixos retornos potenciais, acho que isso deveria nos fazer refletir." Em sua empresa de investimentos que gerencia US$ 100 bilhões em ativos, a Oaktree Capital Management, o mantra dos últimos anos foi "proceder com cautela". Ele explica: "Continuamos investindo. Continuamos investindo plenamente. Estamos felizes com nossos investimentos, mas tudo o que estamos comprando no momento tem um grau de cautela excepcionalmente alto."

Como eu aplico o princípio "Não perca" em minha própria vida? Sou tão obcecado com a ideia de não perder que venho dizendo a todos os meus consultores: "Nem me apresentem uma ideia de investimento, a menos que vocês me digam, antes, como vamos conseguir nos proteger das desvantagens ou minimizá-las."

PRINCÍPIO BÁSICO 2: RISCOS/RECOMPENSAS ASSIMÉTRICOS

De acordo com a visão convencional, é preciso enfrentar grandes riscos para alcançar grandes retornos. Mas os melhores investidores não se deixam levar por esse mito do alto risco, alto retorno. **Ao contrário, eles buscam oportunidades de investimento que ofereçam o que eles chamam de riscos/recompensas assimétricos: uma maneira elegante de dizer que as recompensas superam amplamente os riscos. Em outras palavras, esses investidores vitoriosos sempre procuram arriscar o mínimo possível para ganhar o máximo possível. Para o investidor, isso equivale ao nirvana.**

Constatei isso de perto com Paul Tudor Jones, que usa uma "regra de cinco para um" para orientar suas decisões de investimento. "Arrisco um dólar na expectativa de ganhar cinco", me explicou ele, nos primeiros dias de nosso treinamento. "A regra de cinco para um permite que você tenha uma taxa de sucesso de 20%. Na verdade, posso ser um completo imbecil. Posso estar errado 80% do tempo e, ainda assim, não vou perder."

©Jeff Stahler/Distribuited by Universal Uclick for UFS via CartoonStock.com

Como isso é possível? Se Paul fizer cinco investimentos, cada um de US$ 1 milhão, e quatro deles fracassarem consecutivamente, ele terá perdido um total de US$ 4 milhões. Mas, se o quinto investimento for bem-sucedido e ganhar US$ 5 milhões, ele terá recuperado seu investimento de US$ 5 milhões.

Na realidade, a taxa de sucesso de Paul é muito melhor do que isso! Imagine que apenas *dois* de seus cinco investimentos evoluam conforme o esperado e quintupliquem. Isso significa que aqueles US$ 5 milhões originais acabaram aumentando para US$ 10 milhões. Em outras palavras, ele duplicou seu dinheiro, apesar de estar errado, nesse caso, 60% do tempo! Ao aplicar sua regra de cinco para um, ele se prepara para ganhar o jogo, ainda que com alguns erros inevitáveis.

Mas vamos deixar uma coisa clara: cinco para um é o investimento *ideal* de Paul. Obviamente, ele não consegue atingir essa proporção todas as vezes. Em alguns casos, a proporção de três para um é sua meta. O ponto principal é que ele sempre está procurando riscos limitados e grandes recompensas.

Outro amigo obcecado por riscos/recompensas assimétricos é Sir Richard Branson, fundador do Virgin Group. Richard, que supervisiona cerca de quatrocentas empresas, não é apenas um empreendedor inspirado. Ele também é um aventureiro, com uma perigosa paixão por colocar em risco a própria vida, desde viagens em balões de ar quente ao redor do globo à tentativa de bater o recorde mundial de velocidade ao cruzar o Canal da Mancha em um veículo anfíbio! Portanto, ele é o exemplo mais bem acabado de alguém que aceita correr riscos, certo? Sim e não. É verdade que ele assume riscos bizarros na vida. Porém, quando se trata de suas finanças, ele é um mestre em minimizar os riscos.

Vou dar um exemplo clássico: quando lançou a Virgin Atlantic Airways, em 1984, Richard começou com apenas cinco aviões. Ele estava desafiando um inveterado Golias, a British Airways, em um negócio incrivelmente difícil. Certa vez, ele brincou: "Se você quiser ser um milionário, comece com um bilhão de dólares e lance uma nova companhia aérea!" Mas Richard passou mais de um ano negociando um inacreditável acordo que lhe permitiria devolver aqueles aviões caso o negócio não desse certo. Isso lhe assegurou uma desvantagem mínima e uma vantagem ilimitada! "Superficialmente, parece que os empreendedores têm uma tolerância alta ao risco", diz ele. "Mas uma das frases mais importantes da minha vida é 'proteger-se do resultado adverso'."

Esse padrão de pensamento acerca dos riscos/recompensas assimétricos surgiu repetidas vezes em minhas entrevistas com investidores famosos. Considere o exemplo de Carl Icahn, cujo patrimônio líquido está estimado em US$ 17 bilhões, e que foi apelidado de "Mestre do Universo" na capa da revista *Time*. Trata-se de uma pessoa cuja taxa de retorno composta desde 1968 foi de 31%, melhor ainda do que os 20% de Warren Buffett*.

---

* De acordo com *Kiplinger's Personal Finance*.

Carl fez fortuna realizando consideráveis investimentos em empresas mal administradas e, em seguida, ameaçando assumir seu controle, a menos que a gerência concordasse em melhorar sua conduta. Talvez isso nos faça lembrar do jogo mais arriscado do mundo, o pôquer de alto risco, com bilhões em disputa.

Mas Carl nunca perdeu as chances de vista. "Parecia que estávamos arriscando muito dinheiro, mas não estávamos", me disse ele. "Tudo é risco e recompensa. Mas é preciso entender o que é o risco, e entender também o que é a recompensa. A maioria das pessoas via muito mais riscos do que eu. Mas a matemática não mente, e elas simplesmente não entendiam isso."

Você está começando a identificar um padrão aqui? Esses três multibilionários — Paul Tudor Jones, Richard Branson e Carl Icahn — têm abordagens inteiramente diferentes para ganhar dinheiro. **No entanto, todos os três compartilham a mesma obsessão:** reduzir os riscos e, ao mesmo tempo, maximizar os retornos.

Agora, me perdoe se eu estiver errado. Mas acho que você não está pretendendo abrir uma nova companhia aérea nem se lançar na agressiva aquisição de uma empresa. Como, então, aplicar esse padrão de raciocínio em sua própria vida financeira?

Uma maneira de usufruir dos riscos/recompensas assimétricos é investir em ativos subavaliados durante períodos de pessimismo e retração. **Como você vai aprender no próximo capítulo, os ajustes e os mercados em baixa podem estar entre os melhores presentes financeiros de sua vida.** Pense novamente na crise financeira de 2008-2009. Na época, parecia que vivíamos o inferno sobre a Terra. Mas, se você mantivesse a mentalidade certa e os olhos bem abertos, as oportunidades seriam fabulosas! Era impossível dar um passo sem esbarrar em uma pechincha!

Quando o mercado atingiu o fundo do poço, em março de 2009, o futuro parecia tão desolador para a maioria dos investidores que ações de empresas de primeira linha podiam ser adquiridas avidamente por centavos de dólar. O Citigroup, por exemplo, caiu para 97 centavos por ação, quando comparado a um pico de US$ 57! Ter uma parte da empresa saía literalmente mais barato do que efetuar uma retirada de dinheiro em um caixa eletrônico. Mas a ressalva é esta: o inverno é sempre seguido pela primavera, e, às vezes, as estações mudam muito mais rapidamente do que você possa imaginar. Em cinco meses, aquela ação de 97 centavos chegou a US$ 5, propiciando aos investidores um retorno de 500%.

É por isso que os investidores "em valor", como Warren Buffett, se deliciam durante os mercados em baixa. A instabilidade permite que eles invistam em ações que caíram a preços tão baixos que os riscos passam a ser limitados e as recompensas se tornam excepcionais.

Buffett fez exatamente isso no fim de 2008, investindo em gigantes caídos, como a Goldman Sachs e a General Electric, que estavam sendo comercializadas por valores bastante vantajosos. Melhor ainda, ele estruturou esses investimentos de modo a reduzir ainda mais seus riscos. Investiu, por exemplo, US$ 5 bilhões em uma classe especial de ações "preferenciais" da Goldman Sachs, o que lhe garantia um dividendo de 10% ao ano enquanto aguardava a recuperação do preço das ações!

A maioria das pessoas fica tão assustada durante as crises que vê *apenas* o lado negativo. Mas Buffett se certificou de que era praticamente impossível perder.

Em outras palavras, tudo se resume a uma relação de riscos/recompensas assimétricos!

Eis aqui um exemplo de meus investimentos pessoais. Uma janela de oportunidade se abriu para mim nos anos que se seguiram à crise financeira de 2008-2009, quando os bancos decidiram implementar, pela primeira vez em muitos anos, algumas das mais rigorosas exigências para a concessão de empréstimos. Na época, muitas pessoas tinham um grande valor patrimonial investido em suas casas, mas nenhuma possibilidade de acessar os fundos. Um refinanciamento, ou re-fi, estava fora de questão. Elas procuravam uma maneira de acessar os fundos de curto prazo (normalmente, de um a dois anos, ou menos) e estavam dispostas a oferecer suas casas como garantia.

Resumindo, eu lhes emprestei os fundos de que precisavam e me tornei o que se costuma chamar de o "primeiro contrato fiduciário" de suas casas. Naquele ano de 2009, minha equipe foi procurada pelo proprietário de uma casa avaliada em US$ 2 milhões, sendo que o imóvel estava livre e desimpedido de quaisquer ônus ou restrições legais. Ele solicitava um empréstimo de US$ 1 milhão (50% do valor de avaliação do imóvel naquele momento), e estava disposto a pagar juros de 10% durante 12 meses. Nada mal em um mundo onde eu poderia investir em uma nota do Tesouro de 10 anos e ganhar apenas 1,8% ao ano. Levando em conta que o Federal Reserve já começara a elevar as taxas, isso pressionaria para baixo os preços dos títulos, de modo que meu retorno líquido poderia ser ainda menor (a menos que eu estivesse disposto a preservá-los até seu vencimento).

Mas qual seria minha desvantagem se eu investisse no contrato fiduciário? Se o mutuário ficasse inadimplente, o mercado imobiliário precisaria sofrer um colapso superior a 50% para que eu **não** recuperasse meu dinheiro. Nem mesmo na pior desaceleração imobiliária que testemunhamos em mais de meio século (2008) essa comunidade específica observou reduções de preços maiores do que 35%. Portanto, dentro do curto horizonte de um ano, isso atenderia ao primeiro de meus critérios — aumentar minhas chances de não perder dinheiro!

Além disso, analisemos os riscos/recompensas assimétricos: havia pouco risco de perder dinheiro, pois o mercado imobiliário poderia cair 50% e ainda assim eu seria capaz de me manter no limiar da rentabilidade; e um retorno anual de 10% me proporcionaria recompensas razoáveis em um ambiente de retornos limitados. Com base nesses fatores, eu me convenci de que esse investimento oferecia um excelente equilíbrio entre risco e recompensa.

Mas você não precisa ter 1 milhão de dólares para fazer investimentos como esse. Vários mutuários também estavam solicitando empréstimos entre US$ 25.000 e US$ 50.000. Meu argumento aqui, porém, não é defender a busca desenfreada de primeiros contratos fiduciários. Existem outros riscos associados a esses tipos de investimentos, e é importante entendê-los. O fato é que sempre existirão oportunidades diferentes, dependendo do clima econômico ou do comportamento do mercado.

PRINCIPIO BÁSICO 3: EFICIÊNCIA TRIBUTÁRIA

Como já discutimos, se você não tiver cuidado, os impostos podem eliminar facilmente 30% ou mais de seus retornos sobre os investimentos. No entanto, as empresas de fundos mútuos gostam de divulgar seus retornos *pré-tributários*, ocultando a realidade de que **existe apenas um número verdadeiramente importante: o montante** líquido **que você, de fato, vai conseguir manter.**

Quando as pessoas se felicitam por seus retornos sobre os investimentos sem levar em conta o impacto dos impostos (muito menos das taxas), o que elas realmente estão demonstrando é uma vocação para o autoengano! É meio como dizer: "Eu estava indo tão bem na minha dieta hoje", esquecendo-se, convenientemente, de que você acabou de devorar dois donuts, uma porção dupla de fritas e um sundae com calda quente!

Na área de investimentos, o autoengano é um hábito caro. Por isso, vamos retirar a venda dos olhos e encarar a verdade nua e crua! Se você tiver uma renda alta, provavelmente deve estar pagando um imposto de renda ordinário de 50%, entre tributos federais e estaduais. Se você vender um investimento que tenha permanecido com você por *menos* de um ano, seus ganhos serão tributados segundo a mesma e elevada alíquota que incide sobre sua renda ordinária. Pesado, não é?

Em contrapartida, se você mantiver a maioria dos investimentos por um ano ou mais, vai pagar o imposto sobre os ganhos de capital de longo prazo quando a venda for efetuada. A alíquota atual é de 20%, *bem* menor que a alíquota paga sobre sua renda ordinária. Se você usar minimamente a inteligência em relação ao período de manutenção, vai economizar até 30% em impostos.

Porém, se você ignorar o impacto dos impostos, vai pagar caro. Digamos que você possua um fundo mútuo que rende 8% ao ano. Depois de deduzir taxas de cerca de 2% ao ano, você vai ficar com 6%. Se o fundo tiver um volume de negociação intenso (como costuma acontecer com a maioria dos fundos), todos aqueles ganhos de curto prazo serão tributados segundo seu imposto de renda ordinário*. Então, se você tiver uma renda elevada em um estado como a Califórnia ou Nova York, seu retorno anual de 6% acaba de ser reduzido à metade, para um mísero retorno *pós-impostos* de 3%! A essa taxa, seu dinheiro só vai ser duplicado a cada 24 anos. Mas você também precisa levar em consideração o efeito da inflação. Se ela for de 2% ao ano, seu retorno *real* acaba de cair de 3% para 1%. A essa taxa, é provável que você se aposente aos 120 anos de idade.

---

* De acordo com William Harding, analista da Morningstar, o índice médio de volume de negócios nos fundos gerenciados de ações nacionais é de 130%.

Tenho dinheiro suficiente para me aposentar e viver confortavelmente pelo resto da vida. O problema é que eu preciso morrer na semana que vem.

— ANÔNIMO

Você consegue perceber agora por que é tão importante investir tendo em mente a eficiência tributária? Acredite em mim: todos os bilionários que conheci têm uma característica em comum: eles e seus consultores são realmente inteligentes nesse tema dos impostos! **Eles sabem que não é o que eles ganham que conta. É o que eles guardam. Esse é o dinheiro real, que eles podem gastar, reinvestir ou distribuir para melhorar a vida dos outros.**

Caso você esteja se questionando, não há nada de sórdido ou imoral em administrar suas finanças de forma a reduzir legalmente sua carga tributária. A autoridade mais frequentemente citada por juristas e a Suprema Corte dos Estados Unidos em relação a esse assunto é o juiz Billings Learned Hand, do Tribunal Federal de Apelações. Em 1934, ele afirmou: "Qualquer pessoa pode organizar seus negócios para que seus impostos sejam tão baixos quanto possível. (...) Ninguém tem o dever público de pagar mais do que a lei exige."

Quando conheci David Swensen, ele ressaltou que uma de suas maiores vantagens ao investir dinheiro em Yale é que se trata de uma instituição sem fins lucrativos e, portanto, *isenta* de impostos. Mas o que o resto de nós deveria fazer? Primeiro, manter distância dos fundos ativamente gerenciados, especialmente aqueles com alto volume de negócios. Como David me disse, um benefício dos fundos de índice é que eles reduzem as negociações ao mínimo, o que significa que "seus impostos serão menores. Isso é um grande feito. **Um dos problemas mais graves na indústria de fundos mútuos, que está repleta de problemas graves, é que quase todos os gestores desse setor se comportam como se os impostos não tivessem importância. Mas os impostos são importantes. Os impostos são muito importantes".**

Enquanto ele falava, eu podia sentir sua profunda inquietação, sua determinação em ajudar as pessoas a entender o significado do que ele dizia. O enorme impacto dos impostos sobre seus retornos "remete à importância de aproveitar todas as oportunidades possíveis de investimento com benefício fiscal", enfatizou David. "Você deve maximizar suas contribuições se tiver um 401(k) — ou um 403(b) no caso de trabalhar para uma organização sem fins lucrativos. Você deve aproveitar todas as oportunidades de investir usando o recurso do diferimento de impostos."

Parece tão óbvio, não é? Todos nós sabemos que veículos com benefícios fiscais, como 401(k)s, Roth IRAs, IRAs tradicionais, seguros de vida de colocação privada (ou, na sigla em inglês, PPLI, o "Roth dos ricos") e planos 529 (para a poupança destinada ao ensino superior) podem ajudar a alcançar nossos objetivos mais rapidamente. Provavelmente você já está tirando proveito de algumas dessas oportunidades. Mas, se não estiver maximizando **suas contribuições, agora é a hora de fazê-lo!**

Se você quiser saber mais sobre esse assunto, ele é abordado detalhadamente no Capítulo 5.5 de *Dinheiro: domine esse jogo*: "Os segredos dos milionários (esses você também pode usar!)" Lembre-se: um problema que você vai encontrar se estiver utilizando os serviços de um corretor é que ele não é um profissional tributário, portanto não está legalmente autorizado a lhe prestar consultoria sobre impostos. E a maioria dos consultores de investimento registrados também não possui um especialista em impostos em sua equipe para orientá-lo nessa área. É por isso que, idealmente, você vai desejar se associar a uma empresa que conte com CPAs na equipe, pois ela vai se encarregar de dar a devida importância à eficiência tributária.

Coloquei em prática o que David me ensinou. Essa forma de pensar, sensível aos impostos, permeia minha abordagem de investimentos. Logicamente, não *começo* com os impostos. Isso seria um grave erro. Sempre começo concentrado em não perder dinheiro e em obter riscos/recompensas assimétricos. *Então*, antes de fazer qualquer investimento, faço questão de perguntar: "Qual será a eficiência tributária disso? Existe alguma maneira de *aumentar* a eficiência tributária?"

Um dos motivos dessa obsessão é que passei grande parte da vida morando na Califórnia, onde — após a incidência dos impostos — conseguia guardar apenas 38 centavos de cada dólar que ganhava. Quando você é tributado de forma tão pesada, isso o sensibiliza muito rapidamente! Aprendi a me concentrar apenas no que sobraria *após* pagar o que devia ao Tio Sam.

Sempre que alguém comenta sobre uma oportunidade financeira que parece oferecer retornos tentadores, minha reação é sempre a mesma: "É um retorno *líquido*?" Na maioria das vezes, a pessoa responde: "Não, é *bruto.*" Mas o valor pré-tributário é falso, enquanto o valor *líquido* não mente. Sua meta, e a minha, é maximizar sempre o valor líquido.

Vou lhe dar um exemplo específico: a Creative Planning, onde presto serviço como coordenador de psicologia do investidor, pode recomendar sociedades em comandita por ações (MLPs, na sigla em inglês) em certos portfólios de clientes, quando apropriado. Como aprendi desde o início, essas sociedades publicamente negociadas constituem uma maneira simples de investir em infraestrutura energética, como gasodutos para petróleo, gasolina e gás natural. Liguei para meu amigo T. Boone Pickens, que acumulou bilhões no negócio de petróleo, e perguntei: "O que você acha das MLPs neste exato momento?"

Ele explicou que o preço das MLPs havia desabado devido a uma queda nos preços da energia. De fato, de 2014 até o início de 2016, o preço do petróleo caiu mais de 70%. Muitos investidores assumiram que essa redução de preços significaria uma péssima notícia para as MLPs, já que elas fornecem infraestrutura para os clientes do setor energético. Mas as MLPs — pelo menos as melhores delas — estão muito mais bem protegidas do que parece. Isso acontece porque, normalmente, seus clientes assinam contratos de longo prazo com taxas fixas, obtendo, como contrapartida, o direito de usar essa infraestrutura. Isso propicia um fluxo de renda estável ano após ano, permitindo que as MLPs distribuam generosas receitas de royalties para seus sócios.

Como Boone explicou, quando você investe em uma MLP, na verdade não está apostando nos preços do petróleo e do gás. Como proprietário de um gasoduto, você funciona mais como um cobrador de pedágio. Independentemente do que acontecer com os preços do petróleo ou do gás, a energia vai continuar a ser transportada por todo o país, porque ela é a força vital da economia nacional. E, como proprietário da MLP, você vai continuar a recolher seus pedágios, como um relógio!

Enquanto isso, o fato de o preço das MLPs ter despencado foi, na realidade, uma boa notícia para os investidores. Por quê? Porque houve uma reação extremada à queda no preço da energia. A maioria dos investidores ficou tão assustada que o investimento pôde ser realizado sob uma avaliação historicamente baixa. Até mesmo algumas das MLPs de altíssima qualidade viram seus preços caírem 50%.

Mas a estação de pedágio continuou funcionando plenamente. Uma MLP comercializada anteriormente por US$ 100 pagava uma receita anual de royalties de US$ 5 por ação — isto é, 5% de renda por ano sobre o investimento. Quando o preço caiu para US$ 50, a MLP continuou apresentando uma renda de US$ 5 por ação. Mas isso, agora, equivalia a um rendimento anual de *10%*! Talvez a notícia não pareça tão boa. Porém, nesta era de taxas de juros baixíssimas, é muito melhor do que os títulos que rendem 2% ou menos. **E o melhor de tudo: você ainda terá assegurado todas as vantagens se o preço da MLP tiver se recuperado!**

Portanto, vamos fazer uma pausa e verificar como as MLPs se comportaram em relação aos critérios de nossos Quatro Princípios Básicos:

1. **Não perca.** Os preços da energia e das MLPs já haviam caído tanto que era improvável que caíssem ainda mais significativamente. Especialistas como "o oráculo do petróleo" T. Boone Pickens também sinalizaram que a produção de energia encolhera drasticamente pelo fato de os preços terem desabado. Isso significava que os estoques estavam diminuindo, e, mesmo com uma demanda menor, os preços acabariam tendo de aumentar. Com tudo isso a seu lado, as chances de perder dinheiro estavam consideravelmente reduzidas.
2. **Riscos/recompensas assimétricos.** Como dissemos, havia um baixíssimo risco de perda. Mas havia uma alta probabilidade de que os preços da energia acabassem se recuperando e de que as MLPs voltassem a ser favoráveis. Enquanto isso, você estaria recebendo 10% ao ano como rendimento anual. Acredite: adoro aguardar sentado e recolher meus pedágios!
3. **Eficiência tributária.** Eis aqui a melhor parte: o governo dos Estados Unidos precisa promover a produção e a distribuição de energia doméstica, por isso deu às MLPs um tratamento fiscal preferencial. **Como resultado, a maior parte da renda que você recebe é compensada pela amortização, o que significa que cerca de 80% de sua renda é isenta de impostos.** Então, se você obtiver um retorno de 10%, vai estar perfazendo um total líquido de 8% ao ano. Muito bom, não é? Em contrapartida, se você *não* tivesse esse tratamento fiscal preferencial, a renda paga dentro do ano seria tributada segundo sua alíquota de imposto de renda ordinário. Uma pessoa com renda elevada que paga 50% em impostos receberia apenas 5% líquidos. Em outras palavras, ao usar a eficiência tributária de

uma MLP, você obtém um rendimento líquido de 8%, em vez de 5%. A diferença: *60%* a mais de dinheiro no seu bolso. Esse é o poder da eficiência tributária.

Como Peter explica no próximo capítulo, as MLPs não são adequadas para todos — e tampouco estamos recomendando especificamente que você as utilize. O que procuro ilustrar aqui é o princípio mais abrangente: ao focar nos *retornos pós-impostos*, você pode acelerar sua trajetória até a liberdade financeira.

Aliás, vale a pena ressaltar que quase sempre existe uma classe de ativos, um país ou um mercado que está sendo massacrado, apresentando-lhe oportunidades igualmente sedutoras para os riscos/recompensas assimétricos.

Finalmente, vale reforçar que usar a inteligência em relação a seus impostos também o ajuda a ter um maior impacto no mundo. Em vez de deixar o governo decidir como gastar seu dinheiro, você decide por si mesmo! Minha vida é infinitamente mais rica, pois consigo apoiar causas que me empolgam e me inspiram. Já consegui fornecer 250 mil refeições gratuitas até agora, e estou perseguindo a meta de 1 bilhão de refeições por intermédio de uma iniciativa conjunta com a Feeding America. Também estou fornecendo água potável a 250 mil pessoas todos os dias na Índia, e estou ajudando a salvar mais de 1.000 crianças da escravidão sexual por meio de uma parceria com a Operation Underground Railroad*. Essas são apenas algumas das dádivas que posso compartilhar como resultado da eficiência tributária obtida em meus investimentos.

PRINCÍPIO BÁSICO 4: DIVERSIFICAÇÃO

O quarto e último dos Quatro Princípios Básicos é, talvez, o mais óbvio e fundamental de todos: a diversificação. Essencialmente, é o que quase todo mundo já sabe: não coloque todos os ovos em uma única cesta. Mas há uma diferença entre saber o que fazer e, de fato, *fazer* o que você sabe.

---

* A Operation Underground Railroad (OUR) reúne especialistas mundiais em operações de remoção e ações contra o tráfico de crianças, com o objetivo de acabar com a escravidão infantil. Sua equipe é composta por ex-agentes da CIA, Navy SEALs e Special-Ops que lideram esforços coordenados de identificação e remoção.

Como o professor de Princeton Burton Malkiel me disse, existem quatro maneiras importantes de diversificar com eficácia:

1. **Diversificar em diferentes classes de ativos.** Evite colocar todo o seu dinheiro em imóveis, ações, títulos ou qualquer classe de investimento única.
2. **Diversificar dentro das classes de ativos.** Não coloque todo o seu dinheiro em uma ação favorita, como a Apple, ou em uma única MLP, ou em apenas um imóvel à beira-mar que poderia ser destruído em uma tempestade.
3. **Diversificar em mercados, países e moedas ao redor do mundo.** Vivemos em uma economia global, portanto não cometa o erro de investir exclusivamente em seu próprio país.
4. **Diversificar ao longo do tempo.** Você nunca vai saber qual é o momento certo para comprar qualquer coisa. Mas, se continuar aumentando seus investimentos de forma sistemática ao longo dos meses e anos (em outras palavras, pela média do custo do dólar), vai reduzir seus riscos e aumentar seus retornos no decorrer do tempo.

Nós somos os últimos dodôs do planeta, então coloquei todos os nossos ovos com segurança nesta cesta...

Todo investidor famoso que já entrevistei se mostrou obcecado com a questão de como realizar uma melhor diversificação para maximizar os retornos e minimizar os riscos. Paul Tudor Jones me disse: "Acho que a coisa mais importante que você pode fazer é diversificar seu portfólio." Essa mensagem encontrou eco em minhas entrevistas com Jack Bogle, Warren Buffett, Howard Marks, David Swensen, Mary Callahan Erdoes, (JPMorgan), e inúmeros outros.

O princípio em si pode ser simples, mas implementá-lo é outra coisa! Exige-se um verdadeiro domínio da matéria. Esse é um assunto tão importante que grande parte do próximo capítulo é dedicada a isso. Meu parceiro Peter Mallouk — que orientou seus clientes durante a assustadora crise de 2008-2009 — vai explicar como se faz para construir uma alocação de ativos personalizada, diversificando entre diferentes tipos de investimentos, como ações, títulos, imóveis e "alternativas". Sua missão: ajudá-lo a montar um portfólio que lhe permita prosperar em qualquer ambiente.

Talvez isso soe como uma grande promessa, mas a diversificação cumpre seu papel até mesmo nas piores estações. Entre 2000 e o fim de 2009, os investidores norte-americanos vivenciaram o que ficaria conhecido como a "década perdida", pois o S&P 500 ficou essencialmente estável, apesar das grandes oscilações sofridas. Os investidores inteligentes, contudo, são capazes de enxergar além das ações mais importantes dos Estados Unidos. Burt Malkiel publicou um artigo no *Wall Street Journal* intitulado "Comprar e manter ainda é uma estratégia vencedora". Nesse artigo, ele explicou que, se você tivesse optado pela diversificação dentro de uma cesta de fundos de índice — incluindo ações dos Estados Unidos, ações estrangeiras e ações, títulos e imóveis de mercados emergentes — entre o início de 2000 e o fim de 2009, um investimento inicial de US$ 100.000 teria aumentado para US$ 191.859. Isso significa um retorno anual médio de 6,7% durante a década perdida!

Uma das razões pelas quais a diversificação é tão decisiva é que ela nos protege de uma tendência humana natural a nos fixar em tudo o que achamos que conhecemos. Quando uma pessoa se sente confortável com a ideia de que determinada abordagem funciona — ou de que ela a compreende bem —, é tentador limitar-se àquela única habilidade! Como resultado, muitas pessoas acabam investindo pesadamente em uma área específica. Elas podem apostar tudo em imóveis, por exemplo, porque cresceram vendo isso funcionar como mágica em suas famílias; ou podem especular com ouro; ou podem apostar de forma agressiva em um setor aquecido, como as ações de tecnologia.

O problema é que tudo é cíclico. E o que está aquecido agora pode, de repente, esfriar. Como me alertou Ray Dalio: "É quase certo que, independentemente de onde você decida colocar seu dinheiro [classe de ativos], vai chegar o dia em que você perderá de 50% a 70%." Você consegue se imaginar tendo a maior parte ou a totalidade de seu dinheiro investido naquela única área e se apavorar ao ver tudo sendo consumido pelas chamas? A diversificação é sua apólice de seguro contra esse pesadelo. Ela diminui seu risco e aumenta seu retorno, mas não representa um custo extra. Uma combinação vitoriosa, não é mesmo?

Logicamente, existem muitas maneiras diferentes de diversificar. Discuto isso em detalhes em *Dinheiro: domine esse jogo*, esclarecendo as exatas alocações de ativos recomendadas por Ray e outros gurus financeiros, como Jack Bogle e David Swensen. David, por exemplo, me revelou como os investidores individuais podem diversificar, adquirindo fundos de índice de baixo custo que investem em seis classes de ativos "realmente importantes": ações norte-americanas, ações internacionais, ações de mercados emergentes, fundos de investimentos imobiliários (REITs, na sigla em inglês), obrigações do Tesouro dos Estados Unidos de longo prazo e obrigações do Tesouro protegidas contra a inflação (TIPS, na sigla em inglês). Ele compartilhou, inclusive, as porcentagens precisas que ele recomendaria alocar em cada uma dessas classes.

Quanto a Ray Dalio, sua abordagem única para a diversificação realiza um extraordinário trabalho de amortecimento do risco. Na Conferência de Investidores Robin Hood, no fim de 2016, tive o privilégio de me pronunciar logo após meu querido amigo Ray. Os melhores investidores do ramo o ouviam atentamente, enquanto ele revelava um dos grandes segredos de sua abordagem: "O Santo Graal dos investimentos é ter 15 ou mais apostas boas e independentes entre si — elas não precisam ser excelentes."

Em outras palavras, tudo se resume a possuir um conjunto de ativos atraentes que não se movam em bloco. É assim que se garante a sobrevivência e o sucesso. No caso dele, isso inclui investimentos em ações, títulos, ouro, mercadorias, imóveis e demais alternativas. **Ray enfatizou que, ao possuir 15 investimentos independentes entre si, é possível reduzir seu**

risco total "em cerca de 80%" e "aumentar a proporção retorno-risco por um fator de cinco. Logo, seu retorno será cinco vezes maior **diante da redução daquele risco".**

Não estou sugerindo que exista uma abordagem perfeita e única, que você devesse necessariamente seguir. O que realmente quero deixar claro é que todos os melhores investidores consideram a diversificação como um componente central do sucesso financeiro em longo prazo. Se você seguir o exemplo e diversificar amplamente, vai estar preparado para qualquer coisa, libertando-se para enfrentar o futuro com confiança e tranquilidade.

PRONTO PARA FAZER BARULHO!

A esta altura, você já avançou bastante no jogo. Você pertence a uma pequena elite que compreende esses quatro importantíssimos princípios, usados pelos melhores investidores para orientar suas decisões de investimento. Se você os colocar em prática, suas chances de sucesso nos investimentos vão aumentar exponencialmente!

No próximo capítulo, vamos nos aprofundar nos pormenores da alocação de ativos. Peter Mallouk vai explicar os benefícios de adotar uma abordagem personalizada e adaptada às suas necessidades e circunstâncias específicas. Com sua orientação especializada, você vai aprender a montar um portfólio diversificado que lhe permitirá enfrentar qualquer tempestade. Lembre-se: todos sabemos que o inverno está chegando. Todos sabemos que os mercados em baixa ocorrem regularmente. A maioria dos investidores vive com medo deles. Mas você está prestes a descobrir como transformar o inverno na melhor estação de todas — uma estação para ser *desfrutada*!

Então venha comigo, intrépido guerreiro! É hora de pegar nossas armas e *matar a fera*!

CAPÍTULO 7

MATE A FERA

Como atravessar crises e ajustes para acelerar sua liberdade financeira

Aprendi que a coragem não é a ausência de medo, mas o triunfo sobre ele. O homem corajoso não é aquele que não sente medo, mas o que vence esse medo.

— NELSON MANDELA

O CAMINHO PARA O DESTEMOR

Quando eu tinha 31 anos, consultei um médico para realizar meu exame físico anual — um exame de rotina exigido para renovar minha licença como piloto de helicóptero. Nos dias seguintes, o médico deixou várias mensagens pedindo para que eu o procurasse. Eu andava muito atarefado, e estava sem tempo para falar com ele. Então, certa noite, cheguei em casa após a meia-noite e encontrei um bilhete pregado na porta do meu quarto, deixado pelo meu assistente: "Você *precisa* ligar para o médico. Ele disse que é urgente."

Imagine como a minha mente começou a disparar. Eu era extremamente disciplinado com a saúde e estava me sentido na melhor condição física possível. Então, o que poderia estar errado? Nós praticamente enlouquecemos em ocasiões como essas. Comecei a me perguntar: "Viajo bastante, então talvez seja alguma coisa relacionada à radioatividade nas aeronaves. Será que eu poderia estar com câncer? Eu poderia estar morrendo?" É claro que não.

Recuperei o autocontrole e consegui dormir um pouco. Na manhã seguinte, porém, acordei dominado pelo medo e pelo pavor. Liguei para o médico, e ele me disse: "Você precisa fazer uma cirurgia. Você tem um tumor no cérebro."

Fiquei atordoado. "Do que você está falando? Como você pode saber disso?" O médico, um sujeito um tanto rude e sem muito tato, falou que havia feito alguns exames de sangue adicionais, por acreditar que eu possuía uma quantidade excessiva de hormônio de crescimento no corpo. Não era preciso ser um gênio para descobrir isso, já que tenho dois metros de altura e cresci 25 centímetros em um único ano, quando tinha 17 anos. Mas ele estava convencido de que esse crescimento explosivo era o resultado de um tumor na glândula pituitária, na base do meu cérebro. Ele queria que eu voltasse lá imediatamente e extraísse o tumor.

No dia seguinte, eu tinha uma viagem planejada para o sul da França, onde iria apresentar o seminário Encontro com o Destino. E agora teria de desistir de tudo e me submeter a uma cirurgia de emergência? Dane-se o destino! Fui adiante e dei o seminário assim mesmo, depois viajei para a Itália, onde me hospedei em uma bela vila de pescadores chamada Portofino. E foi lá que comecei a surtar. Eu me sentia outro ser humano, me aborrecendo e me frustrando com coisas insignificantes. O que havia de *errado* comigo?

Fui criado e vivi em um mundo de incertezas. Quando minha mãe estava sob o efeito de drogas e irritada, algumas vezes perdia o controle sobre as coisas mais banais. Se ela desconfiasse que eu estava mentindo, podia chegar ao ponto de despejar sabão na minha boca até eu vomitar — assim como podia esmagar minha cabeça contra uma parede. Desde então, passei a vida inteira me treinando e me condicionando a encontrar certezas *em um mundo de incertezas*. Mas eu havia permitido que os comentários daquele médico me jogassem, subitamente, no mais profundo nível de incerteza. Do nada, meu mundo tinha virado de cabeça para baixo, e a vida que eu construíra estava desmoronando. Afinal, como você pode estar certo sobre *qualquer coisa* quando tem dúvidas quanto à pergunta mais básica: "Eu vou viver ou vou morrer?"

Sentado em uma igreja em Portofino, rezei desesperadamente. Então, decidi voltar para casa e encarar aquela situação. Os dias seguintes foram surreais. Lembro-me de sair da máquina de ressonância magnética e perceber o olhar soturno no rosto do técnico de laboratório. Ele me disse que, definitivamente, havia uma mancha ali, mas que não entraria em detalhes até o médico interpretar as imagens do exame. O médico estava ocupado, de modo que tive de esperar mais 24 horas. Agora eu tinha certeza de que havia um problema comigo, embora sem saber ainda se era fatal ou não.

Finalmente, o médico me recebeu para explicar os resultados dos exames. As imagens confirmavam que eu tinha um tumor, mas também mostravam que, milagrosamente, ele havia encolhido 60% com o passar dos anos. Eu não tinha nenhum sintoma negativo e havia parado de crescer desde os 17 anos. Então, por que eu precisava passar por uma cirurgia? O médico me alertou que o excesso de hormônio do crescimento poderia desencadear uma série de problemas de saúde, incluindo insuficiência cardíaca. "Você está negando a realidade", disse ele. "Precisamos operar imediatamente." Mas e quanto aos efeitos colaterais? Além do perigo de morrer durante a operação, o maior risco era o de que a cirurgia pudesse prejudicar meu sistema endócrino, fazendo com que eu nunca mais tivesse o mesmo nível de energia. Era um preço que eu não estava disposto a pagar. Minha missão de ajudar as pessoas a transformar suas vidas exige um volume soberbo de energia e de paixão. Eu continuava me perguntando: "E se a cirurgia me deixar incapaz de executar o trabalho da minha vida?" Para você ter uma ideia, o evento que realizo durante os fins de semana reúne, em média, 10.000 espectadores, estendendo-se por 50 horas ao longo de 4 dias. No mundo de hoje, a maioria das pessoas não aguenta ver um filme de 3 horas que alguém gastou US$ 300 milhões para fazer! Portanto, sem uma intensa dose de energia, não há como eu propiciar uma experiência em que pessoas de 40 países diferentes se sintam não apenas inteiramente envolvidas, mas percebam, também, que transformaram completamente suas vidas.

O médico ficou furioso comigo: "Sem a cirurgia, você não vai ter certeza de que sobreviverá." Eu queria ouvir uma segunda opinião, mas ele se recusou a recomendar outro médico.

Por meio da indicação de amigos, finalmente consegui o contato de um importante endocrinologista de Boston. Ele examinou novamente meu cérebro e, logo depois, pediu para que eu me sentasse para analisar os resultados. Era um homem maravilhoso, bastante sensível, e sua atitude era completamente diferente. Ele disse que eu não precisava fazer a cirurgia;

os riscos seriam altos demais. Em vez disso, sugeriu que eu fosse para a Suíça duas vezes por ano para tomar uma injeção de uma droga experimental que ainda não havia sido aprovada nos Estados Unidos. Ele estava certo de que essa droga impediria que meu tumor se expandisse, evitando que o hormônio do crescimento causasse graves problemas cardíacos.

Quando lhe contei sobre o médico que queria operar meu cérebro, ele riu e disse: "O açougueiro quer abater, o padeiro quer assar, o cirurgião quer operar e eu quero te medicar!" Era verdade. Todos nós gostamos de fazer aquilo que fazemos melhor, com o propósito de alcançar a certeza. O problema era que aquele medicamento provavelmente também afetaria muito o meu nível de energia. O endocrinologista conseguiu perceber por que aquilo me incomodava de maneira tão profunda. "Você é como Sansão", disse ele. "Tem medo de perder seu poder se cortarmos o seu cabelo!"

Perguntei a ele o que aconteceria se eu não fizesse nada — nenhuma cirurgia, nenhuma droga experimental. "Não sei", ele respondeu. "Ninguém sabe."

"Então, por que eu devo tomar esse medicamento?"

"Se você *não* tomar", disse ele, "não vai ter certeza de que vai sobreviver."

Àquela altura, porém, eu já não sentia mais *in*certeza. Não havia nenhuma evidência de que minha saúde tivesse se deteriorado naqueles 14 anos. Então, por que eu deveria me arriscar me submetendo a uma cirurgia de alto risco, ou recebendo injeções de uma droga experimental? Consultei uma série de outros médicos, até encontrar um que me disse: "Tony, é verdade, você tem uma enorme quantidade de hormônio do crescimento na sua corrente sanguínea. Mas isso não lhe causou nenhum efeito colateral negativo. Na verdade, pode até estar ajudando seu corpo a se recuperar mais rapidamente. Conheço fisiculturistas que teriam que gastar US$ 1.200 por mês para obter o que você está recebendo de graça!"

No fim, decidi não fazer nada além de exames periódicos para verificar se minha condição havia piorado. Na época, não me dei conta, mas tinha acabado de me livrar de uma bala mortífera: mais tarde, a US Food and Drug Administration baniu aquele medicamento, com base em estudos que demonstravam que ele causava câncer. Apesar das melhores intenções do meu generoso endocrinologista, seu equivocado conselho poderia ter arruinado minha vida.

E sabe de uma coisa? Vinte e cinco anos depois, eu *ainda* tenho aquele tumor. Durante todo esse tempo, tive uma vida incrível, e fui abençoado com a oportunidade de ajudar milhões de pessoas ao longo do caminho. Isso só foi possível porque me tornei inabalável diante da incerteza. Se eu tivesse tomado uma atitude extremada ou seguido inquestionavelmente o conselho de qualquer um dos médicos sem considerar todas as minhas opções, estaria sem uma parte do meu cérebro, ou teria tido câncer, ou talvez já tivesse morrido. Se eu tivesse dependido *deles* para construir minha certeza, isso teria sido catastrófico. Ao contrário, encontrei a certeza dentro de mim, mesmo que nenhuma de minhas circunstâncias externas tenha sido alterada.

Posso morrer amanhã devido ao meu tumor cerebral? Sim. Também posso ser atingido por um caminhão ao atravessar a rua. Ainda assim, não vivo com medo do que vai acontecer. Eu não me importo com isso. **Você também pode ser inabalável, mas esse é um presente que só você pode dar a si mesmo.** Quando se trata das áreas mais importantes da sua vida — sua família, sua fé, sua saúde, suas finanças —, você não pode depender de ninguém para lhe dizer o que fazer. É ótimo receber treinamento de especialistas nesses domínios, mas não é possível terceirizar a decisão final. Você não pode delegar a outra pessoa o controle sobre *seu* destino, por mais honesta ou qualificada que essa pessoa seja.

Por que estou lhe contando essa história de vida e morte em um livro sobre dinheiro e investimentos? Porque é importante entender que *nunca* vão existir certezas absolutas na vida. **Se você quiser ter a certeza de que nunca vai perder dinheiro nos mercados financeiros, pode manter suas economias em espécie — mas, nesse caso, nunca terá a possibilidade de alcançar a liberdade financeira. Como diz Warren Buffett: "Pagamos um alto preço pela certeza."**

Mesmo assim, muitas pessoas evitam os riscos financeiros porque a incerteza as assusta. Em 2008, o mercado de ações dos Estados Unidos caiu 37% (e despencou mais de 50%, do nível mais alto para o mais baixo). Cinco anos depois, uma pesquisa da Prudential Financial descobriu que 44% dos norte-americanos *continuavam* prometendo nunca mais investir em ações, devido aos severos traumas evocados pelas memórias da crise financeira. Em 2015, outra pesquisa descobriu que quase 60% dos millennials desconfiavam dos mercados financeiros, por terem testemunhado o colapso de 2008-2009. De acordo com o Centro de Pesquisas Aplicadas da State Street Corporation, vários integrantes da geração do milênio mantêm 40% de suas economias em espécie!

Fico desolado ao constatar que tantos millennials não estejam investindo. **Preciso lhe dizer uma coisa: se você vive dominado pelo medo, é porque perdeu o jogo antes mesmo de começar. Como você pode conseguir alguma coisa se está amedrontado demais para se arriscar?** Como Shakespeare escreveu há quatro séculos atrás, "os covardes morrem várias vezes antes da sua morte, mas o homem corajoso experimenta a morte apenas uma vez".

Vou ser muito claro: não estou sugerindo que você assuma riscos imprudentes! Quando chegou a vez de cuidar da minha saúde, eu me consultei com vários especialistas, explorei todas as opções e deixei que os fatos me guiassem — não as emoções das outras pessoas nem suas perspectivas profissionais. Então, tomei uma decisão consciente, fazendo as probabilidades trabalharem a meu favor. Esse processo me permitiu passar da incerteza para uma certeza inabalável.

Acontece a mesma coisa com os investimentos. **Você nunca consegue saber como o mercado de ações vai se comportar. Mas essa incerteza não é uma desculpa para a inércia.** Você pode assumir o controle se informando, estudando os padrões de longo prazo do mercado, mimetizando os melhores investidores e tomando decisões racionais, com base na compreensão do que funcionou para eles ao longo de décadas. Como diz Warren Buffett: **"O risco vem de você não saber o que está fazendo."**

Há uma coisa que *sabemos* com certeza: no futuro haverá novas crises no mercado, tal como aconteceu no passado. Mas faz sentido se deixar paralisar pelo medo apenas porque existe o risco de se prejudicar? Acredite: não foi fácil descobrir que eu tinha um tumor cerebral. Mas prosperei durante os últimos 25 anos porque aprendi a viver sem medo. Viver sem medo significa *não* ter medo algum? Não! Significa temer *menos*. Quando o próximo mercado em baixa chegar e os outros se sentirem dominados pelo medo, quero que você tenha o conhecimento e a força para temer *menos*. Esse destemor diante da incerteza vai lhe proporcionar enormes benefícios financeiros.

Na verdade, enquanto as outras pessoas vivem apavoradas com a possibilidade dos mercados em baixa, neste capítulo você vai descobrir que eles são a melhor oportunidade para a geração de riqueza em toda a sua vida. Por quê? Porque é o momento em que todas as coisas são colocadas à venda por um preço reduzido! Imagine aquele velho sonho de possuir uma Ferrari. Se descobrisse que pode comprar uma pela metade do preço, você ficaria desanimado? De jeito nenhum! No entanto, quando o mercado de ações entra em liquidação, a maioria das pessoas reage como se isso fosse uma catástrofe! Você precisa entender que os mercados em baixa existem para servi-lo. Se você mantiver a calma, na verdade eles vão acelerar sua jornada até a liberdade financeira. Se você encontrar a certeza interior, no fundo vai ficar *empolgado* quando o mercado desabar.

Agora vou passar o bastão para meu amigo e parceiro Peter Mallouk, que vai explicar como ele e sua empresa, a Creative Planning, atravessaram o último grande mercado em baixa, em 2008-2009. Peter não gosta de se gabar dos seus fenomenais resultados. Mas preciso dizer que ele lidou com a crise tão magistralmente que os ativos sob gestão em sua empresa aumentaram de US$ 500 milhões em 2008 para mais de US$ 1,8 bilhão em 2010, praticamente sem nenhuma propaganda ou marketing — e, hoje em dia, ele supervisiona um pouco mais de US$ 22 bilhões. Além disso, a Creative Planning é a única empresa considerada por três anos consecutivos pela *Barron's* como a principal consultoria financeira independente dos Estados Unidos.

Peter vai mostrar como você deve se preparar e lucrar com um mercado em baixa. Como ele mesmo vai explicar, tudo começa com a construção de um portfólio diversificado, capaz de prosperar sob quaisquer circunstâncias. Ele vai lhe dar uma valiosa orientação sobre a arte da alocação de ativos. Munido desse conhecimento, você não terá nada a temer diante do caos do mercado. Enquanto os outros fogem, você vai resistir e matar a fera!

PREPARE-SE PARA A FERA

Por Peter Mallouk

> Uma regra simples orienta minhas compras: seja medroso quando os outros são gananciosos e seja ganancioso quando os outros estão com medo. E, certamente, o medo está generalizado agora.
>
> — Warren Buffett, em outubro de 2008, explicando por que estava comprando ações enquanto o mercado desabava

O olho do furacão

Em 29 de setembro de 2008, o índice Dow Jones despencou 777 pontos. Foi a maior queda em um único dia em toda a história, comprometendo US$ 1,2 trilhão de riquezas. No mesmo dia, o índice VIX, um barômetro do medo entre os investidores, atingiu seu nível mais alto em todos os tempos. Até 5 de março de 2009, o mercado caiu mais de 50%, devastado pela pior crise financeira desde a Grande Depressão.

Era a tempestade perfeita. Os bancos entraram em colapso. Fundos altamente bem-sucedidos se desmantelaram e se esborracharam no chão. Alguns dos mais renomados investidores de Wall Street tiveram suas reputações destruídas. No entanto, analisando retrospectivamente, penso naquele momento tumultuado como um dos grandes destaques de minha carreira — um momento em que minha empresa de gestão de patrimônio, a Creative Planning, orientou seus clientes na direção da segurança, posicionando-os para que eles não apenas sobrevivessem à crise, mas também se beneficiassem enormemente da recuperação que se seguiu.

Tony me pediu que eu compartilhasse essa história com você, pois ela expressa uma lição central deste livro: os mercados em baixa podem ser os melhores ou os piores momentos, dependendo de *suas* decisões. **Se você tomar as decisões erradas, como a maioria das pessoas tomou em 2008**

e 2009, isso pode ser financeiramente catastrófico, causando-lhe um atraso de anos ou, até mesmo, décadas. Mas, se você tomar as decisões corretas, como aconteceu com minha empresa e seus clientes, então você não tem nada a temer. Você vai aprender, inclusive, a celebrar os mercados em baixa, por conta das incomparáveis oportunidades que eles criam para os serenos caçadores de pechinchas.

Como foi que o nosso navio sobreviveu à tempestade, enquanto muitos outros foram arrastados para o fundo do mar? Em primeiro lugar, estávamos em um navio melhor! Muito antes da ocorrência do mercado em baixa, nos preparamos para isso, nos conscientizando de que os céus azuis não duram para sempre e de que os furacões são inevitáveis. Nenhum de nós sabe *quando* um mercado em baixa vai chegar, o quanto ele vai ser *ruim* ou quanto *tempo* vai durar. Entretanto, como você aprendeu no Capítulo 2, nos últimos 115 anos eles ocorreram, em média, a cada 3 anos. Essa não é uma razão para se esconder de medo. É uma razão para garantir que sua embarcação seja segura e esteja apta a navegar, independentemente das condições.

Como vamos discutir em detalhes neste capítulo, existem duas formas principais de se preparar para a instabilidade do mercado. Primeiro, você precisa fazer a alocação correta de ativos — uma expressão extravagante para designar a proporção de seu portfólio investida em diferentes tipos de ativos, incluindo ações, títulos, imóveis e investimentos alternativos. Em segundo lugar, você precisa estar posicionado de forma adequadamente conservadora (com alguma renda reservada para épocas financeiramente problemáticas), para que não se veja forçado a vender enquanto o preço das ações estiver baixo. É o equivalente financeiro a se certificar de que você está equipado com cintos de segurança, coletes salva-vidas e comida suficiente, antes de zarpar para o mar. **Em minha opinião, 90% da capacidade de sobreviver a um mercado em baixa se resume à preparação.**

Quais são os outros 10%? Eles estão totalmente relacionados ao modo como você reage emocionalmente à tempestade. Muitas pessoas acreditam que vão conseguir preservar o sangue frio. Mas, como você mesmo pode ter vivenciado, a situação é psicologicamente intensa quando o mercado está se desintegrando e o pânico se generaliza. Essa é uma das razões pelas quais contar com um consultor financeiro experiente pode ser útil. Isso propicia um lastro emocional, ajudando você a permanecer calmo para não fraquejar no pior momento e se lançar ao mar!

Uma das vantagens de nossos clientes é que havíamos nos esforçado bastante para instruí-los com antecedência, de modo que eles não ficassem em estado de choque quando ocorresse uma queda. Eles compreendiam *por que* possuíam o que possuíam, e sabiam como aqueles investimentos provavelmente se comportariam durante uma crise. É como ser avisado pelo seu médico de que uma medicação pode causar tontura e náusea; você não fica satisfeito quando esse risco se torna uma realidade, mas vai saber lidar muito melhor com isso do que se fosse uma completa surpresa!

Mesmo assim, alguns clientes precisavam ser tranquilizados o tempo todo. "Não deveríamos abandonar as ações agora e optar pelo dinheiro em espécie?", eles perguntavam. "Essa crise não parece ser diferente das outras?" Aquilo me fazia lembrar o famoso comentário de Sir John Templeton: "As quatro palavras mais caras dos investimentos são: 'Desta vez é diferente'." Em meio a um colapso do mercado, as pessoas *sempre* pensam que desta vez é diferente! Castigadas por todas as más notícias veiculadas pela mídia todos os dias, elas começam a se questionar se o mercado vai se recuperar — ou se algo se rompeu tão fundamentalmente que não poderá mais ser consertado.

James nunca saiu da cama, vendo apenas perigos no mundo financeiro.

Continuei lembrando aos meus clientes de que, na história dos Estados Unidos, todo mercado em baixa acabou se tornando um mercado em alta, por mais desanimadoras que as notícias parecessem na época. Basta pensar nas várias calamidades e crises do século XX: a pandemia da gripe de 1918, que matou quase 50 milhões de pessoas em todo o mundo; a queda de Wall Street de 1929, seguida da Grande Depressão; duas guerras mundiais; muitos outros conflitos sangrentos, do Vietnã ao Golfo; o escândalo Watergate, que desencadeou a renúncia do presidente Nixon; além de incontáveis recessões econômicas e pânicos do mercado. Então, como o mercado de ações se comportou nesse século dominado pelo caos? **O índice Dow Jones aumentou, inexoravelmente, de 66 para 11.497.**

Eis aqui do que você precisa se lembrar, com base em mais de um século de história: a perspectiva de curto prazo pode parecer tenebrosa, mas o mercado de ações *sempre* se recupera. Por que você apostaria contra esse padrão de resiliência e recuperação em longo prazo? Essa perspectiva histórica me traz uma paz inabalável, e espero que ela o ajude a não perder de vista as recompensas, independentemente dos ajustes e crises que encontremos nos próximos anos e décadas.

Os melhores investidores sabem que o período de trevas *nunca* dura para sempre. Templeton, por exemplo, fez sua primeira fortuna investindo em ações norte-americanas excepcionalmente baratas durante os obscuros dias da Segunda Guerra Mundial. Mais tarde, ele explicou que gostava de investir em "tempos de pessimismo máximo", quando pechinchas apareciam por todos os lados. Da mesma forma, Warren Buffett investiu agressivamente em 1974, quando os mercados foram derrubados pelo embargo de petróleo árabe e por Watergate. Enquanto outros estavam totalmente desesperados, ele se mostrava exuberantemente otimista, declarando à *Forbes*: "Agora é a hora de investir e ficar rico."

Psicologicamente, não é fácil comprar quando o pessimismo está por toda parte. Mas, muitas vezes, as recompensas vêm de forma extraordinariamente rápida. O S&P 500 atingiu o fundo do poço em outubro de 1974, e depois saltou 38% nos 12 meses seguintes. Em agosto de 1982, com a inflação fora de controle e as taxas de juros em quase 20%, o S&P 500 despencou novamente — e, em seguida, subiu 59% em 12 meses. Você consegue imaginar como os investidores teriam se sentido se tivessem entrado em pânico e vendido tudo durante aqueles mercados em baixa?

Eles não apenas teriam cometido o desastroso erro de fixar suas perdas como também teriam aberto mão de ganhos maciços à medida que o mercado se reaquecia. Esse é o preço do medo.

Em 2008, quando surgiu um novo mercado em baixa, me determinei a aproveitar ao máximo aquela oportunidade. Eu não tinha ideia de quando o mercado se recuperaria, mas tinha certeza de que ele *se recuperaria*. No auge da crise, escrevi aos nossos clientes: "Simplesmente não existem precedentes, em toda a história, de que o mercado tenha se mantido em um nível de avaliação tão baixo quanto esse. (...) Existem apenas dois resultados potenciais: o fim dos Estados Unidos tal como o conhecemos ou uma recuperação. Todas as vezes que os investidores apostaram no primeiro resultado, eles perderam."

Ao longo da crise, continuamos a investir fortemente no mercado de ações em nome de nossos clientes. Obtivemos lucros em classes de ativos fortes, como títulos, e investimos os rendimentos em classes de ativos fracos, como ações norte-americanas de baixa e alta capitalização, ações internacionais e ações de mercados emergentes. Em vez de apostar em empresas individuais, compramos fundos de índice, o que nos propiciou uma diversificação instantânea (a baixo custo) nesses mercados maciçamente subvalorizados.

E o que aconteceu? Bem, depois de atingir o fundo do poço em março de 2009, o S&P 500 subiu 69,5% em apenas 12 meses. **Ao longo de 5 anos, o índice aumentou 178%, confirmando nossa crença de que os mercados em baixa são o melhor presente para investidores com senso de oportunidade e uma perspectiva de longo prazo. No momento em que escrevo isso, o mercado já subiu 266% desde a mínima de 2009.**

Como você pode imaginar, nossos clientes ficaram extasiados. Tenho orgulho de dizer que nossos clientes permaneceram firmes durante a crise, e que quase nenhum barco foi abandonado. Como resultado, eles se beneficiaram amplamente da recuperação. Apenas dois clientes que desertaram sobressaem em minha memória. Um dos que abdicaram de nossa estratégia era um cliente novo, que havia nos procurado um pouco antes da crise, com um portfólio repleto de bens imobiliários. Nós o ajudamos a diversificar, o que lhe salvou uma fortuna quando o mercado imobiliário ruiu. Mas ele não conseguiu lidar com a volatilidade do mercado de ações. Ele entrou em pânico e converteu todo o seu dinheiro em espécie.

Liguei para ele um ano depois, para ter notícias. Àquela altura, o mercado havia se recuperado drasticamente. Mas ele ainda estava aguardando à margem, nervoso demais para investir. Pelo que eu sei, ele *ainda* está esperando, tendo deixado passar todos os mercados em alta dos últimos sete anos. Como Tony mencionou, paga-se um alto preço pela certeza.

O outro cliente que desistiu da Creative Planning durante aquela época ficou impressionado com a onda de notícias alarmistas divulgadas pela mídia. Ele ouvia um especialista afirmando que o mercado cairia 90%, ou que o dólar desabaria, ou que os Estados Unidos declarariam falência, e esses alertas o aterrorizaram. Para piorar a situação, sua filha alimentava esses medos. Ela trabalhava na Goldman Sachs, onde não lhe faltavam colegas brilhantes. Mas um deles a convenceu de que o sistema financeiro entraria em colapso, e que o ouro era o único refúgio seguro. Seu pai ouviu os conselhos, resgatou as ações no pior momento possível e perdeu uma fortuna em ouro. Quando conversei com ele meses depois, as ações estavam subindo vertiginosamente, mas ele temia que fosse tarde demais para voltar ao mercado. Ele estava absolutamente desanimado.

Fico triste ao dizer isso, mas esses dois ex-clientes sofreram prejuízos financeiros permanentes por causa de decisões precipitadas que tomaram durante o mercado em baixa. O motivo? Suas emoções foram mais fortes do que eles. No próximo capítulo, veremos como evitar alguns dos erros psicológicos mais comuns que confundem os investidores. **Mas, primeiro, vamos nos concentrar em um assunto igualmente crítico: como se preparar para o próximo mercado em baixa, montando um portfólio diversificado que reduz seus riscos e melhora seus retornos.** Isso vai ajudar você a gerar aumento de riqueza em qualquer ambiente *e* permitirá que você durma tranquilo à noite!

Os ingredientes do sucesso

Harry Markowitz, economista vencedor do Prêmio Nobel, declarou que a diversificação é o "único almoço grátis" no mundo dos investimentos. Sendo assim, quais são os ingredientes? Vamos repassá-los rapidamente aqui, analisando ações, títulos e investimentos alternativos. Depois, vamos explicar como misturá-los para criar um portfólio bem diversificado. Mas, antes de chegar lá, vale a pena esclarecer *por que* um portfólio deveria incluir várias classes de ativos.

Vamos começar com um simples exercício intelectual. Imagine que eu receba vários convidados em minha casa. Ofereço US$ 1 a cada um para atravessar a rua. Convém salientar que moro em uma tranquila estrada vicinal, com pouco tráfego. Portanto, minha oferta soa como dinheiro grátis. Mas digamos que eu repita a oferta, e, dessa vez, dou duas opções: eles podem atravessar minha rua por US$ 1, ou podem atravessar uma autoestrada de quatro pistas por US$ 1. Ninguém vai aceitar essa oferta para atravessar a autoestrada. Mas e se eu oferecer US$ 1.000 ou US$ 10.000? Em algum momento, vou chegar a algum valor que instigue *alguém* a atravessar a tal autoestrada!

O que acabei de ilustrar é a relação entre risco e recompensa. Existe um risco de ferimento em ambos os cenários — e, à medida que esse risco aumenta, a recompensa deve crescer para que isso seja percebido como um acordo justo. **A recompensa adicional que se recebe para assumir aquele risco adicional é chamada de prêmio de risco.** Quando os especialistas determinam sua alocação de ativos, eles avaliam o prêmio de risco para cada ativo. Quanto mais arriscado parecer o ativo, maior será a taxa de retorno exigida pelo investidor.

Como consultor financeiro, costumo montar o portfólio de um cliente combinando classes de ativos, cada uma delas com diferentes características de risco e diferentes taxas de retorno. **O objetivo? Equilibrar o retorno que você precisa alcançar com o risco que você se sinta confortável em assumir.** A beleza da diversificação é que ela pode permitir que você obtenha um retorno mais alto sem se expor a um risco maior. Por quê? Porque, de modo geral, as diferentes classes de ativos não se movem em bloco. Em 2008, o S&P 500 caiu 38%, enquanto os títulos com grau de investimento aumentaram 5,24%*. Se possuísse ações *e* títulos, você correria menos riscos — e obteria melhores retornos — do que se possuísse apenas ações.

Agora vejamos as principais classes de ativos que podemos combinar para ajudá-lo a chegar à terra prometida!

* Desempenho de 2008 do Bloomberg Barclays US Aggregate Bond Index.

Ações

Quando você compra uma ação, não está comprando um bilhete de loteria, está se tornando coproprietário de uma operação comercial real. O valor de suas ações vai aumentar ou diminuir com base na fortuna presumível da empresa. Várias ações também pagam dividendos, que são distribuições trimestrais de lucros aos acionistas. Ao investir em uma ação, você está deixando de ser um consumidor para se tornar um proprietário. Se compra um iPhone, você é um consumidor dos produtos da Apple; se compra ações da Apple, você é um proprietário da empresa — e tem direito a uma porcentagem de seus ganhos futuros.

O que você poderia esperar ganhar sendo um investidor em ações? É impossível prever, mas podemos usar o passado como um parâmetro de referência (bastante) aproximado. *Historicamente, o mercado de ações apresentou um retorno médio de 9% a 10% ao ano por mais de um século.* Mas esses números são ilusórios, pois as ações podem ser extremamente voláteis ao longo do caminho. Não é incomum que o mercado caia entre 20% e 50% periodicamente. **Em média, o mercado retrocede cerca de um ano a cada intervalo de quatro anos.** Você precisa reconhecer essa realidade para não se surpreender quando as ações desabarem — e, com isso, você vai evitar riscos excessivos. **Ao mesmo tempo, é importante reconhecer que, a cada quatro anos, o mercado rende dinheiro em três.**

A curto prazo, o mercado de ações é totalmente imprevisível, apesar das alegações dos "especialistas" que fingem saber o que está acontecendo! Em janeiro de 2016, o S&P 500 despencou repentinamente 11%; depois, fez uma curva em U e subiu praticamente com a mesma rapidez.

Por quê? Howard Marks, um dos investidores mais respeitados dos Estados Unidos, foi bastante franco com Tony: "Não houve razão plausível para o declínio. Do mesmo modo, não houve razão plausível para a recuperação."

Porém, em longo prazo, nada reflete melhor a expansão econômica do que o mercado de ações. **Com o passar do tempo, a economia e a população crescem, e os trabalhadores se tornam mais produtivos. Essa maré econômica crescente faz com que as empresas fiquem mais rentáveis, o que impulsiona os preços das ações.** Isso explica por que o mercado disparou no decorrer do século XX, apesar de todas aquelas guerras, colapsos e crises. Você entende agora por que vale a pena investir no mercado de ações em longo prazo?

Ninguém entende isso melhor do que Warren Buffett. Em outubro de 2008, ele publicou um artigo no *New York Times* incentivando as pessoas a comprar ações norte-americanas enquanto estavam em liquidação, mesmo que o mundo financeiro estivesse "um caos" e as "manchetes continuassem sendo assustadoras". Ele escreveu: "Lembremos ainda dos primeiros dias da Segunda Guerra Mundial, quando as coisas iam mal para os Estados Unidos, na Europa e no Pacífico. O mercado atingiu o fundo do poço em abril de 1942, muito antes de a sorte se voltar para os aliados. No início da década de 1980, a melhor época para comprar ações foi quando a inflação arrasou a economia, lançando-a na crise mais profunda. **Em suma, as más notícias são as melhores amigas do investidor.** Elas permitem comprar uma fatia do futuro dos Estados Unidos a preços de liquidação. No longo prazo, as notícias do mercado de ações vão melhorar."

Sugiro que você memorize esta frase: "No longo prazo, as notícias do mercado de ações vão melhorar." **Se você a entender verdadeiramente, isso vai ajudar você a ser paciente, inabalável e, finalmente, rico.**

Mas onde é que as ações se inserem no seu portfólio? Se você acredita que a economia e as empresas vão estar em melhor situação daqui a 10 anos, faz sentido alocar uma boa parcela de seus investimentos no mercado de ações. **Ao longo de um período de 10 anos, o mercado quase sempre vai apresentar alta. Ainda assim, não há garantias.** Um estudo da empresa de gestão de ativos BlackRock mostrou que o mercado registrou uma média de -1% ao ano entre 1929 e 1938. A boa notícia? A BlackRock observou que essa sequência de 10 anos de perdas foi sucedida por dois períodos consecutivos de 10 anos de ganhos consistentes à medida que o mercado retomava sua trajetória ascendente.

Evidentemente, o desafio é permanecer no mercado por tempo suficiente para desfrutar desses ganhos. A última coisa que você deseja é se ver obrigado a vender durante um demorado mercado em baixa. Como evitar esse destino? Para começar, não gaste além de suas posses nem se sobrecarregue com muitas dívidas — duas maneiras infalíveis de se colocar em posição vulnerável. Na medida do possível, tente manter um colchão financeiro, de modo que nunca precise levantar dinheiro vendendo ações quando o mercado estiver em crise. Uma maneira de construir e manter esse colchão é investir em títulos.

Títulos

Quando você compra um título, está cedendo um empréstimo para um governo, uma empresa ou alguma outra entidade. A indústria de serviços financeiros adora fazer essas coisas parecerem complexas, mas elas são bastante simples. Os títulos são empréstimos. Quando você empresta dinheiro ao governo federal, isso se chama obrigações do *Tesouro*. Quando você empresta dinheiro para uma cidade, estado ou município, trata-se de um título *municipal*. Quando você empresta dinheiro para uma empresa, como a Microsoft, é um título *corporativo*. E, quando você empresta dinheiro para uma empresa menos confiável, pode-se falar em obrigações de *alto rendimento* ou de investimento *especulativo*. Fim de papo. Agora você já aprendeu o beabá dos títulos.

Quanto você pode ganhar como credor? Depende. Emprestar dinheiro para o governo dos Estados Unidos não vai lhe render muita coisa, pois há pouco risco de que ele renegue suas dívidas. Emprestar dinheiro para o governo da Venezuela (onde a inflação pode chegar a 700% este ano) é muito mais arriscado, portanto as taxas de juros precisam ser muito mais altas. Novamente, é tudo uma questão de equilíbrio entre risco e recompensa. O governo dos Estados Unidos está lhe pedindo para atravessar uma estrada rural sem tráfego algum em um dia ensolarado; o governo venezuelano está lhe pedindo para atravessar uma autoestrada movimentada em uma noite de tempestade e com os olhos vendados.

As probabilidades de que uma empresa vá à falência e deixe de reembolsar os detentores das obrigações são maiores do que as probabilidades de que o governo norte-americano se torne inadimplente em seus empréstimos. Portanto, a empresa precisa apresentar uma taxa de retorno mais elevada. Da mesma forma, uma jovem empresa de tecnologia que pretende pedir dinheiro emprestado deve pagar uma taxa mais alta do que uma gigante líder do mercado financeiro, como a Microsoft. Agências de classificação, como a Moody's, usam termos como "Aaa" e "Baa3" para classificar esses riscos de crédito.

O outro fator crítico é a duração do empréstimo. Atualmente, o governo dos Estados Unidos vai lhe pagar cerca de 1,8% ao ano por um empréstimo de 10 anos. Se você emprestar esse dinheiro ao governo por 30 anos, vai ganhar cerca de 2,4% ao ano. Existe uma razão simples para o fato de você receber uma taxa mais elevada ao emprestar dinheiro por um período mais longo: trata-se de uma transação mais arriscada.

Por que as pessoas querem possuir títulos? Para começar, eles são muito mais seguros do que as ações. Isso porque o mutuário é legalmente obrigado a ressarci-lo. Se você mantiver um título até o vencimento, vai receber todo o seu empréstimo original de volta, mais os pagamentos de juros — a menos que o emissor dos títulos vá à falência. Como classe de ativos, os títulos oferecem retornos positivos dentro do ano-calendário em aproximadamente 85% do tempo.

E onde é que os títulos fazem sentido em seu portfólio? Investidores conservadores que estão aposentados ou não conseguem tolerar a volatilidade das ações podem optar por investir uma grande porcentagem de seus ativos em títulos. Investidores menos conservadores podem colocar uma parcela inferior de seus ativos em títulos de alta qualidade, a fim de atender a quaisquer necessidades financeiras que possam surgir no intervalo de dois a sete anos. Investidores mais agressivos podem manter uma parte de seu dinheiro em títulos para lhes servir como "pólvora seca" a ser usada quando o mercado de ações entrar em liquidação. **Foi exatamente o que a Creative Planning fez durante a crise financeira: vendemos alguns dos títulos de nossos clientes e investimos os rendimentos no mercado de ações, adquirindo avidamente pechinchas excepcionais.**

Há apenas um problema: no confuso ambiente econômico atual, os títulos vêm despertando pouquíssimo entusiasmo. Os ganhos são incrivelmente baixos, e você acaba recebendo um retorno irrisório pelo risco que está correndo. Parece particularmente desagradável investir em obrigações do Tesouro dos Estados Unidos, que recentemente ofereceram seus mais baixos rendimentos em toda a história. No exterior, a situação se mostra ainda mais descontrolada: há pouco tempo, o governo italiano vendeu um título de 50 anos à taxa de juros de 2,8%. É isso mesmo! Se você emprestar seu dinheiro por *meio século*, quem sabe tenha "sorte" suficiente de ganhar 2,8% ao ano — *se* aquele país economicamente vulnerável não enfrentar problemas. Trata-se de uma das piores apostas que já vi.

O desafio é que, hoje em dia, você não ganha *nada* se resolver manter seu dinheiro em espécie. Na verdade, descontada a inflação, você perde dinheiro quando detém valores em espécie. Pelo menos os títulos oferecem *algum* rendimento. Na minha opinião, os títulos são, atualmente, a roupa mais limpa em meio à pilha de roupas sujas.

Investimentos alternativos

Todos os investimentos que não sejam ações, títulos e espécie são definidos como alternativos. Isso inclui ativos exóticos, como sua coleção de Pablo Picasso, sua adega repleta de vinhos raros, os carros antigos em sua garagem climatizada, suas inestimáveis joias e sua fazenda de 40.500 hectares. Mas vamos nos concentrar, aqui, em algumas das alternativas mais populares, que provavelmente vão ser as mais relevantes para um público mais amplo.

Primeiro, uma advertência: muitas alternativas são ilíquidas (em outras palavras, difíceis de vender), ineficientes em termos tributários e abarrotadas de altos encargos. Dito isso, elas têm dois atributos interessantes: podem (por vezes) gerar retornos expressivos e podem ser independentes dos mercados de ações e de títulos, o que significa que podem ajudar a diversificar seu portfólio e reduzir o risco geral. Por exemplo, se o mercado de ações cair 50%, você não sofre uma queda de 50% em seu patrimônio líquido, uma vez que seus ovos não estão todos em uma única cesta. Qualquer desafio a ser enfrentado se torna muito menor.

Vejamos cinco alternativas, começando com três das quais eu gosto, seguidas de duas das quais não gosto:

- **Fundos de investimentos imobiliários.** Tenho certeza de que você conhece pessoas que tiveram um bom desempenho investindo diretamente em imóveis residenciais. Mas a maioria de nós não pode se dar ao luxo de diversificar possuindo uma série de casas ou apartamentos. Essa é uma das razões pelas quais gosto de investir em fundos de investimentos imobiliários publicamente negociados (REITs). Eles são uma maneira descomplicada e barata de diversificar amplamente, tanto geograficamente quanto entre diferentes tipos de bens. Por exemplo, você pode possuir uma pequena parcela de um REIT que investe em ativos como prédios de apartamentos, torres de escritórios, alojamentos para idosos, consultórios médicos ou shopping centers. Você pode se beneficiar de todas as valorizações no preço dos ativos imobiliários subjacentes, ao mesmo tempo que recebe um razoável fluxo de receitas correntes.
- **Fundos de capital privado.** As empresas de capital privado usam dinheiro compartilhado para comprar uma empresa operadora, integral ou parcialmente. Depois, elas podem agregar valor, por exemplo,

reestruturando o negócio, reduzindo custos e minimizando impostos. No fim, elas tentam revender a empresa por um preço muito maior. O lado positivo: um fundo de capital privado administrado por uma equipe verdadeiramente experiente pode gerar lucros significativos, além de acrescentar diversificação ao seu portfólio, devido à atuação no mercado privado. O lado negativo: esses fundos são ilíquidos, arriscados e cobram taxas elevadas. Na Creative Planning, conseguimos nos beneficiar de nossas parcerias e de US$ 22 bilhões em ativos para obter acesso a fundos gerenciados por uma das 10 maiores empresas de capital privado do país. Normalmente, o investimento mínimo requerido é de US$ 10 milhões, mas nossos clientes podem investir com um mínimo de US$ 1 milhão. Como se percebe, isso não é para qualquer um, mas os melhores fundos podem continuar auferindo suas taxas elevadas.

- **Sociedades em comandita por ações.** Sou um grande fã das MLPs, sociedades publicamente negociadas que normalmente investem em infraestrutura de energia, incluindo oleodutos e gasodutos. Qual é o seu atrativo? Como Tony mencionou no último capítulo, algumas vezes recomendamos as MLPs porque elas repassam uma quantidade significativa de receitas de uma forma tributariamente eficiente. Para muitos investidores, elas não fazem sentido (especialmente se você for jovem ou tiver seu dinheiro aplicado em uma IRA), mas podem ser ótimas para investidores com mais de 50 anos que sejam titulares de contas vultosas e tributáveis.
- **Ouro.** Algumas pessoas têm uma crença quase religiosa de que o ouro é a cobertura perfeita contra o caos econômico. Elas argumentam que será a única moeda verdadeira se a economia desmoronar, a inflação disparar ou o dólar entrar em colapso. Minha opinião? O ouro não produz nenhuma receita e não é um recurso fundamental. Como Warren Buffett disse certa vez, "o ouro é escavado na África ou em algum outro lugar. Depois, nós o derretemos, cavamos outro buraco para enterrá-lo de novo e pagamos alguém para guardá-lo em um local seguro. Ele não tem nenhuma utilidade. Qualquer um que visse isso de Marte coçaria a cabeça". Mesmo assim, os preços do ouro disparam ocasionalmente, e todos se amontoam em torno dele! Em todas as vezes — sem exceção — o preço acabou desabando.

Historicamente, ações, títulos, matérias-primas energéticas e imóveis superaram o ouro. Portanto, não investiria em ouro.

- **Fundos de cobertura.** Na Creative Planning, não temos espaço para fundos de cobertura em nossos portfólios. Por que não? Algumas dessas sociedades privadas tiveram desempenhos brilhantes durante vários anos, mas se trata de uma minúscula minoria — e as melhores tendem a estar fechadas para novos investidores. O problema é que os fundos de cobertura começam com uma enorme desvantagem em todas as principais categorias: taxas, impostos, gestão de riscos, transparência e liquidez. A maioria cobra 2% ao ano, independentemente do que acontecer, mais 20% dos lucros de seus investidores. O que você obtém em troca? Bem, de 2009 a 2015, o fundo de cobertura médio ficou defasado em relação ao S&P 500 por 6 anos consecutivos. Em 2014, o maior fundo de pensão do país, o CalPERS (o Sistema de Aposentadoria dos Funcionários Públicos da Califórnia), dispensou totalmente os fundos de cobertura. Em minha opinião, os fundos de cobertura são feitos sob medida para presas fáceis ou para especuladores que procuram apostar alto. Eles vão fazer *alguém* ficar rico, mas provavelmente não será você nem eu.

UMA ABORDAGEM PERSONALIZADA PARA A ALOCAÇÃO DE ATIVOS

Agora você sabe quais são os ingredientes que estão ao seu alcance, mas como combiná-los para obter a receita perfeita? A verdade é que não existe um método único que funcione para todos. Mesmo assim, muitos consultores usam uma abordagem padrão para a alocação de ativos, ignorando diferenças críticas nas necessidades de seus clientes. Isso equivale a servir um bife para uma pessoa vegetariana ou uma salada de couve como prato principal para amantes de carne.

Uma abordagem comum — embora equivocada — consiste em usar a idade de uma pessoa para determinar a porcentagem de títulos em seu portfólio. Por exemplo, se você estiver com 55 anos, teria 55% de seus ativos alocados em títulos. Para mim, isso é insanamente simplista. **Na realidade, o tipo de ativos que você possui deveria estar relacionado com o que você,**

pessoalmente, precisa conquistar. Afinal, uma mãe solteira de 55 anos que vem economizando para pagar o ensino superior do filho tem prioridades diferentes das de uma empreendedora de 55 anos que acabou de vender sua empresa por milhões de dólares e pretende deixar um legado filantrópico. Não faz sentido tratá-las como se suas necessidades fossem as mesmas só porque ambas têm a mesma idade!

Outra abordagem comum tende a basear a alocação de ativos de uma pessoa em sua tolerância ao risco. Na condição de cliente, você preenche um questionário para determinar se é um investidor agressivo ou conservador. Na sequência, tentam lhe vender um modelo predefinido de portfólio de investimentos que, supostamente, corresponda a esse perfil de risco. Para mim, essa abordagem é igualmente equivocada, pois ignora suas necessidades. E se você for avesso ao risco, mas não tiver nenhuma chance de se aposentar, a menos que invista pesado em ações? Montar um portfólio conservador repleto de títulos apenas o condenaria à decepção.

Sendo assim, como você deveria **abordar o desafio da alocação de ativos?** Acredito que a verdadeira pergunta que você e seu consultor financeiro devem responder é a seguinte: **quais classes de ativos lhe oferecerão a maior probabilidade de sair do lugar onde você está hoje e chegar aonde** precisa **chegar?** Em outras palavras, a concepção de seu portfólio deve estar baseada em *suas necessidades específicas*.

Seu consultor deveria começar obtendo uma imagem clara de onde você está hoje (seu ponto de partida), quanto você está disposto e é capaz de economizar, de quanto dinheiro vai precisar e quando vai precisar dele (seu ponto final). Uma vez que essas necessidades tenham sido claramente identificadas, seu consultor deveria fornecer uma solução *personalizada* para ajudá-lo a alcançá-las. Você pode descobrir tudo isso sozinho, sem contratar um profissional? Claro. Mas os riscos são altos, e você não quer colocar tudo a perder. Então, provavelmente faz mais sentido obter ajuda, a menos que você seja particularmente experiente nesses assuntos.

Seja como for, digamos que você precise de um retorno anual médio de 7% nos próximos 15 anos para que possa se aposentar. Seu consultor pode chegar à conclusão de que você deve investir, por exemplo, 75% de seu portfólio em ações e 25% em títulos. Não importa se você tem 50 ou 60 anos de idade. Lembre-se: suas *necessidades* determinam sua alocação de ativos, não sua *idade*. Quando seu consultor tiver estabelecido a alocação correta para atender a essas necessidades, ambos deveriam avaliar se você conseguirá conviver com a volatilidade que provavelmente vai experimentar. Se *não conseguir*, então é possível reduzir sua meta, e seu consultor pode criar uma alocação mais conservadora que lhe permita atingir essa meta reescalonada.

Um consultor sofisticado vai personalizar seu portfólio para lidar com as peculiaridades de sua situação financeira. Digamos que você trabalhe em uma empresa de petróleo e tenha uma grande parcela de seu patrimônio líquido investida em ações de seu empregador. Seu consultor ajustaria sua alocação de ativos convenientemente, para garantir que seus outros investimentos não o exponham demais ao setor energético.

Outra prioridade é criar uma estratégia personalizada que minimize suas obrigações tributárias. Digamos que você mostre um portfólio já existente a um novo consultor. Sua alocação de ativos está claramente desequilibrada, e aí o consultor sugere uma reformulação completa. Em um mundo perfeito, talvez ele estivesse certo. Mas e se seus investimentos tiverem tido um bom desempenho, e vendê-los significasse uma sobrecarga de impostos sobre todos os seus ganhos de capital? Um consultor sofisticado avaliaria primeiro o impacto tributário provocado pela venda desses ativos. Como resultado, você pode acabar adotando uma abordagem muito mais moderada — usando, por exemplo, suas contribuições mensais adicionais para, mais gradativamente, ir assumindo uma nova alocação.

Em resumo, você deseja um consultor com habilidades para adaptar seu portfólio às suas necessidades específicas. Uma abordagem uniformizada para a alocação de ativos pode ser desastrosa. Seria como ir a um médico que lhe diz: "Esse medicamento que estou lhe prescrevendo é o melhor tratamento mundial para artrite." Sua resposta: "Isso é ótimo, doutor, mas eu não estou com artrite! Estou resfriado."

DEFINA O COMPONENTE CENTRAL E EXPLORE

Antes de concluir este capítulo, quero apresentar algumas orientações básicas para ter em mente quando você estiver construindo (ou reconstruindo) seu portfólio. São princípios que seguimos na Creative Planning, e estou confiante de que eles vão atendê-lo bem, tanto nos dias ensolarados quanto nos tempestuosos!

1. **A alocação de ativos define os retornos.** Comecemos com a compreensão fundamental de que a alocação de ativos será o maior fator na determinação de seus retornos sobre os investimentos. **Por isso, decidir qual o equilíbrio correto entre ações, títulos e alternativas é a decisão de investimento mais importante da sua vida.** Seja qual for a combinação que escolher, certifique-se de diversificar globalmente em várias classes de ativos. Imagine que você seja um investidor japonês com todo o seu dinheiro aplicado em ações nacionais: o mercado do Japão *continua* aquém das expectativas em relação aos enormes picos alcançados em 1989. **Moral da história: nunca aposte seu futuro em um único país ou em uma única classe de ativos.**
2. **Use fundos de índice como o componente central de seu portfólio.** Na Creative Planning, usamos uma abordagem de alocação de ativos que chamamos de "Core and Explore". O componente *central* dos portfólios de nossos clientes é o investimento em ações norte-americanas e internacionais. Usamos os fundos de índice porque eles propiciam ampla diversificação, de forma econômica e tributariamente eficiente, além de superarem quase todos os fundos ativamente gerenciados em longo prazo. Para conseguir uma diversificação máxima, buscamos exposição a ações de todas as dimensões: alta capitalização, média capitalização, pequena capitalização e microcapitalização. Ao diversificar de modo tão amplo, você se protege do risco de que uma parte do mercado (por exemplo, ações de tecnologia ou ações bancárias) possa sofrer algum abalo. Ao optar pelos fundos de índice, você desfruta da trajetória ascendente de longo prazo do mercado, não permitindo que as despesas e os impostos corroam seus retornos. Em relação às outras partes de seu portfólio, há opções mais sofisticadas a serem consideradas, conforme discutiremos mais adiante.
3. **Mantenha sempre um colchão financeiro.** Você nunca vai querer estar em uma posição onde se veja forçado a vender seus investimentos no mercado de ações no pior momento. Por isso, caso seja possível, é recomendável manter um colchão financeiro. Nós nos certificamos de que nossos clientes tenham uma quantidade adequada de investimentos geradores de receitas, como títulos,

REITs, MLPs e ações que pagam dividendos. Também diversificamos amplamente *dentro* dessas classes de ativos: investimos, por exemplo, em obrigações do governo, títulos municipais e títulos corporativos. Se as ações desabarem, podemos vender alguns desses investimentos geradores de receitas (idealmente, títulos, considerando que são líquidos) e usar os proventos para investir no mercado de ações a preços baixos. Isso nos coloca em posição de vantagem, podendo enxergar a fera como um aliado, em vez de um inimigo temível.

4. **A regra dos sete.** Idealmente, gostamos de que nossos clientes deixem separados sete anos de renda em investimentos geradores de receitas, como títulos e MLPs. Se as ações sofrerem uma queda, podemos acessar esses ativos geradores de receitas para atender às necessidades de curto prazo de nossos clientes. Mas e se você não puder se dar ao luxo de separar alguns anos de renda? Basta começar com uma meta exequível e continuar aumentando o limite à medida que você avança. Por exemplo, você pode começar com a meta de economizar três ou seis meses de renda e, gradativamente, ir aumentando de patamar — durante vários anos — em direção à meta final, que é separar sete anos de renda. Se isso lhe parecer impossível, confira a maravilhosa história de Theodore Johnson, colaborador da UPS que nunca chegou a ganhar mais de US$ 14.000 por ano. Ele economizava 20% de cada salário, além de todos os bônus recebidos, e investia em ações de sua empresa. Aos 90 anos, tinha acumulado US$ 70 milhões! **A lição: nunca subestime o incrível poder da poupança disciplinada combinada com os efeitos da composição em longo prazo.**
5. **Explore.** O *componente central* dos portfólios de nossos clientes é o investimento em fundos de índice que simplesmente correspondam aos retornos do mercado. Mas talvez faça sentido *explorar* paralelamente estratégias adicionais que ofereçam chances razoáveis de um desempenho superior. Um investidor com muitos recursos, por exemplo, pode acrescentar um investimento de alto risco e alto retorno em um fundo de capital privado. Você também pode decidir que determinado investidor, tal como Warren Buffett, tenha uma vantagem específica, o que poderia justificar a colocação

de uma pequena parte de seu portfólio em ações de sua empresa, a Berkshire Hathaway.

6. **Rebalanceie.** Sou um grande adepto do "rebalanceamento", o que implica restaurar periodicamente a alocação de ativos original de seu portfólio — digamos, uma vez por ano. Na Creative Planning, aproveitamos as oportunidades de compra à medida que elas aparecem, em vez de esperar até o fim do ano ou do trimestre. Eis aqui como funciona: imagine que você tenha começado com 60% em ações e 40% em títulos; posteriormente, o mercado de ações cai, e você acaba ficando com 45% em ações e 55% em títulos. Você faria o rebalanceamento vendendo títulos e comprando ações. **Burton Malkiel, professor de Princeton, explicou a Tony que os investidores malsucedidos tendem a "comprar o que subiu e vender o que desceu". Um dos benefícios do rebalanceamento, diz Malkiel, é que ele "o força a fazer o oposto", obrigando-o a comprar ativos quando eles estão desacreditados e subestimados. Você vai se beneficiar enormemente quando eles se recuperarem.**

UMA PALAVRA FINAL

Se você seguir as orientações deste capítulo, vai estar apto a enfrentar qualquer tempestade. Claro que haverá momentos turbulentos, com o noticiário repleto de manchetes assustadoras. Mas você vai se sentir reconfortado ao saber que seu portfólio está devidamente diversificado, pronto para suportar qualquer situação caótica do mercado.

No Capítulo 2, você aprendeu que não há necessidade de temer os ajustes de mercado, e espero que agora você tenha percebido que também não é necessário ter medo dos mercados em baixa. Na verdade, eles oferecem as melhores oportunidades para aproveitar pechinchas raras e únicas, de modo que você possa dar um salto qualitativo e alcançar um novo patamar de riqueza. O mercado em baixa é uma dádiva — que surge, em média, uma vez a cada três anos! Estes tempos não são apenas para sobreviver. São tempos para *prosperar.*

Porém, como você e eu sabemos, existe uma grande diferença entre a teoria e a prática. Basta pensar em meu ex-cliente que durante o último mercado em baixa abdicou do mercado de ações e apostou tudo em ouro. O medo o levou a rejeitar um plano cuidadosamente elaborado que lhe garantiria um futuro de plena liberdade financeira. Portanto, como se certificar de que suas próprias emoções não saiam do controle e o desviem do caminho?

O próximo capítulo aborda o domínio da psicologia da riqueza, para que você não cometa os erros financeiros comuns — e inteiramente evitáveis — que observamos continuamente. Você vai descobrir que há apenas um obstáculo real para o sucesso financeiro: você! Quando você souber silenciar o inimigo interior, nada poderá detê-lo.

SEÇÃO 3

A PSICOLOGIA DA RIQUEZA

CAPÍTULO 8
SILENCIANDO O INIMIGO INTERIOR

Os seis maiores erros cometidos por investidores e como evitá-los

O principal problema do investidor — e talvez seu pior inimigo — é provavelmente ele mesmo.

— Benjamin Graham,
autor de *O investidor inteligente* e mentor de Warren Buffett

Parabéns! Você passou pelo livro de regras e pelo manual, e agora possui o conhecimento de que precisa para se tornar verdadeiramente inabalável.

Você aprendeu quais pontos merecem mais atenção, conheceu os fatos que podem libertá-lo do medo dos inevitáveis ajustes e crises e está totalmente equipado com as estratégias vitoriosas dos melhores investidores do planeta. Também adquiriu conhecimentos inestimáveis sobre taxas, e saberá encontrar um consultor financeiro verdadeiramente qualificado e eficaz. Tudo isso lhe dá uma vantagem incrível, ampliando significativamente sua capacidade de permanecer lúcido, mesmo diante da incerteza. Você tem um caminho consolidado até a liberdade financeira!

Mas eu preciso perguntar... O que poderia prejudicar tudo isso?

Vou dar uma pista: não é nada externo. *É você*! **É isso mesmo. A maior ameaça ao seu bem-estar financeiro é o seu próprio cérebro.** Não estou tentando ofendê-lo aqui! O fato é que o cérebro humano foi perfeitamente projetado para tomar decisões estúpidas quando se trata de investimentos. Você pode fazer tudo corretamente — investir em fundos de índice de baixo custo, minimizar taxas e impostos e diversificar de forma inteligente. Mas, se não conseguir dominar sua própria psicologia, pode acabar se tornando vítima de uma dispendiosa forma de autossabotagem financeira.

Na verdade, isso faz parte de um padrão muito mais amplo. Em todas as áreas da vida —namoro, casamento, filhos, ambiente de trabalho, nossa saúde, nosso preparo físico, nossas finanças ou qualquer outra coisa —, temos uma tendência a ser o nosso pior inimigo.

O problema é que o nosso cérebro é programado para evitar a dor e buscar o prazer. Instintivamente, ansiamos por tudo aquilo que pareça ser imediatamente gratificante. Nem é preciso dizer que essa nem sempre é a melhor receita para tomar decisões de forma inteligente.

De fato, o nosso cérebro é particularmente propenso a decisões ruins quando estamos lidando com o dinheiro.

Como vamos discutir, há uma série de vieses mentais — ou pontos cegos — que tornam surpreendentemente difícil investir racionalmente. Não é culpa nossa. É uma contingência de nossa condição de seres humanos. Na verdade, isso está incorporado ao nosso sistema cognitivo, como um código defeituoso em um programa de computador.

Este capítulo foi concebido para lhe apresentar as percepções e ferramentas básicas que podem ser usadas para se libertar das tendências psicológicas naturais que impedem tantas pessoas de prosseguir na jornada em direção à liberdade financeira.

Gostaria de dar um exemplo de um obstáculo psicológico comum, com o qual todos nós podemos nos deparar. **Os neurocientistas descobriram que as partes do cérebro que processam perdas financeiras são as mesmas partes que reagem às ameaças mortais.** Pense no que isso significa por um momento. Imagine que você é um caçador-coletor buscando seu jantar na floresta, e se vê repentinamente confrontado por um tigre-de-dentes de sabre com um sério problema de comportamento. Seu cérebro entra em estado de alerta, enviando mensagens urgentes para lutar, imobilizar-se ou sair correndo para salvar sua vida. Você pode agarrar a pedra ou a lança mais próximas para enfrentar a fera, ou pode fugir e se esconder na segurança de uma caverna escura.

Agora imagine que estamos em 2008, e você é um investidor com uma parcela significativa das economias de sua vida inteira aplicada no mercado de ações. A crise financeira global atinge o mercado, seus investimentos sofrem uma queda e seu cérebro começa a processar a realidade de que você está perdendo rios de dinheiro. No que diz respeito ao seu cérebro, isso é o equivalente financeiro àquele tigre-de-dentes de sabre rugindo bem diante do seu rosto, pronto para transformar *você* em jantar.

E qual é a consequência? Alerta vermelho! O mecanismo de sobrevivência ancestral dentro do seu cérebro começa a lhe enviar mensagens dizendo que você está em perigo mortal. Racionalmente, você pode até saber que o movimento mais inteligente em uma crise no mercado é comprar mais ações enquanto elas estão em liquidação. Mas seu cérebro fica lhe dizendo para vender tudo, pegar seu dinheiro e escondê-lo debaixo do colchão (um lugar mais conveniente do que uma caverna) até que a ameaça desapareça. Não é de admirar que a maioria dos investidores faça a coisa errada! É um efeito colateral infeliz do mecanismo de sobrevivência humana. Temos uma tendência a nos apavorar, pois nossos cérebros acreditam que a derrocada financeira é sinônimo de *morte certa.*

Mas o que conta não é a realidade, e sim as nossas crenças a respeito dela.

São as crenças que enviam comandos diretos ao nosso sistema nervoso. As crenças nada mais são do que sentimentos de absoluta certeza governando nosso comportamento. Manipuladas de forma eficaz, as crenças podem ser a força mais poderosa para a prática do bem, mas também podem limitar nossas escolhas e paralisar severamente nossas ações. Então, qual é a solução? Como podemos ignorar os instintos de sobrevivência enraizados há milhões de anos em nossos cérebros e em nossos sistemas de crenças, para que possamos aprender a nos manter firmes diante de um mercado em queda (ou diante de um tigre faminto)?

Pode parecer excessivamente simplista, mas precisamos, pura e simplesmente, de um conjunto de soluções de sistema — um simples sistema de controles e monitoramentos — que neutralize ou minimize os efeitos nocivos de nossa defeituosa conexão cerebral, herdada dos Flintstones. Deve existir algum tipo de checklist de controle interno, uma vez que o conhecimento não é suficiente. Precisamos desenvolver a capacidade sistêmica de *executar todas as vezes.*

Basta pensar no setor aéreo, em que as consequências do erro humano podem ser devastadoras. No caso das companhias aéreas, é imperativo seguir os procedimentos corretos *todas* as vezes. É assim que elas minimizam os riscos, implementando uma série de soluções de sistema e uma série de checklists ao longo do trajeto. Considere o copiloto, responsável por uma gama de controles e monitoramentos capazes de salvar vidas, caso o piloto venha a cometer algum deslize. O copiloto não está ali apenas para conduzir o avião se o comandante quiser ir ao banheiro; ele serve, também, como uma segunda opinião para todos os processos decisórios que possam surgir. Além disso, não importa quantos milhares de horas eles tenham voado — tanto o comandante quanto o copiloto monitoram constantemente checklists verificação detalhados para manter a segurança de todos durante a viagem, para que todos cheguem ao destino pretendido.

No setor de investimentos, talvez o erro humano não seja uma questão de vida e morte, mas, ainda assim, os equívocos financeiros podem ter resultados catastróficos. Pergunte aos que perderam suas casas durante a crise financeira, ou aos que não conseguiram mais arcar com os custos da faculdade de seus filhos, ou aos que não puderam se dar ao luxo de se aposentar. **É por isso que os investidores também precisam de sistemas, regras e procedimentos simples para nos proteger de nós mesmos.**

SAIBA O QUE FAZER, FAÇA O QUE SABE

Os melhores investidores estão plenamente conscientes dessa necessidade de sistemas simples, pois reconhecem que, apesar de seus abundantes talentos, podem facilmente se enganar em muitos aspectos, causando sofrimentos intermináveis a si mesmos! **Eles entendem que não basta** saber o que fazer. **Também é preciso** fazer o que se sabe. É aí que entram os sistemas.

Ao longo de mais de 20 anos como instrutor de Paul Tudor Jones, um de meus focos principais tem sido atualizar e melhorar constantemente os sistemas que ele usa para avaliar e tomar decisões de investimento. Na verdade, quando conheci Paul, ele tinha acabado de realizar um dos maiores investimentos comerciais da história, tirando o máximo proveito do mercado na segunda-feira negra de 1987 — uma ocasião terrível, quando o mercado caiu 22% em um único dia. Naquele ano, Paul conseguiu um retorno de 200% para seus investidores, algo praticamente inimaginável. Mas, depois desse impressionante sucesso, ele se tornou excessivamente confiante — um viés comum, que você vai conhecer melhor neste capítulo. O resultado? Ele começou a se mostrar menos rigoroso em sua adesão aos sistemas vitais que adquirira ao longo dos anos, transformando-se em uma versão mais eficiente de si mesmo.

Para corrigir esse viés, me propus a descobrir de que forma seu comportamento como investidor havia mudado. Eu me encontrei com os colegas de Paul (incluindo alguns dos maiores investidores da história, como Stanley Druckenmiller), entrevistei seus companheiros de trabalho e assisti a vídeos de negociações durante seus momentos mais bem-sucedidos. Com base nesse entendimento aprofundado, trabalhei com Paul visando criar um checklist: um conjunto simples de critérios que ele poderia usar como se fossem seus controles e monitoramentos, antes de se lançar a qualquer negociação.

Um dos critérios que estabelecemos, por exemplo, foi o seguinte: antes de fazer algum investimento (ou negociação), Paul teria, primeiro, de estabelecer integralmente, para si mesmo, que se tratava de uma *negociação difícil* — o que significava que não era uma negociação que todos fariam.

Em segundo lugar, ele se disciplinou para se certificar de que havia riscos/recompensas assimétricos. Para determinar isso, deveria se perguntar: "*É uma relação de três para um? De cinco para um? Posso obter recompensas exorbitantes pela menor quantidade de risco? Qual é a vantagem potencial e quais são os riscos em caso de desvantagem?*" Em terceiro lugar, calmamente, ele se perguntaria: "*Onde estão os pontos de ruptura dos outros investidores? Qual será o momento em que o preço vai ficar tão baixo ou tão alto que eles desistirão?*" Ele se valeria dessa percepção para estabelecer seu próprio ponto de partida: a meta de preço para efetuar seu investimento. Finalmente, também estabeleceria o momento de sua saída, caso suas projeções se mostrassem equivocadas.

Qual é o padrão aqui? **O ponto comum nos critérios de Paul é um conjunto simples de** perguntas **usadas para inspecionar suas crenças e analisar a situação de forma mais objetiva.**

Apesar de todas essas perguntas terem fornecido um excelente checklist para Paul, o que funcionou mesmo foi a disciplina. Afinal, um sistema só é eficaz se você o colocar em prática! Para ter certeza de que ele faria isso, pedi a Paul que escrevesse uma carta a todos os colaboradores de sua equipe de negociadores, afirmando claramente que eles não deveriam realizar nenhum investimento antes de se consultarem com ele, e que deveriam fazer a si mesmos as perguntas mencionadas acima: "*Trata-se, realmente, de uma negociação difícil? Ela possui, de fato, riscos/recompensas assimétricos? É uma relação de cinco para um ou de três para um? Qual é o ponto de partida? Quais são seus limites?*"

Indo um pouco mais longe, eles também foram instruídos a não processar nenhum pedido após o sinal de abertura do pregão. Em outras palavras, eles não estavam autorizados a negociar no meio do dia. Por que não? Porque Paul percebeu que, muitas vezes, uma negociação realizada naquele estágio do jogo significava que ele estava reagindo ao mercado, comprando no preço mais alto do dia e vendendo na cotação mínima, desperdiçando sua força e presenteando terceiros com um acordo mais vantajoso.

Como você pode perceber, grandes investidores como Paul compreendem uma verdade fundamental: a psicologia o fortalece ou o derruba, e por isso é imperativo contar com um sistema robusto que lhe permita permanecer dentro da meta. Juntos, neste capítulo, vamos criar um checklist simples com seis itens a serem observados e enfrentados eficazmente, a fim de garantir seu sucesso financeiro no longo prazo.

80% PSICOLOGIA, 20% MECÂNICA

Durante quatro décadas, estudei as pessoas mais bem-sucedidas em diversas áreas, incluindo investimentos, negócios, educação, esportes, medicina e entretenimento. **E o que descobri, sistematicamente, é que 80% do sucesso é psicologia e 20% é mecânica.**

A psicologia do investidor é um assunto incrivelmente rico e complexo. Na verdade, existe todo um campo acadêmico chamado "finanças comportamentais", que explora os vieses cognitivos e as emoções que levam os investidores a agir de forma irracional. Frequentemente esses vieses levam as pessoas a cometer alguns dos erros mais caros nos investimentos, como tentar prever o comportamento do mercado, investir sem conhecer o verdadeiro impacto das taxas e desprezar a diversificação.

Nosso objetivo aqui é a concisão! Neste breve capítulo, vamos explicar o que você realmente precisa saber sobre uma das maiores armadilhas psicológicas e como evitar cair em armadilhas comuns de investimento que seu cérebro poderá levá-lo a cometer.

Como Ray Dalio me disse: "Se você conhece suas limitações, pode se adaptar e ser bem-sucedido. Se não as conhece, vai sofrer as consequências." Ao criar soluções sistemáticas, você pode se libertar da tirania de seu condicionamento e assumir a cabine de comando como um dos melhores investidores do planeta.

Erro 1: Buscando a confirmação de suas crenças
Por que os melhores investidores acatam opiniões contrárias às suas próprias?

Durante a disputa das eleições presidenciais de 2016 entre Donald Trump e Hillary Clinton, você provavelmente se viu em meio a acalorados "debates" políticos com amigos. Mas alguma vez você teve a sensação de que, na verdade, não se tratava de um debate — pois todos já haviam tomado uma decisão? As pessoas que amavam Trump e detestavam Hillary, ou vice-versa, se manifestavam com tanta veemência que muitas vezes parecia que nada poderia alterar suas opiniões!

Isso foi potencializado pela forma como os conteúdos de mídia são consumidos hoje em dia. Muitas pessoas assistem a canais de TV que, normalmente, favorecem um ponto de vista, como a MSNBC ou a Fox News; e nossas notícias são filtradas, mais do que nunca, pelo Facebook e outras organizações. O resultado? Muitas vezes parece que estamos em uma câmara de ressonância, ouvindo primordialmente as pessoas que já compartilham nossos pontos de vista.

As eleições de 2016 forneceram um exemplo perfeito do "viés de confirmação", que é a tendência humana a buscar e valorizar informações que confirmem nossas próprias preconcepções e crenças. Essa tendência também nos leva a evitar, subestimar ou ignorar qualquer informação que entre em conflito com nossas crenças.

Para os investidores, o viés de confirmação é uma predisposição perigosa.

Digamos que você adore uma determinada ação ou fundo cujo desempenho tenha sido excepcionalmente positivo em seu portfólio ao longo do último ano. Seu cérebro está programado para procurar e acreditar

em informações que legitimem a posse daquela ação ou daquele fundo. Afinal, nossas mentes são fascinadas por provas — especialmente as provas do quanto somos inteligentes e corretos!

De modo geral, os investidores acessam boletins informativos e fóruns que reforçam suas crenças sobre as ações que possuem. Ou pisam no acelerador, lendo artigos positivos sobre o setor aquecido no qual vêm obtendo fabulosos retornos. Mas e se a situação mudar e aquela ação ou setor muito bem-sucedidos começarem a despencar até o chão? Estamos tão bem equipados assim para mudar nossa perspectiva e reconhecer que cometemos um erro?

Você tem flexibilidade para mudar sua abordagem, ou sua mente está presa às suas crenças?

Peter Mallouk observou esse fenômeno de perto com uma nova cliente, que fizera fortuna com ações de biotecnologia que haviam disparado na década anterior. A cliente tinha quase US$ 10 milhões nessa única ação. Peter e sua equipe na Creative Planning criaram um plano eficaz para que a cliente diversificasse, reduzindo drasticamente sua exposição àquela ação. Inicialmente, a cliente concordou, mas depois mudou de ideia, alegando que "conhecia" sua estimada ação, e que tinha certeza de que ela continuaria disparando. Ela disse a Peter: "Não me importo com o que você está dizendo. Foi essa ação que me fez chegar até aqui!"

Nos quatro meses seguintes, a equipe de Peter continuou tentando convencê-la a dar início ao processo de diversificação. Mas a cliente não cedia. Durante aquele período, a ação caiu pela metade, lhe custando US$ 5 milhões. Ela ficou tão transtornada que se mostrou ainda mais resistente, insistindo em esperar até que a ação se recuperasse. Mas isso nunca aconteceu. Se ela tivesse ouvido aquela ponderada orientação que contradizia suas próprias crenças, provavelmente estaria se encaminhando agora para uma vida de plena liberdade financeira.

Na verdade, essa história também constitui um exemplo de outro viés emocional chamado "efeito de dotação", no qual os investidores atribuem um valor mais alto a algo que já possuem, independentemente de seu valor objetivo! Isso torna muito mais difícil assumir um caminho diferente e comprar algo com qualidade superior. A verdade é que nunca é sábio se apaixonar por um investimento. Como diz o ditado, o amor é cego! Não se deixe encantar pelo mundo financeiro.

A solução: formule melhor as perguntas e encontre pessoas qualificadas que discordem de você

Os melhores investidores sabem que são vulneráveis ao viés de confirmação e, portanto, fazem tudo o que está ao seu alcance para enfrentar essa tendência. **O segredo é procurar ativamente opiniões qualificadas que sejam distintas das suas. Logicamente, você não quer simplesmente uma pessoa qualquer com uma opinião diferente, mas sim alguém que tenha habilidade, experiência e inteligência para apresentar outra perspectiva abalizada. Nem todas as opiniões são iguais.**

Ninguém entende isso melhor do que Warren Buffett. Ele se consulta regularmente com seu sócio Charlie Munger, de 93 anos, um brilhante pensador que também é famoso pela franqueza. Em seu relatório anual de 2014, Buffett lembrou que Munger, sozinho, o havia convencido a mudar sua estratégia de investimento, persuadindo-o de que havia uma abordagem mais inteligente: "Esqueça o que você sabe sobre a compra de empresas justas a preços maravilhosos; em vez disso, compre empresas maravilhosas a preços justos."

Em outras palavras, Warren Buffett — o maior investidor da história — atribuiu abertamente seu sucesso à disposição de seguir o conselho de seu sócio, cuja "lógica era irrefutável". Isso ilustra o quanto pode ser importante renunciar à nossa tendência de buscar opiniões que apenas confirmem a nossa!

Ray Dalio também é obcecado pela ideia de buscar pontos de vista divergentes. **"É muito difícil estar com a razão nos mercados", me disse ele. "Com isso, descobri que é extremamente eficaz encontrar pessoas que não concordam comigo e, depois, ficar conhecendo seu raciocínio. (...) O poder da divergência ponderada é excelente." Como Ray explica, a questão básica é: "O que eu não sei?"**

Como investidor, você pode se beneficiar enormemente encontrando pessoas que considera (idealmente, isso inclui um consultor financeiro com um extraordinário e sólido histórico) e lhes fazer perguntas para descobrir o que ainda não sabe. Sempre que estou contemplando um grande investimento, converso com companheiros que pensam de forma diferente, incluindo meu sábio amigo e brilhante empreendedor Peter Guber. Explico aquilo em que acredito e depois pergunto: *"Onde posso estar enganado? O que não estou percebendo? Qual seria a desvantagem? O que não estou conseguindo prever? E com quem mais eu deveria conversar para aprofundar meus conhecimentos?*" Perguntas como essas ajudam a me proteger do perigo do viés de confirmação.

Erro 2: Confundindo acontecimentos recentes com tendências permanentes
Por que a maioria dos investidores compra a coisa errada exatamente no momento errado?

Um dos erros de investimento mais comuns — e perigosos — é a crença de que a tendência atual será permanente. Quando as expectativas dos investidores não são atendidas, geralmente eles reagem de forma exagerada, levando a uma dramática reversão da tendência que antes parecia inevitável e invencível.

Um exemplo perfeito desse fenômeno ocorreu na noite das eleições em 2016. Hillary Clinton, com folgada liderança, deveria ser eleita com uma vitória esmagadora — ou, pelo menos, com uma "margem significativa" de votos, de acordo com quase todas as pesquisas. Até o meio-dia do dia da eleição, as casas de apostas ao redor do país lhe davam uma chance de 61% de vitória. Às oito da noite, porém, a situação se inverteu completamente, dando a Trump 90% de chances de vencer. Quando os resultados das eleições se tornaram evidentes, os investidores entraram em pânico, pois suas expectativas sobre o futuro viraram, subitamente, de cabeça para baixo. O mercado respondeu violentamente, e os futuros do Dow caíram mais de 900 pontos.

Ironicamente, no dia seguinte, o mercado recuou na direção oposta, com o índice Dow saltando 316 pontos, à medida que os investidores começaram a se adaptar à sua nova versão da realidade. Com Trump, assistimos a uma disparada de preços que se estendeu por semanas. Enquanto escrevo, em dezembro de 2016, o S&P 500 atingiu um recorde histórico pelo terceiro dia consecutivo, o índice Dow Jones chegou ao décimo primeiro nível máximo em um mês e o mercado subiu 6% em 7 semanas desde as eleições!

Como você acha que os investidores estão se sentindo agora? Bastante animados, isso sim! Quando você lê que o mercado está "avançando firmemente", é difícil não sentir um pequeno ímpeto de satisfação! Talvez você olhe seu portfólio de investimentos e perceba que ele está no nível mais alto de todos os tempos. A vida é boa!

Admito que não tenho nenhuma ideia de qual será o rumo que o mercado vai assumir a partir daqui e, como os maiores investidores do mundo poderão confirmar, ninguém pode ser categórico quanto a isso! O que eu *sei* é que as pessoas se deixam levar por momentos como esses. Somando emoções e crenças, elas começam a se convencer de que os bons tempos vão durar indefinidamente! Da mesma forma, quando o mercado está desabando, elas começam a acreditar que ele nunca mais vai se recuperar. Como Warren Buffett diz: "Os investidores projetam para o futuro aquilo que vêm observando recentemente. Esse é seu hábito inabalável."

Qual é a explicação para isso? **Na verdade, existe um termo técnico para esse hábito psicológico. Ele se chama "viés de recência". É apenas uma maneira elegante de dizer que as experiências recentes têm mais peso em nossas mentes quando estamos avaliando as probabilidades de algo acontecer no futuro.** Em meio a um mercado em alta, os neurônios em seu cérebro fazem você se lembrar de que suas experiências recentes foram positivas, e isso cria uma expectativa de que a tendência positiva provavelmente será permanente!

Por que isso é tão problemático? Porque, como você sabe, as estações financeiras podem mudar subitamente, com os mercados em alta dando lugar a mercados em baixa, e vice-versa. Você não pretende ser aquele sujeito que, depois de um longo e ensolarado verão, conclui que nunca mais vai chover.

Não farão grandes coisas os que se deixarem levar por tendências, novidades e a opinião geral.

— Jack Kerouac

Recentemente, entrevistei Harry Markowitz, famoso economista que ganhou o Prêmio Nobel pelo desenvolvimento da "teoria moderna do portfólio": a base para muito do que sabemos hoje sobre como usar a alocação de ativos para reduzir os riscos. Harry é um gênio financeiro e, aos 89 anos, viu tudo e mais alguma coisa, de modo que eu estava ansioso para conversar com ele sobre os erros de investimento mais comuns que devemos evitar.

Eis o que ele me disse: "O maior erro que o pequeno investidor comete é comprar ações quando o mercado está subindo, presumindo que vai subir ainda mais — e vender quando o mercado está caindo, presumindo que vai cair ainda mais."

Na verdade, isso faz parte de um padrão muito mais amplo, de acreditar que as atuais tendências dos investimentos tenham um caráter permanente. Repetidamente, os investidores caem na armadilha de comprar o que está aquecido — seja uma ação bem-sucedida, como a Tesla Motors, ou o último fundo mútuo de cinco estrelas — e abandonar o que não está. Como afirma Harry: "Tudo o que estiver subindo, *isso* é o que eles vão comprar!" As pessoas assumem que essas estrelas cadentes vão continuar a brilhar. No entanto, como advertimos no Capítulo 3, *os ganhadores de hoje tendem a ser os perdedores de amanhã*. Como você deve se lembrar, um estudo analisou 248 fundos de ações que receberam a classificação de cinco estrelas da Morningstar. Dez anos depois, apenas quatro deles ainda mantinham aquela classificação!

Mesmo assim, os corretores promovem sistematicamente fundos que tiveram um desempenho considerável no ano anterior, apenas para ver tais recomendações apresentarem um *desempenho aquém do esperado* no ano seguinte. Os investidores tendem a chegar no exato momento em que a festa está acabando. Eles perdem todos os ganhos e participam plenamente de todas as perdas. David Swensen resumiu isso muito bem: **"Os indivíduos tendem a comprar fundos que apresentam um bom desempenho. E eles buscam retornos. E, então, quando os fundos não têm um bom desempenho, eles vendem. E, dessa forma, acabam comprando alto e vendendo baixo. E essa é uma maneira ruim de ganhar dinheiro."**

A solução: Não liquide tudo. Faça um rebalanceamento.

O que os melhores investidores do mundo fazem é criar uma lista de regras simples para se orientar, de modo que, quando as coisas se deixarem contaminar pelas emoções, eles mantenham o prumo e continuem focados na meta por um longo prazo. Talvez você queira começar a fazer uma lista por conta própria — *um checklist do sucesso nos investimentos para a cabine de pilotagem* — que especifique aonde você está tentando chegar como investidor, no que você deve prestar atenção, e como planejar a realização dessa jornada com segurança. Compartilhe seu plano de voo com alguém em quem confie — idealmente, um consultor financeiro sofisticado. Essa pessoa poderá ajudá-lo a aderir ao programa, certificando-se de não violar suas próprias regras com decisões impulsivas tomadas pelo seu cérebro reptiliano. **Pense nisso como o equivalente financeiro a contar com um copiloto para explicitar e comprovar que você não está se aproximando da encosta de uma montanha!**

Um componente importante dessas regras de investimento é decidir antecipadamente como você vai diversificar, alocando uma porcentagem específica de seu portfólio em ações, títulos e investimentos alternativos. Qual será sua proporção?* Se você não a definir, as circunstâncias vão mudar e seu humor vai mudar junto com elas. É provável que você reaja sob o impulso do momento, em vez de aderir firmemente a uma alocação de ativos que seja ideal para você no longo prazo. Como você deve se lembrar, uma das soluções para esse obstáculo emocional é rebalancear periodicamente seu portfólio uma vez por ano.

O que isso significa? Harry Markowitz me deu um claro exemplo de uma investidora que, inicialmente, tem 60% de seu portfólio em ações e 40% em títulos. Se o mercado de ações disparar, ela pode acabar ficando com 70% em ações e 30% em títulos. Então, automaticamente, ela venderia ações e compraria títulos, restaurando seu portfólio à proporção original de alocação de ativos. A beleza do rebalanceamento, diz Harry, é que ele o obriga, efetivamente, a "comprar na baixa e vender na alta".

Erro 3: Excesso de confiança
Caia na real: superestimar nossas habilidades e nosso conhecimento é uma receita para a catástrofe!

Perdoe-me por entrar em assuntos pessoais aqui, mas eu gostaria de lhe fazer três perguntas. Você é um motorista acima da média? Você é um amante acima da média? E você é mais bonito do que a população média? Não se preocupe! Pode guardar suas respostas para si mesmo!

Minha razão para lhe fazer essas perguntas impertinentes é levantar um ponto essencial, que poderia ser vitalmente importante para seu futuro financeiro: os seres humanos têm uma tendência perigosa a

---

* Se você quiser mais orientações nessa área, o Capítulo 4.1 de *Dinheiro: domine esse jogo* oferece instruções simples, passo a passo, para definir suas porcentagens de alocação de ativos.

acreditar que são melhores (ou mais inteligentes) do que realmente são. Mais uma vez, há um termo técnico para esse viés psicológico: chama-se "excesso de confiança". Para simplificar, sempre superestimamos nossas habilidades, nosso conhecimento e nossas perspectivas para o futuro.

Inúmeros estudos descreveram alguns dos efeitos maravilhosamente absurdos do excesso de confiança. Um estudo, por exemplo, descobriu que 93% dos alunos de autoescolas acreditam que estão acima da média. Em outro estudo, 94% dos professores universitários se consideraram acima da média dentro da sala de aula. Descobriu-se, inclusive, que 79% dos alunos acreditavam que tinham um caráter melhor que o da maioria, apesar de 60% deles terem admitido a prática de fraudes em um exame realizado no ano anterior. Todos nós acreditamos pertencer à minoria moral do "*Eu nunca faria isso.*"

Tudo isso me faz lembrar o lago Wobegon, a cidade fictícia de Minnesota, inventada pelo escritor Garrison Keillor, "onde todas as mulheres são fortes, todos os homens são bonitos e todas as crianças estão acima da média".

Como os investidores individuais desenvolvem esse excesso de confiança? Em muitos casos, um "profissional" os convence de que existe um novíssimo investimento capaz de aniquilar todos os outros, e eles permitem que o entusiasmo daquele sujeito se transforme em sua confiança despropositada. Em outras palavras, a arte de vender de uma pessoa alimenta a equivocada certeza de outra pessoa.

Alguns indivíduos são extremamente bem-sucedidos na administração de uma empresa ou em suas vidas pessoais, e assumem, simplesmente, que serão igualmente eficazes como investidores. Mas investir, como você já deve saber a esta altura, é mais complexo e desafiador do que pode inicialmente parecer para esses grandes empreendedores.

Será que certas pessoas são mais propensas ao excesso de confiança? Os professores de finanças Brad Barber e Terrance Odean examinaram os investimentos em ações de mais de 35 mil famílias ao longo de cinco anos. **Eles descobriram que os homens são especialmente propensos ao excesso de confiança quando se trata de investimentos! Na verdade,** os homens negociaram 45% a mais do que as mulheres, **reduzindo seus retornos líquidos em 2,65% ao ano!** Quando acrescentamos os custos de transação adicionais, referentes às elevadas taxas e impostos, pode-se perceber que o excesso de negociação é uma verdadeira catástrofe.

Mas existe outra forma de excesso de confiança que pode se revelar ainda mais dispendiosa: a crença perigosa de que você (ou algum especialista da TV, estrategista de mercado ou redator de blog) é capaz de prever qual será o futuro do mercado de ações, títulos, ouro, petróleo ou qualquer outra classe de ativos. "Se você não consegue prever o futuro, a coisa mais importante é admitir isso", disse Howard Marks. "Se for verdade que você é incapaz de fazer previsões e, mesmo assim, você continua tentando fazê-las, então estamos falando de suicídio."

A solução: Caia na real, seja honesto

Um dos melhores antídotos para o excesso de confiança é se colocar diante de um espelho e perguntar a si mesmo: "Eu realmente tenho alguma vantagem competitiva que me permita ser um investidor capaz de superar o mercado?" A menos que você tenha alguma receita secreta — por exemplo, as informações privilegiadas e as habilidades analíticas que distinguem grandes investidores como Howard Marks, Warren Buffett e Ray Dalio —, não há motivo racional na Terra para acreditar que você consiga superar os índices do mercado no longo prazo.

Então, como você deveria agir? Fácil! Faça o que Howard, Warren, Jack Bogle, David Swensen e outros dos maiores investidores do mundo recomendam que o investidor médio faça: invista em um portfólio de fundos de índice de baixo custo, e mantenha esse portfólio sob quaisquer circunstâncias. Isso vai lhe propiciar o retorno do mercado, sem o triplo fardo que os investidores ativos são obrigados a carregar: taxas de administração exorbitantes, altos custos de transação e impostos elevados. "Se você não consegue agregar valor, se você não consegue criar uma assimetria, então a melhor coisa a fazer é minimizar seus custos", diz Howard. Em outras palavras, "basta investir em um índice".

Os fundos de índice também oferecem uma ampla diversificação, que é outra forma de se proteger eficazmente do excesso de confiança. Afinal, diversificar é admitir que você não sabe qual classe específica de ativos, quais ações ou títulos, ou qual país vai apresentar melhor desempenho. Por isso, você possui um pouco de tudo!

Eis aqui o grande paradoxo: admitindo a si mesmo que não tem nenhuma vantagem especial, você se presenteia com uma enorme vantagem!

Por quê? Porque você vai se sair muito melhor do que todos aqueles investidores superconfiantes que se enganam acreditando que poderão superar o mercado. Quando se trata de investimentos, o autoengano pode representar a maior de todas as despesas!

Erro 4: Ganância, jogos de azar e a exigência do gol olímpico
É tentador empenhar o máximo de esforço, mas a vitória será de quem conseguir sobreviver

Quando eu tinha 19 anos, aluguei uma casa em uma luxuosa comunidade em frente ao Oceano Pacífico, em Marina del Rey, na Califórnia. Um dia, fui buscar algumas roupas em um estabelecimento local de lavagem a seco quando um conversível Rolls-Royce Corniche parou e uma mulher deslumbrante desceu do carro. Não pude deixar de prestar atenção! Começamos a conversar enquanto ela pegava suas roupas, e eu perguntei em que ela e sua família trabalhavam. Ela me disse que seu marido especulava com ações de centavos e que tinha feito muito dinheiro. "Dá para perceber", respondi. "Você tem alguma dica para me dar?"

Ela respondeu: "Na verdade, neste exato momento, eu tenho uma dica extraordinária." Ela me deu o nome de uma ótima ação — e devo dizer que aquilo me pareceu um presente dos deuses! Uma dica certeira, vinda diretamente de uma fonte confiável! Então, peguei US$ 3.000, o que equivaleria a US$ 3 milhões para mim naquela época, e apostei tudo naquela ação. Adivinhe o que aconteceu. Ela caiu a zero! E eu me senti um idiota.

A partir dessa dolorosa experiência, aprendi que a ganância e a impaciência são características perigosas quando se trata de investimentos. Todos nós temos uma tendência a querer os maiores e melhores resultados o mais rápido possível, em vez de focar em pequenas mudanças incrementais que se aglomerem ao longo do tempo. **A melhor maneira de ganhar o jogo dos investimentos é alcançar retornos sustentáveis no longo prazo. Mas é extremamente tentador se esforçar ao máximo para fazer o gol olímpico, especialmente quando você acredita que as outras pessoas estão ficando ricas mais rapidamente do que você!**

O problema é que temos mais chances de vencer quando empenhamos o máximo de esforço. E isso pode ser devastador. Como discutimos no Capítulo 6, todos os melhores investidores estão obcecados com a ideia de não perder. Lembra-se da nossa aula de matemática? Quando você perde 50% em um investimento, precisa de um retorno de 100% apenas para voltar ao ponto de partida — e isso poderia lhe custar, facilmente, uma década inteira.

Infelizmente, o desejo de arriscar está embutido em nós. A indústria dos jogos sabe disso muito bem, e explora engenhosamente nossa fisiologia e psicologia: quando estamos ganhando, nossos corpos liberam substâncias químicas chamadas endorfinas, e isso nos faz sentir eufóricos e não queremos parar; quando estamos perdendo, também não queremos parar, pois ansiamos por aquelas endorfinas, além de pretendermos evitar o sofrimento emocional das perdas. Os cassinos sabem nos manipular, nos dando fôlego extra para nos manter alertas e nos oferecendo bebidas gratuitas para reduzir nossas inibições! Afinal de contas, quanto mais jogarmos, mais eles vão ganhar.

Wall Street não é tão diferente assim! As casas de corretagem adoram quando os clientes negociam intensamente, gerando um emaranhado de taxas. Elas tentam atrair e fisgar você com anúncios que oferecem negociações gratuitas ou de baixo custo, juntamente com "percepções" do mercado que, supostamente, vão ajudá-lo a escolher os vencedores. É isso mesmo! Ou você acha que é uma coincidência que sua plataforma de negociação on-line se pareça como um cassino, nas cores verde e vermelho, barra de mensagens deslizantes, imagens intermitentes e sons que imitam sinos? Tudo isso é projetado para desencadear seu especulador interior!

A mídia financeira reforça a sensação de que os mercados nada mais são do que um cassino gigante — um esquema inebriante de enriquecimento rápido para especuladores! É fácil se deixar envolver, e é por isso que muitas pessoas vão à falência apostando nas ações mais populares, negociando opções e entrando e saindo ininterruptamente do mercado. Toda essa atividade é motivada pelo desejo do jogador de ganhar o prêmio máximo!

O que você precisa entender é que existe uma enorme diferença entre a especulação de curto prazo e o investimento de longo prazo. Os especuladores estão condenados a fracassar, enquanto os investidores disciplinados, que permanecem no mercado sob quaisquer circunstâncias, se preparam para a vitória, graças ao poder da composição ao longo do tempo. Wall Street ganha quando o convence a se tornar mais ativo, mas *você* ganha quando permanece pacientemente no jogo por várias décadas. **Lembre-se do que Warren Buffett disse: "O mercado de ações é um dispositivo para transferir dinheiro dos impacientes para os pacientes."**

A solução: É uma maratona, não uma corrida de velocidade

Então, eis aqui a grande questão: *em termos práticos, como você pode silenciar seu especulador interior e se forçar a ser um investidor paciente e de longo prazo?*

Uma pessoa obcecada com essa questão é Guy Spier, renomado investidor em valor. Guy começou a frequentar meus eventos há duas décadas, e atribui a mim a inspiração para se espelhar nos melhores investidores. Ele aplicou essa ideia mimetizando a abordagem de investimentos de longo prazo de Warren Buffett. Em 2008, Guy e outro gestor de fundos de cobertura chegaram a pagar US$ 650.100 a instituições beneficentes para almoçar com Buffett!

De acordo com Guy, um dos maiores obstáculos para o sucesso da maioria dos investidores é que eles se deixam afetar pelos ruídos de curto prazo de Wall Street. Isso torna muito mais difícil manter seus investimentos no longo prazo e aproveitar o incrível poder da composição. Eles monitoram frequentemente o desempenho de seus investimentos, por exemplo, e prestam atenção às inúteis previsões dos comentaristas da TV e dos "especialistas" em mercado. "Quando você monitora os preços de suas ações ou os preços de seus fundos em seu computador todos os dias, é como se estivesse entupindo seu cérebro de açúcar", diz Guy. "Você tem uma descarga de endorfina. Mas precisa admitir que é um comportamento viciante, e simplesmente interrompê-lo. Afaste-se dos doces!"

Guy sugere verificar seu portfólio apenas *uma vez por ano*. Ele recomenda evitar inteiramente a mídia financeira. E sugere que você desconsidere todas as pesquisas produzidas pelas firmas de Wall Street, reconhecendo que sua motivação é a venda de produtos, e não o compartilhamento de sabedoria! "Na realidade, grande parte do que se propõe a ser análise e informação sobre o mercado de ações é concebido apenas para gerar atividade, para nos levar a tomar uma decisão, porque alguém vai ganhar dinheiro com o fato de sermos ativos", explica ele. "Se for uma informação geradora de atividade, devemos desprezá-la."

Ao contrário, Guy recomenda criar "uma dieta mais saudável de informações", estudando a sabedoria de investidores ultrapacientes, como Warren Buffett e Jack Bogle. O resultado? "Você vai estar alimentando sua mente com pensamentos que vão tornar muito mais fácil pensar e agir em longo prazo."

Erro 5: Ficar em casa
Existe um mundo imenso lá fora — então, por que a maioria dos investidores resiste a sair de casa?

Os seres humanos têm uma tendência natural a permanecer dentro de sua zona de conforto. Se você mora nos Estados Unidos, é mais provável que deseje comer um cheeseburger com fritas do que um banquete composto de foie gras, poutine ou escargot. Da mesma forma, provavelmente você tem um supermercado, posto de gasolina ou cafeteria que costuma frequentar regularmente, em vez de aventurar-se mais além.

Quando se trata de investimentos, as pessoas também tendem a optar pelo que conhecem melhor, preferindo confiar no que lhes é mais familiar. Isso é conhecido como "viés doméstico". É um viés psicológico que leva as pessoas a investir desproporcionalmente nos mercados de seu próprio país — e, às vezes, a investir muito fortemente em ações de seus empregadores e de seu próprio setor.

Para nossos ancestrais que moravam em cavernas, o viés doméstico era uma hábil estratégia de sobrevivência. Se você se afastasse demais da vizinhança, quais seriam os prováveis perigos a enfrentar? Em nossa época atual, porém, investir globalmente equivale, na verdade, a reduzir seu risco geral. Isso ocorre porque os diferentes mercados não estão inteiramente correlacionados, o que significa que eles não se movem em sintonia.

Você não deseja ficar excessivamente exposto a *nenhum* país — mesmo que seja o lugar onde você mora —, porque nunca se sabe quando ele vai passar por dificuldades. No fim da década de 1980, 98% dos portfólios dos investidores japoneses estavam concentrados em ações nacionais. Isso tinha valido muito a pena durante a maior parte dos anos oitenta, quando o Japão parecia dominar o mundo. Então, em 1989, o mercado japonês desmoronou e nunca mais se recuperou totalmente. Basta de "Lar, doce lar!"

Um relatório da Morningstar revelou que, no fim de 2013, o investidor norte-americano médio em fundos mútuos estava investindo quase três quartos (73%) do total de seu capital próprio no mercado de ações dos Estados Unidos. No entanto, as ações norte-americanas representavam apenas metade (49%) do mercado de ações global. Em outras palavras, os norte-americanos privilegiavam significativamente o mercado dos Estados

Unidos, o que os deixava relativamente subexpostos a mercados estrangeiros, como o Reino Unido, a Alemanha, a China e a Índia.

Na verdade, não são apenas os investidores norte-americanos que encaram o resto do mundo com desconfiança! Richard Thaler e Cass Sunstein, dois dos mais importantes especialistas em finanças comportamentais, relataram que os investidores suecos têm uma média de 48% de seu dinheiro aplicado em ações suecas — apesar de a Suécia representar cerca de 1% da economia global: "Um investidor sensato nos Estados Unidos ou no Japão investiria cerca de 1% de seus ativos em ações suecas. Faz algum sentido os investidores suecos investirem 48 vezes mais? Não."

A solução: Amplie seus horizontes

Isso é *muito* simples. Como afirmamos nos capítulos anteriores, você precisa diversificar amplamente, não apenas em diferentes classes de ativos, mas também em diferentes países. Convém discutir sua alocação global de ativos com um consultor financeiro. Depois de decidir as porcentagens adequadas a serem mantidas em seu país e no exterior, você deveria anotar esses números em seu checklist de investimentos bem-sucedidos. Também é importante registrar, por escrito, os motivos pelos quais você possui o que possui. Dessa forma, você pode se recordar desses motivos sempre que uma parte de seu portfólio apresentar um desempenho abaixo do esperado.

Os melhores consultores o ajudam a manter uma perspectiva de longo prazo, para que você evite cair na armadilha usual de dar preferência a algum mercado que esteja na moda. Harry Markowitz, com sua profunda percepção histórica, me disse: "Nos últimos anos, temos experimentado um extenso período em que o mercado dos Estados Unidos vem apresentando um desempenho superior ao do mercado europeu (...) e os mercados emergentes vêm enfrentando uma fase de estiagem. Mas essas coisas vêm e vão."

Ao diversificar em nível internacional, você não apenas está reduzindo seu risco geral como também está aumentando seus retornos. Lembra-se de quando falamos sobre a "década perdida", de 2000 até 2009, quando o S&P 500 produziu um retorno anualizado de apenas 1,4% ao ano, incluindo dividendos? Durante aquele período, as ações internacionais atingiram um retorno médio de 3,9% ao ano, enquanto as ações de mercados emergentes renderam 16,2% ao ano. Portanto, para os investidores que diversificaram globalmente, aqueles anos perdidos foram apenas um pequeno obstáculo no caminho.

Erro 6: Negatividade e aversão à perda
Seu cérebro quer que você fique com medo em épocas de instabilidade — não dê ouvidos!

Os seres humanos têm uma tendência natural a recordar as experiências negativas de forma mais vívida do que as positivas. Isso é conhecido como "viés de negatividade". Lá atrás, quando éramos homens das cavernas, esse viés mental era verdadeiramente útil. Ele nos ajudava a lembrar que o fogo queima, que certas frutas silvestres poderiam nos envenenar, e que era tolice chamar para a briga um caçador cujo tamanho fosse o dobro do nosso. Recordar experiências negativas também pode ser bastante conveniente nos tempos modernos: talvez você tenha se esquecido de seu aniversário de casamento, tenha passado o dia seguinte trancado no canil e, finalmente, tenha aprendido a nunca mais cometer esse erro!

Mas como o viés de negatividade afeta a maneira como investimos? Obrigado por perguntar! Como você sabe, os ajustes de mercado e os mercados em baixa ocorrem com uma periodicidade regular. **Lembre-se: em média, os ajustes ocorreram cerca de uma vez por ano desde 1900, e os mercados em baixa ocorreram com periodicidade aproximada de três a cinco anos.** Se você vivenciou o mercado em baixa de 2008-2009, sabe, por experiência própria, o quanto tais experiências podem ser emocionalmente dolorosas. Se, como muitos investidores, você possuía fundos ou ações que perderam um terço ou metade de seu valor (ou ainda mais), é provável que não se esqueça tão cedo daquelas experiências negativas.

Ora, você e eu sabemos que os melhores investidores se deleitam com os ajustes e os mercados em baixa, porque são os momentos em que todas as coisas entram em liquidação. Como você deve se lembrar, é aí que Warren Buffett quer ser "ganancioso quando os outros estão com medo", e foi aí que Sir John Templeton fez sua fortuna — lembra-se? Exatamente. Em "tempos de pessimismo máximo". A esta altura, suspeito que sua mente racional *saiba* que as crises do mercado são uma oportunidade maravilhosa para construir riqueza de longo prazo, e não algo a temer!

Mas o viés de negatividade dificulta ao investidor médio *agir* com base nesse conhecimento.

Por quê? Porque, diante da instabilidade do mercado, nossos cérebros estão programados para nos bombardear com lembranças daquelas experiências negativas. Na verdade, há uma parte do cérebro — a amígdala — que atua como um sistema de alarme biológico, inundando o corpo com alertas de medo quando estamos perdendo dinheiro! Até mesmo um discreto ajuste de mercado é capaz de desencadear nossas memórias negativas, fazendo muitos investidores reagirem exageradamente, pelo temor de que o ajuste possa se transformar em crise. Durante um mercado em baixa, esse reflexo de medo passa a atuar intensamente, deixando os investidores preocupados com o fato de que o mercado nunca mais se recupere!

Para piorar as coisas, os psicólogos Daniel Kahneman e Amos Tversky também demonstraram que as perdas financeiras causam duas vezes mais sofrimento às pessoas do que o prazer obtido pelos ganhos financeiros. O termo usado para descrever esse fenômeno mental é "aversão à perda".

O problema é que perder dinheiro causa tanto sofrimento aos investidores que eles tendem a agir irracionalmente apenas para evitar essa possibilidade! Por exemplo, quando o mercado está afundando, muitas pessoas vendem seus investimentos mais afetados e optam pelo dinheiro em espécie, exatamente no momento errado — em vez de aproveitar para adquirir avidamente pechinchas excepcionais.

Uma das razões pelas quais os melhores investidores são tão bem-sucedidos é que eles ignoram essa tendência natural a sentir medo durante períodos de instabilidade do mercado. Considere o caso de Howard Marks. Nas últimas 15 semanas de 2008, quando os mercados financeiros estavam implodindo, ele me disse que sua equipe da Oaktree Capital Management investiu cerca de *US$ 500 milhões por semana* em dívidas reestruturadas. **É isso mesmo! Eles investiram meio bilhão de dólares por semana durante 15 semanas consecutivas, em uma época em que muitos achavam que o fim dos tempos havia chegado! "Era óbvio que todos estavam adotando um comportamento suicida", me confidenciou Howard. "Em geral, esse é um bom momento para comprar."**

Concentrando-se calmamente nessa oportunidade de caça às pechinchas, Howard e seus companheiros lucraram bilhões de dólares quando o inverno chegou ao fim e a primavera começou. Isso nunca teria sido possível se eles tivessem sucumbido ao medo!

A solução: A preparação é o segredo

Quem erra por não *se preparar prepara-se* para errar.

— Benjamin Franklin

Em primeiro lugar, é importante ter autopercepção. Uma vez que *sabemos* que somos vulneráveis ao viés de negatividade e à aversão à perda, podemos combater essas tendências psicológicas. Afinal, você não vai conseguir mudar algo se não estiver ciente disso! Mas quais medidas específicas você pode tomar para que o medo não o demova de seu caminho, mesmo diante dos momentos mais tumultuados?

Como discutimos no Capítulo 7, Peter Mallouk foi muito bem-sucedido ajudando seus clientes a atravessar a crise financeira global. Um dos motivos: ele os instruiu antecipadamente sobre os riscos de um mercado em baixa, e por isso não houve tantas surpresas ou sustos quando esse mercado, de fato, ocorreu. Ele explicou, por exemplo, como cada classe de ativos se comportara em mercados em baixa anteriores, de modo que os clientes estavam mentalmente preparados para o que poderia acontecer.

Eles também sabiam de antemão que Peter pretendia usar essa instabilidade a seu favor, vendendo investimentos conservadores, como títulos, e reinvestindo os proventos para comprar mais ações a preços de ocasião. "Nós lhes demos certezas em relação ao processo", diz Peter, "para que eles soubessem exatamente o que esperar. Isso reduziu drasticamente suas incertezas." **Em outras palavras, a melhor maneira de lidar com a instabilidade do mercado — e os temores que ela possa desencadear — é estar preparado para isso.**

Como já discutimos exaustivamente, uma maneira fundamental de se preparar é garantir a correta alocação de ativos. Também é interessante anotar suas razões para investir em cada um dos ativos que compõem seu portfólio, uma vez que, inevitavelmente, haverá ocasiões em que determinado investimento ou classe de ativos vai apresentar um mau desempenho, às vezes por vários anos seguidos. Muitos investidores perdem a confiança pelo fato de estarem excessivamente concentrados no curto prazo. Quando as coisas começarem a apertar, você poderá consultar tais anotações e se lembrar dos motivos pelos quais possui cada ativo e de que forma ele atende a seus objetivos de longo prazo.

Esse processo simples pode aliviar os investimentos de grande parte da tensão e da emoção. Desde que suas necessidades não tenham mudado e seus ativos ainda estejam alinhados com suas metas, você pode esperar pacientemente, dando aos seus investimentos o tempo necessário para que eles comprovem seu valor.

Também ajuda imensamente ter um consultor financeiro que possa conversar demoradamente com você sobre seus medos e preocupações durante os momentos mais difíceis, lembrando que a estratégia que você concordou em registrar por escrito quando estava calmo e equilibrado continua válida.

É meio como voar de avião em meio a uma severa tempestade. A maioria dos pilotos se sentiria razoavelmente bem ao voar sem companhia. Mas é muito mais fácil quando se tem um copiloto experiente sentado ao seu lado! Lembre-se: até mesmo Warren Buffett tem um sócio.

DOMINANDO SUA MENTE

Agora que você está ciente desses padrões psicológicos destrutivos, também está muito mais bem preparado para se proteger deles. Considerando que somos seres humanos, estamos sujeitos a tropeçar de vez em quando. Afinal, os vieses que discutimos neste capítulo fazem parte de nosso antigo cérebro reptiliano, por isso não podemos esperar eliminá-los completamente. Porém, como diz Guy Spier: "Não se trata de obter a pontuação máxima. Até mesmo pequenas melhorias em nosso comportamento podem propiciar enormes recompensas."

Por quê? Porque o investimento é um jogo escalável. Se seus retornos melhorarem, digamos, 2 ou 3 pontos percentuais por ano, o impacto cumulativo ao longo das décadas vai ser surpreendente, graças ao poder da composição. As soluções sistemáticas que discutimos neste capítulo poderão fazê-lo progredir muito, ajudando-o a evitar — ou a minimizar — os erros mais dispendiosos que a maioria dos investidores comete.

Essas regras e procedimentos simples vão tornar mais fácil, por exemplo, que você invista pensando no longo prazo; que negocie com menos intensidade; que tente diminuir o valor de suas taxas de investimento e custos de transação; que esteja mais disponível para pontos de vista diferentes dos seus; que reduza os riscos por meio da diversificação global; e que controle os medos que poderiam vir a prejudicá-lo durante os mercados em baixa. Você vai alcançar a perfeição? Não. Mas você vai ter um desempenho melhor? Pode apostar que sim! E a diferença que isso faz ao longo da vida pode chegar a muitos milhões de dólares!

Agora você compreende tanto a mecânica quanto a psicologia dos investimentos. Você sabe o que é preciso fazer para dominar sua mente, de modo que possa investir com sucesso no longo prazo. O conhecimento que você adquiriu não tem preço, e pode fazer você e sua família alcançarem a liberdade financeira plena. Então, vamos ao nosso capítulo final, para aprender a criar a *riqueza verdadeira e duradoura*!

CAPÍTULO 9

A VERDADEIRA RIQUEZA

Tomando a decisão mais importante de sua vida

Toda manhã, pense quando você acorda: "Eu estou vivo, eu tenho uma preciosa vida humana, eu não vou desperdiçá-la."

— Dalai Lama

Se este livro ajudá-lo a se tornar financeiramente livre, vou ficar muito feliz. Mas, para ser honesto, não acredito que isso seja *suficiente*. Por que não? Porque atingir a riqueza financeira não é garantia de que você enriqueça como ser humano.

Qualquer um pode ganhar dinheiro. Como você aprendeu nos capítulos anteriores, as ferramentas e os princípios dos quais você precisa são realmente muito simples. Por exemplo, se você aproveitar o poder da composição, permanecer no mercado por um longo tempo, diversificar de forma inteligente e manter suas despesas e seus impostos o mais baixo possível, suas chances de alcançar a liberdade financeira são extremamente altas.

Mas e se você alcançar a liberdade financeira e *ainda* não estiver se sentindo feliz? Muitas pessoas sonham, durante décadas, se tornar milionárias ou bilionárias. Então, quando finalmente atingem seu objetivo, elas dizem:

"Mas é isso? Tudo se resume a isso mesmo?" E, acredite, se você conseguir o que quer e *ainda* se sentir infeliz, então você está realmente enrascado!

Quando as pessoas sonham em ficar ricas, elas não estão fantasiando possuir milhões de pedaços de papel com figuras de pessoas mortas! O que realmente almejamos são as *emoções* que associamos ao dinheiro: por exemplo, a sensação de liberdade, segurança ou conforto que acreditamos que o dinheiro nos traz; ou a alegria proveniente do compartilhamento de nossa riqueza. Em outras palavras, estamos em busca dos *sentimentos*, e não do dinheiro em si.

Não estou menosprezando a importância do dinheiro. Bem utilizado, ele pode enriquecer sua vida e a vida daqueles que você ama de inúmeras maneiras. Mas a *verdadeira riqueza* vai muito além do dinheiro. **A verdadeira riqueza é emocional, psicológica e espiritual.** Se você for financeiramente livre, mas ainda estiver sofrendo emocionalmente, que tipo de vitória será essa?

Talvez isso pareça uma estranha digressão em um livro sobre dinheiro e investimentos! Mas eu me sentiria negligente se escrevesse um livro inteiro lhe mostrando como alcançar a riqueza *financeira* e, ao mesmo tempo, me negasse a compartilhar com você o segredo de como alcançar a riqueza *emocional*. Felizmente, você não precisa escolher entre uma e outra! Como você vai descobrir neste capítulo, é possível ser financeiramente rico *e* emocionalmente rico. Esse, meu amigo, é o maior prêmio!

Em minha opinião, o capítulo que você está prestes a ler é, sem dúvida, o mais importante deste livro. Por quê? Porque o que você vai aprender nas páginas seguintes é que uma *única decisão* tomada hoje é capaz de mudar o resto da sua vida. Essa decisão — se você a seguir sistematicamente — vai trazer mais *alegria*, mais *serenidade*, mais *riqueza verdadeira* do que a maioria das pessoas pode imaginar. O melhor de tudo é que você não precisa esperar 10, 20 ou 30 anos. Se você tomar essa única decisão, pode ficar rico *agora* mesmo!

A verdade é que eu pretendo compartilhar essa ideia com você porque ela foi transformadora para mim. Então, se você estiver preparado para se juntar a mim, vamos começar a última etapa da nossa jornada!

UMA QUALIDADE DE VIDA EXTRAORDINÁRIA

Toda a minha vida tem sido voltada para ajudar os outros a transformar seus sonhos em realidade. Visitei mais de 100 países e conversei com pessoas de todos os cantos da Terra sobre o que elas realmente desejam. E sabe o que descobri? Todas as culturas possuem diferentes crenças e valores, mas existem necessidades e desejos fundamentais que todos os seres humanos compartilham. **O que eu descobri em todos os lugares onde já estive é que todos nós ansiamos por uma** qualidade de vida extraordinária.

Para algumas pessoas, isso significa possuir uma bela casa com um jardim espetacular. Para outras, significa criar três filhos maravilhosos. Para alguns, significa escrever um romance ou compor uma música. Para outros, significa montar uma empresa de bilhões de dólares. E, para alguns, significa ser um com Deus. Em outras palavras, não se trata de viver o sonho dos outros. **Trata-se de viver uma vida magnífica do seu jeito.**

Mas como você pode conseguir isso? Como você pode diminuir a distância entre onde você está hoje e onde deseja estar? A resposta: você precisa dominar duas habilidades inteiramente distintas.

A ciência da realização

A primeira é a que eu chamo de "ciência da realização". Em todos os campos, existem regras de sucesso que você pode quebrar (sendo punido) ou seguir (sendo recompensado). Por exemplo, existe uma ciência da saúde e do preparo físico. Bioquimicamente, todos somos diferentes. Mas existem regras fundamentais que você pode seguir se quiser prosperar e aumentar seu nível de energia. Se violar essas regras, você vai sofrer as consequências.

Acontece a mesma coisa no mundo financeiro. Pense no que você aprendeu neste livro. Os investidores mais bem-sucedidos deixaram um rastro de pistas para seguirmos. Ao estudar esses padrões e aplicar essas ferramentas, estratégias e princípios em sua própria vida, você vai acelerar sua jornada até o sucesso. É óbvio, não é? Semeie as mesmas sementes das pessoas mais bem-sucedidas, e você vai colher as mesmas recompensas. É assim que você vai alcançar a maestria financeira.

Quando se trata da ciência da realização, existem três etapas principais que vão ajudar você a alcançar o que você bem entender. Você consegue se lembrar de alguma coisa fantástica que já conseguiu, e que anteriormente lhe parecia impossível? Talvez tenha sido um relacionamento, ou talvez o emprego dos sonhos, ou um empreendimento bem-sucedido, ou um carro esportivo. Pense, agora, na maneira como esse sonho deixou de ser impossível para se tornar realidade em sua vida. O que você vai descobrir é que o caminho até a realização é acompanhado por um processo fundamental, dividido em três etapas.

A primeira etapa para alcançar tudo o que você quer é o foco. Lembre-se: sempre que seu foco se perde, sua energia se esvai. Quando você coloca todo o seu foco em algo que realmente lhe interessa, quando você não consegue parar de pensar nisso dia após dia, esse foco intenso desencadeia um desejo ardente que pode ajudá-lo a obter aquilo que, de outra forma, poderia estar fora de seu alcance. Eis aqui o que acontece sob a superfície: uma parte do seu cérebro, chamada de sistema de ativação reticular, é ativada pelo seu desejo, e esse mecanismo chama sua atenção para o que pode auxiliá-lo a atingir aquele objetivo.

A segunda etapa é ir além do apetite, do impulso e do desejo, e tomar medidas concretas, **de forma sistemática.** Muitas pessoas sonham grande, mas nunca dão o primeiro passo! Para ser bem-sucedido, você precisa tomar uma atitude concreta. Mas você também precisa encontrar a estratégia de execução mais eficaz, o que significa mudar de abordagem até encontrar o que funciona melhor. Você pode acelerar esse processo exponencialmente, se espelhando em pessoas que já se mostraram bem-sucedidas, e é por isso que focamos tão intensamente em mestres do dinheiro como Warren Buffett, Ray Dalio, Jack Bogle e David Swensen. Ao estudar os exemplos inspiradores corretos, você poderia aprender em uma semana o que, de outra forma, lhe custaria uma década inteira de aprendizagem.

A terceira etapa para alcançar o que queremos é a graça. Algumas pessoas a chamam de sorte, algumas pessoas a chamam de Deus. Eis aqui o que posso dizer, com base em minha própria experiência: quanto mais você reconhece a graça em sua vida, mais parece possuí-la! Tenho ficado surpreso ao constatar o quanto uma profunda sensação de gratidão traz mais e mais graça às nossas vidas.

Logicamente, você precisa fazer tudo o que estiver ao seu alcance para alcançar seus objetivos, mas vão continuar a existir coisas sobre as quais você não tem o menor controle. Até mesmo o fato de ter nascido nesta época, de ter recebido um cérebro e um coração que não precisaria ganhar, e de se beneficiar do impressionante poder das tecnologias modernas, como a internet — nada disso estava sob seu controle, e não foi você quem criou essas dádivas!

Agora você conhece os três segredos básicos da realização. **Mas, tão importante quanto a realização, existe uma segunda habilidade que você também precisa dominar se quiser criar uma vida extraordinária. Essa habilidade é o que eu chamo de "a arte da satisfação".**

A arte da satisfação

Durante décadas, estive obsessivamente focado na ciência da realização — em aprender a dominar o mundo externo e em descobrir formas de ajudar as pessoas a progredir e a resolver todos os desafios. **Mas hoje acredito, essencialmente, que a arte da satisfação é uma habilidade ainda mais importante a ser dominada. Por quê? Porque, se você dominar** o mundo externo **sem dominar** o mundo interno, **como vai conseguir ser verdadeira e permanentemente feliz? É por isso que, atualmente, minha maior obsessão é a arte da satisfação.**

O quadro de US$ 86,9 milhões

Como mencionei anteriormente, cada um de nós tem uma ideia diferente do que constitui uma qualidade de vida extraordinária. Dito de outro modo, aquilo que o satisfaz provavelmente vai ser diferente do que satisfaz a mim ou a qualquer outra pessoa. Nossas necessidades e desejos são infinita e maravilhosamente diversos! Uma experiência que me fez perceber isso foi um dia inesquecível que passei com meu querido amigo Steve Wynn.

Alguns anos atrás, Steve me telefonou no dia de seu aniversário para saber onde eu estava. Quis o destino que nós dois estivéssemos em nossas casas de veraneio em Sun Valley, Idaho. Steve, então, me convidou para sair. "Quando você chegar aqui, preciso lhe mostrar um quadro", disse ele. "Eu o cobicei por mais de uma década. Fiz a oferta mais alta em um leilão da Sotheby's dois dias atrás, e finalmente o comprei! Essa tela me custou US$ 86,9 milhões!"

Você consegue imaginar o quanto fiquei intrigado para contemplar aquele tesouro precioso com o qual meu amigo sonhara durante tanto tempo? Eu estava supondo que fosse algum tipo de obra-prima do Renascimento, passível de se admirar em algum museu de Paris ou Londres. Mas, quando cheguei à casa de Steve, sabe o que encontrei? Uma pintura com um grande quadrado laranja! Eu não conseguia acreditar. Olhei para o quadro e brinquei: "Me dê o equivalente a cem dólares de tinta e eu sou capaz de reproduzir esse quadro em uma hora!" Ele não achou a menor graça. Aparentemente, aquela era uma das maiores obras do artista abstrato Mark Rothko.

Por que estou lhe contando essa história? Porque ela ilustra perfeitamente o fato de que todos nós nos satisfazemos com coisas diferentes. Steve é mais sofisticado do que eu em termos de arte, de modo que ele conseguia detectar uma intensidade de beleza, emoção e significado naquelas pinceladas que eu não era capaz de enxergar. Em outras palavras, o que para um homem é apenas uma mancha laranja, para outro é uma fantasia de US$ 86,9 milhões!

Embora seja verdade que todos somos diferentes, de qualquer modo existem padrões comuns quando se trata de atingir a satisfação. Se esse for o seu objetivo, em quais princípios ou padrões de comportamento você poderia se espelhar?

O primeiro princípio: você deve continuar crescendo. Tudo na vida cresce ou morre. Isso vale para relacionamentos, negócios ou qualquer outra coisa. Se você *não* continuar crescendo, vai ficar frustrado e triste, independentemente de quantos milhões possua no banco. Na verdade, posso afirmar que o segredo da felicidade se resume a uma palavra: progresso.

O segundo princípio: você precisa doar. Se você *não* doar, sua experiência interior vai ser limitada, e você nunca vai se sentir completamente vivo. Como disse Winston Churchill: "Ganhamos a vida através do que recebemos. Fazemos uma vida através do que damos." Quando pergunto às pessoas sobre os aspectos mais satisfatórios de suas vidas, elas sempre mencionam o compartilhamento de coisas com os outros. A verdadeira natureza dos seres humanos não é egoísta. **Somos movidos pelo nosso desejo de contribuir. Se nos faltar esse profundo sentimento de contribuição, nunca poderemos nos sentir verdadeiramente satisfeitos.**

Também vale a pena nos lembrar da verdade óbvia de que se tornar financeiramente rico *não* é o segredo para a satisfação. Como você e eu sabemos, muitas vezes as pessoas perseguem o dinheiro na crença ilusória de que ele é uma espécie de poção mágica que traz alegria, significado e valor para suas vidas. Mas o dinheiro, sozinho, nunca vai lhe propiciar uma vida extraordinária. Ao longo dos anos, convivi muito tempo com bilionários, e alguns são tão infelizes que você se compadeceria deles. Se você não estiver feliz, não poderá ter uma vida magnífica, por mais recheada que esteja sua carteira.

Lembre-se: o dinheiro não muda as pessoas. Ele apenas potencializa quem elas são: se você tiver muito dinheiro e for mesquinho, então vai ter ainda mais motivos para ser mais mesquinho; se você tiver muito dinheiro e for generoso, naturalmente vai doar mais.

E quanto ao sucesso profissional? Ora, será maravilhoso se o seu sucesso lhe trouxer essa sensação de crescimento e de contribuição de que todos nós precisamos para nos sentir satisfeitos. Mas tenho certeza de que você já conheceu várias pessoas "bem-sucedidas" que nunca parecem estar felizes ou satisfeitas. E como *isso* pode ser considerado sucesso? **Na verdade, acredito piamente que o sucesso sem a satisfação é o fracasso total.**

Vamos pensar, por um momento, em um doloroso exemplo dessa situação.

Um tesouro nacional

Em 2014, perdemos alguém que considero um tesouro nacional: o ator e comediante Robin Williams. Nos últimos anos, tenho conversado com espectadores do mundo inteiro a respeito desse homem surpreendentemente talentoso. Várias vezes fiz a mesma pergunta: "Quantos de vocês nesta sala adoravam Robin Williams? Não levantem a mão se vocês *gostavam* dele — apenas se vocês o *adoravam*." E sabe qual é o resultado? Em todos os lugares aonde vou — de Londres a Lima, de Tóquio a Toronto —, cerca de 98% das pessoas da plateia levantam as mãos.

Robin Williams foi um grande realizador? Certamente. Ele começou do nada. Então, ele decide que quer estrelar seu próprio programa de TV, e consegue. Depois, ele decide que quer constituir uma bela família, e a constrói. Em seguida, ele decide que quer mais dinheiro do que é capaz de gastar ao longo de toda a vida, e alcança essa meta. Mais tarde, ele decide se tornar uma estrela de cinema, e chega lá. Por fim, ele decide que quer ganhar um Oscar — mas não por seus papéis cômicos —, e também consegue! Aqui estava um homem que tinha tudo o que queria, que havia conquistado tudo o que sonhara alcançar.

E aí ele se enforcou.

Ele se enforcou em sua própria casa, deixando para trás centenas de milhões de pessoas que o amam até hoje. E o mais devastador de tudo é que ele deixou sua esposa e seus filhos traumatizados e inconsoláveis.

Quando penso nessa terrível tragédia, fico impressionado com uma lição muito simples: se você não está satisfeito, você não tem nada.

Robin Williams conquistou muitas coisas que nossa cultura nos condicionou a valorizar, incluindo fama e fortuna. No entanto, apesar de todos os seus talentos, isso nunca foi suficiente. Ele sofreu por décadas tentando controlar seu estresse por meio do uso e, às vezes, do abuso de álcool e drogas. Perto do fim da vida, foi diagnosticado com um transtorno neurológico progressivo, a demência por corpos de Lewy. Recentemente, sua esposa Susan escreveu na revista médica *Neurology*: "Robin estava perdendo a sanidade e estava ciente disso. Vocês conseguem imaginar a dor que ele sentiu ao perceber que estava se desintegrando?"*

Robin Williams era um bom homem, que se importava profundamente com os outros — um homem que contribuía muito para o mundo, apesar de sua longa batalha contra os vícios, a depressão e os problemas de saúde. E, no fim, ele deixou todo mundo feliz, exceto ele mesmo.

---

* "No inverno, problemas com paranoia, delírios e iteração, insônia, memória e níveis elevados de cortisol — apenas para citar alguns — estavam se manifestando fortemente. A psicoterapia e outros auxílios médicos estavam se tornando uma constante na tentativa de administrar e solucionar essas condições aparentemente díspares." http://www.neurology.org/content/87/13/1308.full.

Isso me faz recordar das instruções de segurança anunciadas sempre que entramos em um avião: "Em caso de emergência, coloque sua máscara de oxigênio antes de ajudar os outros." Parece insensível e egoísta quando você ouve pela primeira vez, mas realmente faz sentido: se você não se ajudar primeiro, como pode querer ajudar os outros?

Acredite em mim: eu sei que Robin Williams é um exemplo extremo. Não estou achando que você pode pensar em se matar. Mas vejo muitas pessoas — até mesmo as pessoas "mais ricas" e mais "bem-sucedidas" — desperdiçando grande parte da alegria e da satisfação que merecem experimentar. Quero que você experimente essa alegria e essa satisfação hoje. Ainda assim, ninguém nos ensina a ser feliz.

Sofrer ou não sofrer — essa é a questão

Um homem é apenas o produto de seus pensamentos.
O que ele pensa ele se torna.

— Mahatma Gandhi

Eu gostaria de lhe contar a história do que mudou em minha própria vida. Nos últimos dois anos, estive empenhado em uma maravilhosa jornada mental. Sempre procuro crescer pessoalmente, por isso vivo explorando ideias diferentes sobre como atingir um patamar completamente novo.

Alguns anos atrás, eu estava na Índia visitando um querido amigo, Krishnaji, que é igualmente fascinado pelo tema "como alcançar uma qualidade de vida extraordinária". Como era do conhecimento de meu amigo, eu ensinava, havia muitos anos, o poder de adentrar um estado de "elevado teor energético": um estado de auge, no qual você pode realizar qualquer coisa, e no qual seus relacionamentos ficam cheios de compaixão. Em contraste, quando você está em um estado de "baixo teor energético", o corpo se sente preguiçoso, a mente se sente lenta e você não consegue fazer nada além de se preocupar, se frustrar e tratar as pessoas com rispidez!

Meu amigo me perguntou: "E se você usar palavras diferentes para descrever esses dois estados?" Como ele explicou, existem, de fato, apenas dois estados diferentes nos quais você pode estar a cada momento. Ou você está em um estado de elevado teor energético, que também pode ser descrito como um "estado de beleza", ou está em um estado de baixo teor energético (muitas vezes caracterizado por desconforto interno), que também pode ser descrito como um "estado de sofrimento". Ele me disse que sua perspectiva espiritual era viver em um estado de beleza, não importando o que acontecesse em sua vida.

Meu amigo, então, reiterou o que eu e tantos outros ensinamos há anos: não podemos controlar todos os acontecimentos em nossas vidas, mas podemos controlar o que esses acontecimentos significam para nós — e, portanto, o que sentimos e experimentamos todos os dias de nossas vidas! Ao escolher e se comprometer conscientemente a viver em um estado de beleza, meu amigo acreditava que não apenas poderia apreciar muito mais a vida como também poderia doar muito mais à sua esposa, ao seu filho e ao mundo em geral.

Pensei bastante no que ele havia dito. Hoje em dia, sou um realizador. Se você está lendo este livro, provavelmente também é um realizador. E nós, realizadores, não acreditamos nunca que estamos "sofrendo", não é? Não! Nós temos apenas "estresse"!

Na verdade, se você tivesse me falado há dois anos que eu estava sofrendo, eu teria rido na sua cara. Eu tenho uma esposa divina, quatro filhos magníficos, liberdade financeira plena e uma missão que me inspira todos os dias. Mas aí comecei a perceber que, frequentemente, eu me deixava cair em um estado de sofrimento. Por exemplo, eu ficava frustrado, chateado, esgotado, preocupado ou estressado. No começo, eu achava que essas emoções eram apenas uma parte da vida. A verdade é que cheguei até mesmo a me convencer de que precisava delas como combustível para seguir adiante. Mas era apenas a minha mente me pregando uma peça!

O problema é que o cérebro humano não foi projetado para nos deixar felizes e satisfeitos. Ele foi projetado para nos fazer sobreviver. Esse órgão de dois milhões de anos está sempre procurando o que há de errado, ou qualquer coisa que possa nos prejudicar, para que, então, possamos lutar ou fugir. Se você e eu deixarmos esse antigo cérebro reptiliano comandar o espetáculo, que chance teremos de aproveitar a vida?

Uma mente sem comando funciona naturalmente no modo de sobrevivência, identificando e maximizando constantemente essas potenciais ameaças ao nosso bem-estar. O resultado: uma vida cheia de estresse e ansiedade. A maioria das pessoas vive dessa forma, pois esse é o caminho que oferece menor resistência. Elas tomam decisões irrefletidas, baseadas no hábito e no condicionamento, e estão à mercê de suas próprias mentes. Elas assumem, simplesmente, que é uma parte inevitável da vida experimentar frustração, estresse, tristeza e irritação — em outras palavras, viver em estado de sofrimento.

Mas fico feliz em lhe dizer que existe outro caminho: um caminho que envolve comandar seus pensamentos para que sua mente faça o que você ordena, e não o contrário.

Esse foi o caminho que eu escolhi. Decidi que não viveria mais em estado de sofrimento. Decidi que faria tudo o que estivesse ao meu alcance para viver em estado de beleza para o resto da vida, e me tornar um exemplo do que é humanamente possível! Afinal, não há nada pior do que um homem (ou uma mulher) rico e privilegiado que está sempre zangado e mal-agradecido!

Voando alto e caindo baixo

Agora, antes de avançarmos, vamos esclarecer a diferença entre esses dois estados emocionais e mentais:

Estado de beleza. Quando você sente amor, alegria, gratidão, admiração, vivacidade, conforto, criatividade, motivação, zelo, crescimento, curiosidade ou apreço, você está em estado de beleza. Nesse estado, você sabe exatamente o que fazer, e faz o que é certo. Nesse estado, seu espírito e seu coração estão vivos, e o seu melhor vem à tona. Nada parece ser um problema, e tudo flui. Você não sente medo nem frustração. Você está em harmonia com sua verdadeira essência.

Estado de sofrimento. Quando está estressado, preocupado, frustrado, zangado, deprimido, irritado, esgotado, ressentido ou amedrontado, você está em estado de sofrimento. Todos nós experimentamos essas e inúmeras outras emoções "negativas", mesmo que não estejamos sempre dispostos a admitir isso! Como mencionei anteriormente, a maioria dos realizadores prefere pensar que está estressada, em vez de reconhecer seu medo. Mas "estresse" é apenas a palavra que o realizador usa para descrever o medo! Se eu seguir a trilha do seu estresse, isso vai me levar ao mais profundo dos seus medos.

Então, o que determina se você está em estado de beleza ou em estado de sofrimento? Podemos assumir que depende, principalmente, de suas circunstâncias externas. Se você estiver relaxando em uma praia e tomando um sorvete, é fácil estar em estado de beleza! **Mas, na realidade, os estados mental e emocional nos quais você se encontra são, de um jeito ou de outro, o resultado de onde você decide concentrar seus pensamentos.**

Vou usar um exemplo pessoal. Nos últimos 25 anos, voei entre os Estados Unidos e a Austrália, várias vezes por ano. Hoje em dia, tenho o privilégio de ter meu próprio avião, que é mais ou menos como ter um escritório aéreo de alta velocidade. Feliz ou infelizmente, não há necessidade de se desconectar do trabalho! Mas me lembro vividamente do medo que eu sentia quando me sentava em um avião comercial para a Austrália e me perguntava como eu poderia viver sem ter acesso a e-mails e a textos nas 14 horas seguintes! Como os meus negócios poderiam sobreviver sem mim?

Então, em um dia mágico, eu estava em um voo da Qantas Airways para Sydney quando o comandante anunciou, orgulhosamente, que o avião contava com acesso internacional à internet. Ao meu redor, as pessoas começaram a comemorar, a bater palmas e a se cumprimentar! Era como se Deus tivesse descido lá do alto e entrado no avião! Eu não me levantei nem saí dançando, mas devo confessar: em minha mente, também comecei a aplaudir. Então, depois de 15 minutos de um inebriante prazer, sabe o que aconteceu? Perdemos o acesso à internet. Não funcionou durante todo o restante do voo, e provavelmente *ainda* não está funcionando depois de todos esses anos.

E como você acha que os passageiros reagiram? Nós ficamos arrasados! Em um minuto, estávamos eufóricos. No minuto seguinte, estávamos amaldiçoando nossa terrível falta de sorte. O mais incrível foi a rapidez com que mudamos de perspectiva: momentos antes, o acesso à internet havia sido um milagre. Agora, era apenas uma expectativa! Só conseguíamos pensar que a companhia aérea havia violado nosso direito inalienável de acesso à internet — um direito que não existia até aquele exato dia.

Em nossa revolta, instantaneamente deixamos de perceber a maravilha de estar voando pelos ares como um pássaro, atravessando o globo em questão de horas, assistindo a filmes ou dormindo enquanto voávamos!

Não é ridículo o quanto nos cansamos e o quanto nos permitimos ficar chateados? Quando alguém estraga nossos planos, quando não conseguimos o que queremos ou esperamos, desistimos rapidamente de nossa felicidade e mergulhamos em estado de sofrimento.

Todos têm seu próprio tipo de sofrimento. Por isso, eis aqui minha pergunta para você: qual o *seu* tipo favorito de sofrimento? A qual emoção sugadora de energia você se entrega com mais facilidade? É a tristeza? Frustração? Raiva? Desespero? Autopiedade? Ciúmes? Preocupação? Os detalhes específicos não importam muito, pois *todos* eles são estados de sofrimento. **E todo esse sofrimento, na realidade, é apenas o resultado de uma mente sem comando, que está absolutamente empenhada em encontrar problemas!**

Pense, por um momento, em uma situação recente que tenha lhe causado dor ou sofrimento — um momento em que você se sentiu frustrado, irritado, preocupado ou esgotado. Sempre que você sente emoções como essas, sua sensação de sofrimento é provocada pela sua mente sem comando, que se envolve em um dos três padrões de percepção específicos — ou em mais de um. Consciente ou inconscientemente, você está focado em pelo menos um destes três desencadeadores do sofrimento:

1. **O desencadeador do sofrimento é "Perda".** Quando você foca na perda, se convence de que um problema específico *causou* ou *vai causar* a perda de algo que você valoriza. Por exemplo, você entra em conflito com sua esposa, e isso lhe provoca a sensação de ter perdido o amor ou o respeito. A percepção da sensação de perda, porém, não precisa estar relacionada a algo que *alguém* fez — ou deixou de fazer. Essa sensação de perda também pode ser desencadeada por algo que *você* fez ou deixou de fazer. Por exemplo, você procrastinou, e agora perdeu uma oportunidade de negócio. Sempre que acreditamos na ilusão da perda, sofremos.

2. **O desencadeador do sofrimento é "Menos".** Quando você foca na ideia de que *tem* menos ou *terá* menos, você sofre. Por exemplo, você pode se convencer de que, pelo fato de uma situação ter

ocorrido ou de uma pessoa ter agido de determinada maneira, você vai ter menos alegria, menos dinheiro, menos sucesso ou alguma outra consequência dolorosa. Mais uma vez, a sensação de ter menos pode ser desencadeada pelo que você ou os outros fazem ou deixam de fazer.

3. **O desencadeador do sofrimento é "Nunca".** Quando você foca na ideia ou se deixa levar pela crença de que *nunca* vai ter algo que valoriza — como amor, alegria, respeito, riqueza, oportunidade —, está condenado a sofrer, a imaginar que nunca vai ser feliz, que nunca vai se tornar a pessoa que deseja ser. Esse padrão de percepção é um caminho infalível para o sofrimento. **Lembre-se: a mente está sempre tentando nos induzir a optar pela lógica reptiliana! Portanto, nunca diga nunca!** Por causa de uma doença ou de uma contusão, por exemplo, ou por causa de algo que seu irmão fez ou disse, talvez você acredite que nunca mais vai conseguir superar essas coisas.

Esses três padrões de foco respondem pela maior parte, se não pela totalidade, do nosso sofrimento. E sabe o que é mais absurdo? Pouco importa se o problema é real ou não! Quando focamos em algo, seja no que for, nós *sentimos* — independentemente do que realmente tenha acontecido. Você já passou pela experiência de achar que um amigo lhe fez algo terrível? Você ficou profundamente irritado e chateado, apenas para descobrir que estava enganado, e que a pessoa não merecia toda aquela culpa! Em meio ao seu sofrimento, quando todas aquelas emoções negativas estavam rodopiando dentro da sua cabeça, a realidade não tinha a menor importância. Seu foco criava seus sentimentos, e seus sentimentos criavam sua experiência. Observe, também, que a maior parte, se não a totalidade, do nosso sofrimento é causada pelo fato de nos concentrarmos ou ficarmos obcecados em nós mesmos e no que podemos perder, ter menos ou nunca ter.

Mas eis aqui a boa notícia: quando você se conscientiza desses padrões de foco, pode modificá-los sistematicamente, libertando-se, assim, de tais hábitos de sofrimento. Tudo começa com a constatação de que isso envolve uma escolha consciente. **Ou você domina sua mente ou ela o domina. O segredo de viver uma vida extraordinária é assumir o controle da mente, já que isso, por si só, determina se você vai viver em estado de sofrimento ou de beleza.**

NO FIM, TRATA-SE DO SIMPLES PODER DAS DECISÕES

Nossa vida é determinada não pelas nossas condições, mas pelas nossas decisões. Se você analisar retrospectivamente os últimos 5 ou 10 anos, eu seria capaz de apostar que você conseguiria se lembrar de uma ou duas decisões que mudaram significativamente sua vida. Talvez tenha sido uma decisão sobre em qual faculdade estudar, qual profissão seguir, ou quem escolher para amar ou se casar. Olhando para trás agora, você consegue perceber o quanto sua vida seria radicalmente diferente hoje se você tivesse tomado uma decisão diferente? Estas e muitas outras decisões determinam o rumo da sua vida e podem mudar seu destino.

Mas qual é a maior decisão que você pode tomar neste exato momento? No passado, eu teria respondido que o mais importante é com quem você decide passar seu tempo, quem você decide amar. Afinal, a pessoa com quem você se relaciona vai determinar fortemente quem você se torna.

Nos últimos dois anos, porém, meu pensamento evoluiu. **O que passei a perceber é que a decisão mais importante na vida é esta:** você está comprometido em ser feliz, independentemente do que acontecer?

Dito de outra forma, você vai se comprometer a apreciar a vida não apenas quando tudo estiver funcionando da forma que você deseja, mas também quando tudo estiver indo contra você, quando houver injustiça, quando alguém o desrespeitar, quando perder algo ou alguém que ama, ou quando ninguém parecer entender ou gostar de você? Se não tomarmos a decisão definitiva de parar de sofrer e viver em estado de beleza, nossas mentes reptilianas vão produzir sofrimento sempre que nossos desejos, expectativas ou preferências não forem atendidos. Um desperdício de grande parte de nossas vidas!

Essa é uma decisão que pode mudar tudo em sua vida a partir de agora. Mas não basta apenas dizer que você *gostaria* de fazer essa mudança, ou que sua *preferência* é ser feliz não importando o que aconteça. Você precisa se apossar dessa decisão, fazer o que for necessário para que ela se concretize e eliminar qualquer possibilidade de retrocesso. **Se você quiser conquistar a ilha, vai ter que queimar os navios. Você precisa decidir que é 100% responsável pelo seu estado de espírito e pela sua experiência nesta vida.**

Na verdade, tudo se resume a fixar um limite hoje e declarar: "**Já chega de sofrer. Vou viver todos os dias ao máximo e encontrar energia em todos os momentos, incluindo aqueles dos quais eu não gosto, PORQUE A VIDA É CURTA DEMAIS PARA SOFRER.**"

CUIDADO COM O GODZILLA!

Existem muitas técnicas diferentes que você pode usar para assumir o comando de sua mente e alcançar o estado de beleza. O assunto é tão importante que planejo escrever um livro inteiro sobre ele. Mas você não precisa esperar para dar início a essa jornada transformadora. Você pode decidir, neste exato momento, que não vai se conformar mais com uma vida que seja inferior ao que você merece sentir e experimentar. Tudo o que você tem a fazer para mudar sua vida para sempre é se comprometer integralmente a encontrar alguma coisa que possa ser apreciada em todos os momentos. Aí, então, você vai experimentar a verdadeira riqueza da felicidade permanente!

Está disposto a tomar essa decisão arrojada e genial agora?! Se a resposta for afirmativa, vamos auxiliá-lo, revendo duas técnicas simples que considero extremamente úteis para mantê-lo nesse rumo.

A primeira ferramenta é o que eu chamo de "regra dos 90 segundos". Sempre que começo a sofrer, me dou 90 segundos para colocar um ponto final nessa situação e, assim, poder voltar a viver em estado de beleza. Parece interessante, não é? Mas como é que, de fato, se *faz* isso?

Digamos que eu esteja em uma ardente discussão com um colaborador de uma das minhas empresas, e descubra que ele cometeu um erro que poderia ocasionar uma série de problemas. Naturalmente, meu cérebro entra no modo de detecção de perigo, aciona aquele antigo cérebro reptiliano e começa a me bombardear com pensamentos sobre todas as maneiras pelas quais eu e toda a nossa equipe poderíamos vir a sofrer como consequência daquele erro. Antigamente, eu me veria facilmente arrastado por um turbilhão de preocupações, frustrações ou raiva — um redemoinho de sofrimento mental!

Mas eis aqui o que eu faço hoje em dia. No instante em que sinto a tensão subir pelo meu corpo, me dou conta de que isso é um erro. E a maneira

como me dou conta disso é bastante simples: respiro profundamente e desacelero. Me liberto da situação e começo a me distanciar de todos aqueles pensamentos estressantes que meu cérebro está gerando.

É natural que esses pensamentos surjam, mas são apenas pensamentos. Quando você se acalma, percebe que **não precisa acreditar em tais pensamentos nem se identificar com eles.** Você pode recuar e dizer a si mesmo: "Uau, olhe só aquele pensamento absurdo indo embora! Lá vai essa mente maluca de novo!" Por que isso é útil? Porque o problema não é a *existência* dos nossos pensamentos negativos, destrutivos e limitantes — todos nós os temos! O que nos prejudica é o hábito de *acreditar* nesses pensamentos. Você já se flagrou, por exemplo, ficando tão irritado com alguém que começou a pensar: "Cara, eu quero esganar de verdade esse sujeito! Eu sou capaz de matá-lo!" Estou presumindo que você não tenha chegado a esse extremo. Por quê? Porque você não acreditou no pensamento. Pelo menos eu espero que não tenha acreditado nele!

Depois que me descolo desses pensamentos indesejados, começo a me concentrar em encontrar alguma coisa que possa ser apreciada. O cérebro reptiliano sempre vai procurar o que está errado, mas sempre vai haver algo para apreciar. É como eu costumo dizer: **"As coisas erradas sempre estão disponíveis... mas as corretas também!"** Talvez seja o simples fato de eu estar vivo e saudável, de ainda estar respirando! Talvez seja o fato de que o colaborador que cometeu o erro é um ótimo ser humano, empenhado em seu trabalho e muito bem-intencionado. Talvez seja o fato de ter me conscientizado de que estou sofrendo, o que me dá a capacidade de fazer uma pausa e me desvencilhar imediatamente disso tudo.

Não importa o que você aprecia. O que importa é que, ao mudar seu foco para a apreciação, você abranda seu mecanismo de sobrevivência. Amor, alegria e doação vão desencadear a mesma transformação positiva. Essa mudança em seu foco abre espaço para que seu espírito comece a participar do jogo, de modo que você não fique aprisionado dentro de sua cabeça. Se você continuar fazendo isso sistematicamente, vai conseguir, de fato, reprogramar seu sistema nervoso, treinando sua mente para encontrar o bem em todas as situações, a fim de que sua experiência de vida seja sempre de gratidão e alegria.

E sabe o que é milagroso? Quando você menos esperar, vai se sentir livre. Você vai ter se libertado e começado a rir de coisas que costumavam enfurecê-lo. Isso contribui para uma vida mais feliz e relacionamentos mais saudáveis, ao mesmo tempo em que o ajuda a pensar com mais clareza e a tomar decisões mais inteligentes. Afinal, quando você está estressado, irritado, triste ou medroso, é improvável que encontre as melhores soluções. Quando você está em estado de beleza, as respostas aparecem com mais facilidade. É como sintonizar um rádio na frequência correta, quando a estática desaparece e você pode ouvir a música em alto e bom som.

Quando comecei a usar essa técnica, deveria tê-la batizado de a regra das quatro horas ou a regra dos quatro dias, porque às vezes eu demorava muito tempo para parar de sofrer e recuperar meu equilíbrio! Mas **é como qualquer habilidade: quanto mais você pratica, melhor você se torna.** Descobri que é muito mais confortável reconhecer meus erros imediatamente do que deixar aqueles pensamentos negativos se estenderem por mais de 90 segundos. Por quê? Porque o melhor momento para matar qualquer monstro é quando ele ainda é pequeno. Você não pretende esperar até que ele se transforme em um Godzilla e esteja devorando a cidade inteira!

Ainda não sou perfeito nisso, e, certamente, há momentos em que acabo me envolvendo. Mas uso a regra dos 90 segundos com tanta frequência que ela deixou de ser uma disciplina para se tornar um hábito. Essa simples técnica me propiciou um incrível nível de libertação de todas aquelas emoções destrutivas que costumavam me roubar a alegria e a serenidade. Tais emoções ainda emergem, mas desaparecem rapidamente, sobrepujadas pelo poder da apreciação e do prazer. Como resultado, a vida está mais bonita do que nunca!

O que você também vai acabar descobrindo é que se torna muito mais disponível às outras pessoas quando não se deixa capturar pelos seus próprios pensamentos de *perda*, *menos* e *nunca*. Quando está em estado de beleza, você pode doar muito mais a todos aqueles que ama.

E sabe de uma coisa? A felicidade é poderosa. Na vida, a felicidade é uma vantagem competitiva. A felicidade é uma vantagem em seus relacionamentos, seus negócios, sua saúde e em tudo o que você toca. Viver em estado de beleza, seja como for, é a liberdade suprema, **e o melhor presente que você pode oferecer aos que ama. É a experiência da abundância absoluta — e da abundância de alegria! Essa é a verdadeira riqueza.**

E o melhor de tudo é que você pode acessar essa abundância agora, em vez de esperar até adquirir certa quantidade de dinheiro! A boa notícia é que essa decisão está inteiramente em suas mãos. Você, sozinho, pode dar a si mesmo essa vantagem da felicidade.

LIBERTE SEU CORAÇÃO: O PODER DA SINTONIA!

Para superar o medo, o melhor é ser imensamente grato.

— Sir John Templeton

A segunda ferramenta que gostaria de compartilhar com você é uma simples meditação de gratidão de dois minutos de duração, que venho ensinando a dezenas de milhares de pessoas em meus seminários durante os últimos anos. Gravei essa meditação e a disponibilizei no site www.unshakeable.com [em inglês] e no aplicativo móvel Unshakeable, para que você possa ouvir o áudio com os olhos fechados.

Mas também estou lhe oferecendo uma versão por escrito. Todos nós absorvemos informações de diferentes maneiras. Então, talvez você prefira ler isto, obter uma noção geral das instruções e, em seguida, praticar essa breve meditação com o auxílio da memória, sem o áudio. Descobri que lê-la uma vez para entender o processo que está sendo seguido é válido, mas é muito mais fácil ouvi-la, para que você possa se desligar da mente e vivenciá-la com o coração. De qualquer forma, espero que você perceba que se trata de uma técnica poderosa para fazer sua mente e seu coração entrarem em sintonia, colocando-o rapidamente em estado de beleza.

Mas, primeiro, eu gostaria de lhe dar uma breve explicação sobre a ciência que está por trás dessa meditação. Se você fosse ao hospital e nós o colocássemos para fazer um eletroencefalograma (EEG) e um eletrocardiograma (EKG), poderíamos medir os impulsos elétricos em seu cérebro e em seu coração. O que observaríamos se você estivesse estressado e padecendo de algum sofrimento mental é que as linhas no EEG e no EKG pareceriam pontiagudas. Mas a irregularidade dos ritmos de seu *coração* não seria nada semelhante à irregularidade dos ritmos de seu *cérebro*. Em outras palavras, os dois órgãos estariam fora de sincronia.

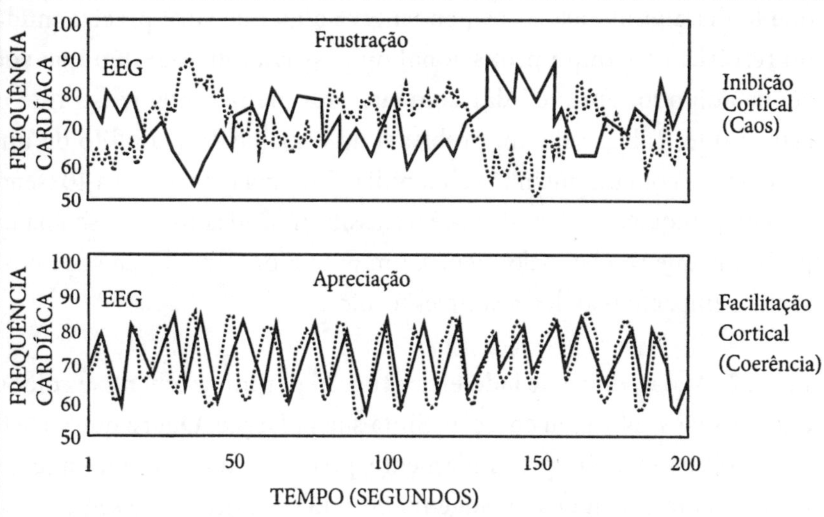

Fonte: Heart Math

Estudos científicos mostraram que esse pequeno foco meditativo pode alterar dramaticamente aqueles impulsos elétricos em seu cérebro e em seu coração. O mais milagroso é que as linhas pontiagudas no EEG e no EKG tendem a se tornar arredondadas após essa meditação. Além disso, as linhas do coração e do cérebro se tornam praticamente idênticas. Por quê? Porque agora a mente e o coração estão funcionando como uma única coisa. Isso é o que ocorre naturalmente quando você entra em estado de fluxo.

O objetivo dessa meditação simples é mudar seu estado emocional, preenchendo-o com um sentimento de gratidão, e usar essa emoção para resolver todo e qualquer desafio que tenha lhe causado sofrimento. Por que gratidão? Porque é impossível ser grato e ficar irritado ao mesmo tempo. É impossível ser grato e ficar amedrontado ao mesmo tempo. Se você quiser ter uma vida infeliz, não existe melhor maneira de alcançá-la do que focar sua mente na raiva e no medo! Mas, se quiser uma vida feliz, se quiser viver em estado de beleza, nada é mais produtivo do que focar na gratidão!

Então, se você estiver pronto para testar essa técnica, ouça o áudio agora ou leia as etapas abaixo. Eis aqui o que eu gostaria que você fizesse:

Etapa 1. Primeiro, quero que você escolha um aspecto da sua vida em que tenha alguns "assuntos pendentes": algo que você precise mudar ou resolver no campo profissional ou pessoal; uma questão que você venha adiando, porque lidar com ela seria inquietante, frustrante ou estressante. Talvez seja um problema no trabalho, um conflito ou uma dificuldade com um membro da família. Em uma escala de 0 a 10 (sendo 10 o mais inquietante), onde você o classificaria? Idealmente, escolha um problema que receba, pelo menos, um grau 6 ou 7, para que você possa sentir o impacto real dessa simples técnica.

Etapa 2. Agora, deixe de lado essa situação por um momento e coloque as duas mãos sobre seu coração. Sinta sua pulsação. Quero que você feche os olhos e respire profundamente, pensando no coração. Enquanto respira, sinta o sangue e o oxigênio fluindo para dentro de seu coração. Sinta o poder de seu coração. Encontre a força de seu coração. Você se sente grato por alguma coisa que seu coração o orientou a fazer, desfrutar, apreciar ou doar?

Etapa 3. Enquanto respira profundamente, sinta-se grato pelo seu coração. Sinta a dádiva que é seu coração. Todos os dias, ele bate cem mil vezes e bombeia sangue através de 96.560 quilômetros de vasos sanguíneos. Você nem precisa pensar em seu coração e, no entanto, ele está sempre ao seu lado, mesmo enquanto você dorme. É o maior dos presentes, mas você não precisou ganhá-lo. Ele lhe foi dado. Alguma coisa o amava tanto que lhe deu esse coração de presente. E enquanto ele bater dentro de seu peito, você está vivo. Que dádiva! Sinta o poder dessa dádiva agora.

Etapa 4. Enquanto respira pensando no coração, sentindo profunda gratidão por seu coração, quero que você sinta fisicamente seus batimentos cardíacos. E, enquanto estiver fazendo isso, quero que você pense em três experiências de sua vida pelas quais se sente incrivelmente grato — e você vai relembrar essas três experiências uma de cada vez. Podem ser grandes ou pequenas. Elas podem remontar à sua infância, ou podem ser desta semana ou até mesmo de hoje.

Etapa 5. Quero que você pense na primeira experiência e a acesse neste exato momento, como se estivesse lá, dentro daquela memória, revivendo-a. Reveja o que você viu naquele momento de pura gratidão: sinta-o, respire-o, tome posse dele, e sinta-se bastante grato por tal momento. Deixe-se preencher pela gratidão, porque, quando se é grato, não existe tristeza, não existe mágoa, não existe raiva. **É impossível ser grato e ficar irritado simultaneamente. Se cultivarmos a gratidão, teremos uma vida diferente.**

Agora, pense em uma segunda experiência, outro momento pelo qual você pode se sentir igualmente grato — algo que lhe pareceu um verdadeiro presente em sua vida, um milagre, um ato de graça, de amor. E se deixe preencher pela beleza e alegria daquela experiência. Deixe-se preencher por uma profunda gratidão por aquele momento, levando o tempo que for preciso para senti-lo e apreciá-lo completamente, durante pelo menos 30 segundos.

Em seguida, quero que você pense em um terceiro momento pelo qual poderia se sentir igualmente grato. Mas não se limite a pensar nele. Acesse aquela experiência, entre naquele ambiente e sinta o que sentiu naquele momento. Saboreie isso. Deixe-se preencher pela alegria, o milagre, a dádiva daquela experiência.

Etapa 6. Agora quero que você pense em mais uma experiência, mas desta vez quero que seja uma experiência que tenha sido uma coincidência. Algo que você não tenha planejado, mas que, mesmo assim, tenha trazido grande alegria para sua vida. Talvez aquela experiência casual tenha feito você conhecer a pessoa que ama, que mudou ou enriqueceu sua vida. Ou talvez tenha levado a uma nova escolha profissional, ou tenha lhe trazido novas oportunidades de crescimento ou de felicidade. Essa coincidência aconteceu apenas para você. Foi uma coincidência ou você foi guiado?

Tenho uma crença antiga que, muitas vezes, já me tirou do sofrimento e me fez enxergar um sentido para as coisas. **No fundo, acredito que a vida está sempre acontecendo para nós, e não por nós!** Até mesmo as situações mais dolorosas nos fazem crescer, nos expandem, nos aprofundam ou nos tornam mais cuidadosos. Tenho certeza de que houve acontecimentos em sua vida que você nunca mais gostaria de reviver. No entanto, quando você analisa retrospectivamente 5 ou 10 anos depois, você enxerga o propósito mais elevado daquilo tudo. Você enxerga que, na verdade, a vida estava trabalhando a seu favor naquele momento. Até mesmo aqueles momentos de sofrimento acabaram se revelando excelentes desencadeadores do crescimento.

Reserve-se um momento para agradecer aquele que lhe concedeu essas dádivas, seja lá quem for. Deixe-se preencher pela gratidão ao universo, a Deus ou a qualquer coisa em que acredite. E confie neste universo, que tem bilhões de anos, e que sempre cuidou de você, mesmo quando sentiu que havia se perdido pelo caminho!

Etapa 7. E agora, enquanto respira pensando no coração e sente essa imensa gratidão, quero que você se lembre do assunto que o estava inquietando anteriormente. Enquanto você permanece nesse estado de beleza, se sentindo preenchido pela gratidão, quero que você se faça uma pergunta simples: "Tudo de que preciso me lembrar sobre aquela situação, tudo em que preciso me concentrar, tudo em que preciso acreditar, tudo o que preciso fazer é... o quê?"

Não filtre. Normalmente, seus primeiros pensamentos instintivos são os mais corretos. Enquanto você se mantém nesse estado de beleza, faça-se novamente aquela pergunta: "Tudo de que preciso me lembrar sobre aquela situação, tudo em que preciso me concentrar, tudo em que preciso acreditar, tudo o que preciso fazer é... o quê?"

E seu coração sabe a resposta, não é? Sim, ele sabe. Confie em seu coração. Ele sabe o que fazer. Respire pensando no coração e agradeça pela resposta. Seu coração e sua mente sintonizados são uma força poderosa. Quando estão unidos, eles são imbatíveis.

É muito mais fácil ouvir essa meditação do que lê-la, por isso se sinta à vontade para usufruir do áudio do aplicativo. Como mencionei anteriormente, já orientei dezenas de milhares de pessoas nessa meditação. Neste ponto, peço que elas levantem a mão se já souberem o que fazer diante da situação que costumava deixá-las estressadas. Em seguida, peço que abram os olhos e olhem ao redor da sala para ver quantas pessoas levantaram as mãos. De modo geral, são cerca de 95% da plateia. Em alguns casos, a situação exige um trabalho mais intenso. Mas essa meditação simples de dois minutos de duração é apenas uma das muitas técnicas que posso empregar para ajudar as pessoas.

Eis aqui o principal argumento que defendo: você e eu temos o poder de saltar do estado de sofrimento para o estado de beleza em apenas dois minutos. Como? Nos concentrando naquilo que apreciamos. **É muito simples e, ainda assim, muito profundo: apreciação, prazer e amor nada mais são do que os antídotos contra o sofrimento. Trata-se de desviar seu foco da ilusão da perda, do menos ou do nunca e atrelar sua gratidão, sua apreciação e seu amor àquilo que você já tem!**

Elimine todos os seus pensamentos negativos e todas as suas emoções negativas, troque-os por apreciação, e sua vida inteira vai mudar em um instante.

UM SONHO DE FELICIDADE E UMA VISÃO DE ESPERANÇA

Ontem é apenas um sonho,
E amanhã é apenas uma visão.
Mas o hoje bem vivido faz do ontem
um sonho de felicidade,
E do amanhã uma visão de esperança.

— Kālidāsa, dramaturgo e poeta sânscrito, *circa* século IV

Ora, não estou afirmando que você nunca mais vai sofrer nem ficar estressado. Você sabe tão bem quanto eu que a vida está repleta de circunstâncias extremas. Independentemente de nosso nível intelectualou social, nenhum de nós está imune a problemas de saúde, à dor de perder pessoas que amamos e a uma série de outras dificuldades.

Não consigo controlar o que vai acontecer com você ou com sua família no futuro. Não consigo controlar o que vai acontecer com os mercados financeiros, incluindo a possibilidade de uma crise de maior duração e maior severidade do que supõem as expectativas. Eu gostaria de conseguir... **Mas lhe prometo uma coisa: se você tomar a decisão de dominar sua própria mente, vai estar mentalmente equipado para lidar com quaisquer desafios que surgirem em seu caminho.**

Algumas pessoas são especialistas em estresse pós-traumático. Eu passei toda a minha vida concentrado no milagre do *crescimento* pós-traumático. Estudo pessoas resilientes que passaram pelas piores situações e, *mesmo assim,* acabam criando vidas magníficas.

Alguns anos atrás, conheci uma mulher incrível chamada Alice Herz-Sommer, brilhante pianista nascida em 1903, na Checoslováquia. Durante a Segunda Guerra Mundial, Alice e seu filho foram deportados e enviados para um campo de concentração. Ela foi obrigada a dar recitais de piano no campo — e, de alguma forma, fingir que estava se apresentando de bom grado para seus capturadores nazistas. Caso contrário, eles matariam seu filho. A extraordinária história de como Alice sobreviveu a essas experiências com o espírito intacto é relatada em uma biografia intitulada *A Garden of Eden in Hell.*

Quando conheci Alice, ela estava com 108 anos e vivia na Inglaterra. Ela resistira a inúmeras tragédias, mas era uma das pessoas mais positivas e inspiradoras que eu já tinha conhecido, cheia de vida e alegria. Ela vivia sozinha e insistia em cuidar de si mesma. Ainda tocava piano e cantava todos os dias. O que mais me impressionou foi que, para ela, tudo parecia lindo.

Não é incrível? Em meu modo de ver, é a lembrança suprema de que até mesmo alguém que atravessou o inferno pode se deixar preencher pela felicidade. Fiquei profundamente emocionado com sua descrição sobre o tempo que passou no campo de concentração. Alice me revelou que todos os momentos de sua vida — incluindo aqueles anos — tinham sido uma dádiva.

Quando você conhece pessoas assim, não as esquece nunca, porque elas possuem uma habilidade excepcional para viver em estado de apreciação, admiração e gratidão. Apesar de todos os seus desafios, elas irradiam amor e alegria. E, ao mesmo tempo, há aquelas pessoas que você tem vontade de esbofetear, porque ficam enfurecidas quando o leite do seu caffé latte não está suficientemente quente!

Sendo assim, o que você vai fazer? Vai se juntar a mim em minha missão de experimentar uma riqueza verdadeira e duradoura aqui e agora, treinando sua mente para encontrar alegria em cada momento? Você decide se quer viver em estado de sofrimento ou em estado de beleza. Você tem a capacidade de se tornar um mestre da satisfação, de preencher sua mente com a apreciação, de ser feliz independentemente do que aconteça. E o melhor de tudo é que sua alegria vai afetar todos à sua volta.

Se você estiver pronto para queimar os navios e conquistar a ilha, recomendo que redija um bilhete explicando sua decisão de viver em estado de beleza e os motivos que o levaram a tomar essa decisão. Em seguida, envie esse bilhete para três pessoas que você considera e peça a elas que o informem (gentilmente!) se alguma vez o virem se render ao estado de sofrimento. Você também pode me enviar o bilhete para **endsufferingnow@tonyrobbins.com**. Eu adoraria saber que você tomou essa decisão, por que a tomou e como ela enriqueceu sua vida.

Ao escrever sua decisão, você a cristaliza, ao mesmo tempo que também se compromete publicamente, de uma maneira que vai ajudar você a manter o prumo. Melhor ainda, você pode inspirar os destinatários de seu bilhete a seguir seu exemplo, assumindo esse compromisso de viver em estado de beleza.

Todo mundo precisa ter uma perspectiva. A minha é simples. Vou viver em estado de beleza todos os dias da minha vida — e, quando me desviar do caminho, vou voltar imediatamente. Isso vai permitir que eu leve mais beleza à vida dos outros e de todos aqueles que amo. Espero que você se junte a mim nesta missão. Porque preciso lhe dizer uma coisa: viver em estado de beleza é o maior prêmio, a verdadeira sorte grande, o tesouro supremo. Isso é mais raro — e uma conquista muito maior — do que ser um milionário ou bilionário. Se você conseguir aprender a andar na montanha-russa da vida e aproveitar igualmente os altos e baixos, vai ser completamente inabalável.

O SEGREDO DA VIDA É DOAR

Comecei este capítulo falando sobre a verdadeira riqueza. Então, agora que estamos perto de nos despedir, qual seria ela? E como você pode vivenciá-la de fato, todos os dias? **Quando entrevistei Sir John Templeton, um dos primeiros grandes investidores internacionais a se tornar um bilionário, eu lhe perguntei: "Qual é o segredo da riqueza?"** Ele respondeu: "Tony, é o que você ensina." Eu ri e disse: "Eu ensino muitas coisas. Qual coisa?"

Com um grande sorriso no rosto, ele respondeu: "Gratidão! Sabe, Tony, nós dois conhecemos pessoas que têm um bilhão de dólares e são infelizes. Então, na verdade, elas são pobres. E nós dois conhecemos pessoas que aparentemente não têm nada, mas são gratas pelo sopro da vida, por tudo. E, assim, elas são incomparavelmente ricas."

No fundo, todos sabemos que não é o dinheiro que nos torna ricos. Tenho certeza de que você já descobriu que os maiores tesouros *nunca* são os financeiros. São aqueles momentos de graça quando apreciamos a perfeição e a beleza de tudo. São aqueles momentos em que sentimos algo eterno e invencível dentro de nós, no âmago de nosso espírito. É o calor afetuoso de nossos relacionamentos com familiares e amigos. É encontrar um trabalho significativo. É a capacidade de aprender e crescer, compartilhar e servir.

Para mim, também é a alegria de ajudar as pessoas a superar seus limites e vê-las resplandecer ao se lembrarem de quem realmente são e do que realmente são capazes de alcançar. É o prazer de ver suas vidas se transformando em uma celebração, e não em uma batalha. É o sentimento mágico de que, de alguma forma, fiz uma pequena diferença, que desempenhei um papel para o despertar de um ser humano maravilhoso e único. É chegar à conclusão de que tudo aquilo por que passei não serviu apenas para mim, mas para os outros — que até mesmo a dor mais profunda que experimentei conduziu a algo bonito. Na verdade, não pode haver presente maior do que sua vida ter um significado que vai além de você mesmo.

Esse é o grande divisor de águas. Encontre algo a que servir, uma causa pela qual se apaixone, maior do que você, e isso vai torná-lo rico. Nada enriquece tanto quanto ajudar os outros.

Muitas vezes, as pessoas afirmam que vão começar a doar quando ficarem ricas. Mas a verdade é que você pode começar a doar até mesmo se tiver pouquíssimo dinheiro. Se você não doa um centavo de um dólar, também não vai doar nunca US$ 100.000 de US$ 1 milhão!

Comece agora com o que tiver, e posso lhe prometer bênçãos incomparáveis! Essa mudança psicológica da escassez para a abundância o torna rico, e lhe confere uma gloriosa sensação de liberdade. Ao fazer essa mudança, você está treinando seu cérebro para reconhecer que há muito mais coisas disponíveis para doar, apreciar e amar. E lembre-se: não é apenas o dinheiro que pode ser doado. Você também pode doar seu tempo, seu talento, seu amor, sua compaixão, seu coração.

Em minha oração diária, peço para que eu seja uma bênção na vida de todos os que conheço. Se você internalizar as ferramentas e os princípios deste livro, vai ser capaz de receber — e de doar — muito mais do que poderia ter imaginado. À medida que essa extraordinária abundância começar a fluir *para* você e *de* você, você vai se sentir verdadeiramente abençoado — e vai ser uma bênção cada vez maior na vida dos outros. Essa é a sensação de possuir a verdadeira riqueza.

Agradeço o privilégio de poder ter passado esses momentos em sua companhia. Espero, sinceramente, que o conteúdo deste livro tenha sido útil em sua jornada até a liberdade financeira. Talvez, algum dia, nossos caminhos se cruzem, e eu vou ter o privilégio de ouvir a história de como este livro o ajudou a acelerar a construção da vida que você deseja e merece.

Volte a estas páginas sempre que precisar se lembrar de quem realmente é, e de tudo o que pode criar. Lembre-se de que você é mais do que este instante. Você é mais do que suas condições financeiras. Você é mais do que qualquer período desafiador que possa enfrentar. Você é alma, espírito e essência — e você é verdadeiramente inabalável. Deus o abençoe!

— Tony Robbins

CREATIVE PLANNING

A Creative Planning é uma líder nacionalmente reconhecida na comunidade de gestão de patrimônio, focada em fornecer planos de investimento personalizados e serviços abrangentes de gestão de patrimônio a seus clientes. Nosso firme compromisso com a independência significa que você recebe uma consultoria imparcial, e não um balcão de vendas. Não existe nenhuma taxa oculta, comissão ou fundo mútuo privado para ofuscar nossa perspectiva ou ensejar conflitos de interesse. Estamos singularmente focados no fornecimento de consultoria e de soluções que defendam os melhores interesses dos clientes.

Abaixo estão algumas das distinções que recebemos ao longo dos anos:

- empresa de gestão de patrimônio número um dos Estados Unidos (CNBC, 2014, 2015);
- consultoria independente número um dos Estados Unidos (*Barron's*, 2013, 2014, 2015); e
- consultoria de investimentos número um dos Estados Unidos, com base no crescimento ao longo de dez anos (*Forbes*, 2016).

Atualmente, administramos um pouco mais de US$ 22 bilhões para clientes de todos os 50 estados americanos.

www.getasecondopinion.com [em inglês]

AGRADECIMENTOS

Quando analiso os cerca de quarenta anos desta missão, vejo os rostos de muitos seres humanos extraordinários. Resumidamente, eu gostaria de expressar minha profunda gratidão por aqueles que tiveram contato com esse projeto em particular.

Primeiro, minha família, é claro. Tudo começa e termina com minha esposa Sage, — minha Bonnie Pearl. Eu te amo. Saúdo a graça que alimenta nosso amor e nossa vida. Para toda a família e toda a nossa família estendida, eu amo vocês.

Para meu amigo Peter Mallouk, sou eternamente grato por aquela conversa providencial que tivemos em Los Angeles. Eu não poderia esperar ter um ser humano mais brilhante, honesto e sincero como parceiro de negócios. Obrigado.

Para Josh, obrigado por embarcar nesta viagem comigo novamente. Criando e rindo, adorei cada momento que passamos juntos, e estou muito orgulhoso de nosso trabalho. Para Ajay Gupta e toda a equipe da Creative Planning, e para Tom Zgainer, minha sincera gratidão.

Para minha equipe principal na Robbins Research International — Sam, Yogesh, Scotty, Shari, Brook, Rich, Jay, Katie, Justin e todo o restante de nossa equipe executiva extremamente leal e movida por uma missão —, dou graças a Deus por vocês todos os dias. Obrigado a Kwaku, a Brittany e a Michael. E eu não poderia ter publicado este livro sem meu braço direito, Mary Buckheit, e minha equipe criativa incrivelmente inteligente, em especial Diane Adcock. Eu amo vocês. Obrigado.

A Jennifer Connelly, Jan Miller, Larry Hughes, obrigado. A todo o pessoal da San Diego HQ e a todos os nossos parceiros que integram as empresas Tony Robbins, obrigado por tudo o que vocês fazem em nossa busca por inovações em todas as áreas da vida.

Minha vida foi fortemente influenciada por uma profunda amizade com quatro homens brilhantes. Para meus exemplos inspiradores, Peter Guber, Marc Benioff, Paul Tudor Jones e Steve Wynn, obrigado pelo seu amor e por serem criaturas tão brilhantes, criativas e impecáveis. Ser amigo de vocês é uma dádiva. Cada dia que passo ao seu lado é mais um dia em que me sinto inspirado a me aprimorar.

Através de eventos e presenças no mundo inteiro, tenho a oportunidade de conhecer centenas de milhares de pessoas maravilhosas todos os anos, que sensibilizam profundamente minha vida. Mas este livro, essencialmente, e seu antecessor, *Dinheiro: domine esse jogo*, foram concebidos de forma única, por um grupo de mais de 50 seres extraordinários, cujas ideias e estratégias têm sido bastante impactantes para mim e para todos os que leem essas páginas. Meu mais profundo agradecimento, respeito e admiração por aqueles que compartilharam seu precioso tempo e o trabalho de suas vidas em nossas sessões de entrevista. Sou eternamente grato. Para Ray Dalio, Jack Bogle, Steve Forbes, Alan Greenspan, Mary Callahan Erdoes, John Paulson, Harry Markowitz e Howard Marks: sua sabedoria é incomparável, me sinto verdadeiramente inspirado pela sua maestria, e tenho o privilégio de aprender com cada um de vocês. Obrigado.

Mais agradecimentos a T. Boone Pickens, Kyle Bass, Charles Schwab, Sir John Templeton, Carl Icahn, Robert Schiller, Dan Ariely, Burton Malkiel, Alicia Munnell, Teresa Ghilarducci, Jeffrey Brown, David Babbel, Larry Summers, David Swensen, Marc Faber, Warren Buffett e George W. Bush. Obrigado a todos aqueles que concederam entrevistas ou que doaram seu tempo em meus eventos Dominando a Riqueza, da Platinum Partnership, e àqueles que compartilharam suas percepções ao longo dos anos, servindo como exemplo do que é possível — todos vocês me inspiram e suas percepções repercutem nestas páginas de muitas formas.

Obrigado novamente a todos os meus parceiros na Simon & Schuster, especialmente Jonathan Karp e Ben Loehnen. Para William Green, por sua inteligência e humor britânico, e, acima de tudo, por se juntar a nós neste projeto e por cuidar com tanta dedicação de todas as palavras e travessões finais. Obrigado também a Cindy DiTiberio pelo comprometimento com este manuscrito.

Logicamente, a missão de *Inabalável* não é servir apenas àqueles que vão ler o livro. Por isso, meus mais profundos agradecimentos a todos da Anthony Robbins Foundation e aos nossos parceiros estratégicos, especialmente Dan Nesbit, da Feeding America, por nos ajudar a coordenar essa abordagem inédita de fornecer comida aos nossos vizinhos que passam fome. À distribuição de minha doação inicial de cem milhões de refeições e aos esforços de todos aqueles que trabalham incansavelmente para garantir fundos complementares que permitirão a oferta de bilhões de refeições nos próximos 8 anos.

À graça que orientou todo esse processo e a todos aqueles amigos e professores ao longo de minha vida — são muitos nomes para mencionar, alguns famosos e alguns desconhecidos, cujas percepções, estratégias, exemplos, amor e carinho foram as bases nas quais eu tive a honra de me apoiar. Hoje, agradeço a todos, e prossigo em minha busca incessante de, dia após dia, ser uma bênção na vida de todos aqueles que tenho o privilégio de conhecer, amar e servir.

EMPRESAS DE TONY ROBBINS

Tony Robbins é empreendedor global, investidor, autor número um da lista do *New York Times*, filantropo, proprietário de uma equipe esportiva e o maior estrategista da vida e de negócios do mundo.

LÍDER, INSTRUTOR E ESTRATEGISTA DA VIDA E DE NEGÓCIOS

Ao longo das últimas quatro décadas, mais de 50 milhões de pessoas de mais de 100 países apreciaram o entusiasmo, o humor e o poder transformador de seus livros e treinamentos em áudio e vídeo, e mais de 4 milhões de pessoas participaram de seus eventos presenciais.

Ele orientou líderes globais e presidentes de nações, incluindo Bill Clinton, Mikhail Gorbachev e a Princesa Diana. Ele ajudou a transformar as principais equipes esportivas, incluindo três equipes vencedoras do título da NBA, além de craques individuais como Serena Williams e Andre Agassi. Atores e artistas premiados, incluindo Leonardo DiCaprio, Hugh Jackman, Anthony Hopkins e Pitbull, também recorrem aos seus serviços de coach.

Ele treinou alguns dos empreendedores mais bem-sucedidos do mundo e empresários bilionários, incluindo Marc Benioff, diretor-executivo e fundador da Salesforce.com; Peter Guber, presidente e diretor-executivo do Mandalay Entertainment Group e proprietário do Golden State Warriors e do Los Angeles Dodgers; e Steve Wynn, milionário hoteleiro e magnata dos jogos, presidente e diretor-executivo da Wynn Resorts & Casinos.

EMPREENDEDORISMO E INVESTIMENTO

Robbins é fundador ou sócio em 31 empresas, 12 das quais ele administra ativamente, abrangendo sete setores diferentes, com receitas anuais combinadas de mais de US$ 5 bilhões. Suas empresas são tão diversificadas quanto um resort cinco estrelas em Fiji (Namale Resort and Spa) e uma empresa de realidade virtual que é parceira exclusiva da NBA e dos concertos Live Nation (NextVR). Também é sócio-proprietário de várias equipes esportivas, como o Los Angeles Football Club (LAFC) e o Team Liquid — a organização líder mundial no efervescente setor de eSports.

FILANTROPIA

Tony tem sido um filantropo extraordinário que nunca esqueceu suas raízes — especificamente, a época em que alguém oferecia um jantar de Ação de Graças para *sua* família em momentos de necessidade, quando tinha apenas 11 anos de idade. Ele forneceu 250 milhões de refeições para famílias carentes, e ao longo dos próximos 8 anos fornecerá um bilhão de refeições para os necessitados, através de sua parceria com a Feeding America.

Além da missão de alimentar os que passam fome, Robbins fornece água potável a 250 mil pessoas por dia na Índia, e sua meta é atingir um milhão de pessoas diariamente nos próximos 5 anos. Robbins também fechou uma parceria com Elon Musk e outros inovadores, responsabilizando-se por US$ 1 milhão dos US$ 15 milhões do XPrize para a educação. Ele também fez uma parceria com a Operation Underground Railroad para salvar mais de 200 crianças da escravidão sexual.

PRÊMIOS E DISTINÇÕES

- A revista *Worth* o colocou duas vezes em sua lista Power 100, dos líderes mais influentes em finanças globais.
- Ele foi homenageado pela Accenture como um dos "50 maiores intelectuais de negócios do mundo"; pela Harvard Business Publishing

como um dos "200 mais importantes gurus de negócios"; e pela American Express como um dos "seis maiores líderes empresariais do mundo" a oferecer treinamento para seus clientes empresariais.

- A capa da revista *Fortune* o chamou de "diretor-executivo encantador", por seu extraordinário trabalho como o "líder solicitado pelos líderes".

OUTRAS OBRAS DE TONY ROBBINS

LIVROS

Dinheiro: domine esse Jogo: 7 passos simples para a liberdade financeira
Desperte seu gigante interior
Poder sem limites

PROGRAMAS DE ÁUDIO

The Ultimate Edge: Todos nós queremos alcançar o que imaginamos ser uma vida extraordinária, mas a maioria das pessoas simplesmente não sabe como nem por onde começar. Muitas não possuem as estratégias, as ferramentas e a força interior para promover mudanças duradouras, e podem até estar cultivando crenças limitantes e obstáculos que as impeçam de avançar. O Ultimate Edge pode ajudá-lo a descobrir sua força interior para romper barreiras e criar resultados substanciais. Nesse poderoso programa de áudio dividido em 3 partes, Tony Robbins o instrui pessoalmente a se conectar com aquilo que você mais deseja, e a começar a alcançá-lo. A vida e a carreira de Tony têm sido pautadas pela obsessão por criar mudanças e influenciar ações significativas na vida das pessoas. O programa está disponível na App Store e no Google Marketplace.

DOCUMENTÁRIO

Confira o documentário da Netflix *Tony Robbins: Eu não sou seu guru*.

Para mais informações sobre o autor, visite www.tonyrobbins.com [em inglês].

APÊNDICE

Seus checklists para o sucesso: Fortalecendo seu reino — como proteger seus ativos, construir seu legado e garantir-se contra o desconhecido

A invencibilidade está na defesa.

— SUN TZU, *A arte da guerra*

Parabéns por fazer esta jornada conosco. Espero que você se sinta mais preparado, informado e totalmente equipado para alcançar a liberdade financeira depois de ler estas páginas. Como já é de seu conhecimento, *Inabalável* não é apenas o título do livro — é um estilo de vida que pode permear todos os aspectos da sua vida. No fim das contas, significa liberdade e serenidade.

Entretanto, a verdade é que nenhum de nós tem controle absoluto sobre o futuro. Há uma variedade de incógnitas que podem surgir, impedindo-o de aproveitar a riqueza que você tanto trabalhou para construir.

- E se você não puder mais trabalhar devido a uma doença ou invalidez inesperadas?
- E se você for surpreendido com um processo judicial, colocando em risco todo o seu dinheiro arduamente ganho?
- O que vai acontecer com o seu dinheiro se você for confrontado com a dura realidade do divórcio?
- O que vai acontecer com o seu patrimônio e a sua herança quando você, inevitavelmente, morrer?

Lembra-se de quando afirmamos que os perdedores reagem e os líderes se antecipam? A antecipação pode ser o poder supremo. E estas páginas finais têm tudo a ver com a antecipação — tanto as coisas que você *sabe* que vão acontecer quanto as que você reza para que não aconteçam. Eu sei, eu sei, não é divertido perder tempo se planejando para acontecimentos improváveis, ou a própria e futura morte. No entanto, você vai sentir um grande alívio e serenidade ao colocar mãos à obra e blindar seu patrimônio. Não há nada melhor que o sentimento inabalável de saber que você e aqueles que ama nunca terão de se preocupar com quaisquer acontecimentos externos que possam perturbar a qualidade de suas vidas.

Lembra-se do mantra de Ray Dalio, de que devemos esperar por surpresas? Esta seção permite que você faça exatamente isso. Pelas mesmas razões que você diversifica seu portfólio, os itens deste checklist permitem que você se prepare para todas aquelas incógnitas que podem estar esperando na próxima esquina. Além disso, você vai descobrir novas maneiras de economizar impostos!

Pense na *verdadeira* gestão do patrimônio como se fosse a construção de seu reino financeiro pessoal. Seu portfólio está no centro, mas você deve fortalecer todas as áreas localizadas dentro e ao redor do reino, de modo a proteger seu tesouro de ser destruído ou dilapidado por impostos desnecessários, ações judiciais dispendiosas ou intervenções do governo. Após a sua morte, você deseja que seus herdeiros recebam *exatamente* o que você planejou, ou, então, quer ter deixado um legado impactante e filantrópico para as causas que escolheu.

Esta seção vai ser tão breve quanto possível. Nem chega a ser um capítulo. Ela foi projetada para servir como um guia ou checklist. Na verdade, existem quatro checklists distintos para você utilizar com seu advogado e consultor financeiro: uma para a saúde, uma para o patrimônio, uma para os seguros e outra para as doações beneficentes.

> Amados / Estamos reunidos aqui hoje para passar
> por essa coisa chamada vida.
>
> — Prince, "Let's Go Crazy"

Em 2016, milhões de fãs de todo o mundo lamentaram a perda inesperada do ícone conhecido como Prince — um de meus artistas favoritos. De acordo com o *New York Times*, Prince morreu aos 57 anos, sem deixar testamento. Ele não delineara nenhum planejamento de espólio nem havia tomado quaisquer medidas necessárias para proteger seu patrimônio, estimado em US$ 300 milhões. Agora, em vez de seus bens irem para sua família, vão ficar retidos no tribunal por anos, e ao governo vão estar garantidos mais de US$ 120 milhões, ou 40% de seu patrimônio — tudo porque ele errou ao não elaborar um planejamento.

Talvez o roxo não seja sua cor favorita, e talvez você não consiga ganhar sete Grammys, mas a lição é óbvia. Se erramos por não planejar, estamos nos planejando para errar.

Agora, para orientá-lo nesses checklists e garantir que você possa evitar os erros que prejudicaram tantas pessoas no passado, vou passar a palavra para meu parceiro, Peter Mallouk, porque, como você já deve saber, segundo a *Barron's* e a CNBC, ele é um dos principais consultores financeiros do país — e, antes de tudo, um advogado especialista em planejamento de espólio! Nas páginas a seguir, ele lhe fornece, gratuitamente (!), a mesma orientação que costuma dar aos seus próprios clientes. Portanto, não perca essa oportunidade. Depois, leve este livro para a reunião com seus consultores e coloque seu mundo financeiro em ordem.

TRANSFERINDO E PROTEGENDO SEU PATRIMÔNIO COM PETER MALLOUK

Espere! Antes de você colocar este livro de lado usando uma das muitas desculpas que já ouvi antes, eu gostaria de rebatê-las diretamente:

"Na verdade, não tenho tanto dinheiro assim, então não é importante fazer um testamento"

Se não é importante, por que você trabalha? Por que você investe? Por que você guarda dinheiro? Claro que é importante, e você provavelmente adia esse assunto porque ele lhe parece inconveniente. Você pode fazer um testamento de forma rápida e barata, e sua família merece estar protegida, não é?

"Sou jovem, e isso é irrelevante para mim"

Isso vai ser relevante se você tiver pessoas com que se preocupa — mãe, pai, avô, tia ou tio —, e que não tiveram oportunidade de proteger a si mesmas e às suas famílias.

"Tenho vários ativos, então isso vai ser uma chatice"

Se você acha que vai ser uma chatice organizar seu planejamento de espólio agora, imagine o que poderá acontecer com seus entes queridos se você se tornar inválido ou morrer. Lamento ser franco, mas preciso chamar sua atenção aqui. Se você tiver ativos significativos, deve começar seu planejamento de espólio imediatamente! Não há tempo a perder. Nenhum de nós sabe quanto tempo nos resta. Desconsiderar isso pode trazer consequências catastróficas.

"Minha situação pessoal é complicada"

Se você acha que sua situação é complicada e vai envolver decisões difíceis (por exemplo, filhos de vários casamentos, cinco ex-cônjuges e assim por diante), imagine se seu espólio tiver de passar por uma legitimação sucessória. O tribunal de sucessões, com toda a eficiência e eficácia de um programa gerido pelo estado, vai tomar todas aquelas decisões difíceis por você, sem o benefício de sua contribuição. (Espero que você tenha entendido meu sarcasmo.)

"Nem sei o que é legitimação sucessória. E por que eu devo me importar? Vou estar morto!"

Legitimação sucessória é o processo que um tribunal usa para estabelecer a validade de um testamento (se houver um) e reconhecer o executor testamentário. Se não houver testamento, o tribunal vai nomear um *administrador* de sua escolha para lidar com os assuntos referentes à legitimação sucessória.

Mais vale um diabo conhecido...

Ora, vamos admitir, simplesmente, que as desvantagens de evitar o inevitável sejam mais dispendiosas que o incômodo único de marcar uma reunião com seu consultor financeiro ou advogado. Nos quatro checklists seguintes, vamos abordar a criação de medidas para protegê-lo se você adoecer; vamos discutir seu planejamento de espólio ou testamento; vamos falar sobre maneiras de proteger seus recursos enquanto você estiver vivo; e, então, finalmente, vamos discorrer sobre a criação de um legado de generosidade.

Essas listas são projetadas para serem usadas com o consultor de sua preferência. Se você não tiver um consultor financeiro, um especialista em impostos, um especialista em seguros e um advogado ao seu lado, ou se simplesmente gostaria de ouvir uma segunda opinião, saiba que, na Creative Planning, nós lidamos com todas essas áreas como parte de nossos serviços de escritório familiar. Se tiver dúvidas ou desejar orientação, não hesite em falar conosco em www.getasecondopinion.com [em inglês].

Checklist 1: Eu tenho a força

> Se eu ficar incapacitado, realmente não vou me importar com quem vai tomar decisões relativas aos meus cuidados de saúde, nem com quem vai lidar com meus assuntos financeiros. Se eu tivesse de fazer uma escolha, o governo seria a melhor opção para fazer tudo isso por mim.
>
> — Ninguém nunca disse isso

Eu tinha uma cliente de 53 anos que, apesar de parecer gozar de perfeita saúde, de repente entrou em estado vegetativo. Quando sua família a levou ao hospital, rapidamente se constatou que ela estava com um tumor cerebral. Ela não deixou nenhuma procuração e, portanto, seu marido não conseguiu acessar nenhuma de suas contas nem ativar seus seguros por invalidez. Ela morreu pouco tempo depois, sem nunca recuperar a consciência, e a família logo descobriu que ela não havia preparado um testamento, o que fez seu espólio entrar em legitimação sucessória.

Os três itens deste checklist poderiam ter sido atendidos com algumas decisões simples. Não é uma coisa complexa. Qualquer advogado qualificado pode lidar rapidamente com esses fundamentos essenciais, e esses documentos teriam protegido a família de minha cliente. Eis aqui o que você *deve* fazer, minimamente, para proteger a si mesmo e aos seus entes queridos.

Procuração permanente para cuidados de saúde (Procuração para cuidados de saúde)

Se você ou seu cônjuge ficarem subitamente incapacitados e não conseguirem tomar decisões por conta própria, quem vai tomar as decisões médicas sobre seus cuidados? Você deveria pensar nisso agora, enquanto você tem, sim, a força. Se o seu cônjuge estiver vivo, ele pode ser sua primeira opção. Certifique-se de levar em consideração de que forma a pessoa que você escolher vai estar implicada. (Por exemplo, se você tiver um valor considerável de seguro de vida a receber, talvez considere mais prudente atribuir poderes a alguém que não esteja interessado em desligar os aparelhos!) Tudo bem, estou brincando, mas, brincadeiras à parte, você precisa de alguém em quem você confie intrinsicamente, alguém que possa tomar uma série de decisões, seja para remover o suporte vital, conforme mencionado, seja para mudar a equipe médica, ou para removê-lo para outra instituição de cuidados de saúde. Tais decisões, literalmente, têm consequências de vida ou de morte. Tome uma decisão sábia e deixe tudo por escrito imediatamente.

Procuração permanente para finanças

Talvez você confie em seus familiares para suas decisões de cuidados de saúde, mas fique sabendo que administrar dinheiro pode ser um problema para eles. Assim como você pode precisar de alguém para lidar com as decisões de cuidados de saúde, vai precisar de alguém de confiança capaz de lidar com seus assuntos financeiros. Isso pode envolver o pagamento de contas corriqueiras, como sua hipoteca, a assinatura de documentos jurídicos e, até mesmo, representá-lo na interação com outras entidades (como a companhia de telefone, ou o provedor de seu seguro-saúde).

Se você vier a se tornar incapacitado sem ter providenciado esse documento, seu cônjuge, parentes ou amigos poderão ser obrigados a se apresentar diante de um juiz a fim de obter autorização para lidar com seus assuntos financeiros*.

---

* Se você não tiver ninguém assim em sua vida, muitos bancos dispõem de agentes fiduciários que podem cuidar desses assuntos, por uma pequena taxa.

Ninguém deseja enfrentar esses percalços em meio a uma situação que, por si só, já é difícil. Cuide disso agora, para saber que vai estar em boas mãos, e para que os membros de sua família sejam poupados do estresse em momentos suficientemente penosos.

Um testamento em vida (também conhecido como declaração de vontade, diretiva aos médicos ou diretiva aos cuidados de saúde)

Se não estiver disposto a entregar o poder de decisão sobre sua saúde a qualquer pessoa, você pode redigir um testamento em vida, informando aos médicos quais os procedimentos que gostaria que fossem adotados ou evitados caso você não consiga comunicar tais desejos por conta própria. Mais uma vez, isso vai aliviar o estresse de seus entes queridos, pois seus desejos vão estar claramente definidos por escrito.

Checklist 2: Planejamento de espólio

> As melhores coisas na vida são de graça / Mas você pode guardá-las para os pássaros e as abelhas / Agora me dê dinheiro (é o que eu quero).
>
> — Barrett Strong, "Money (That's What I Want)"

Quando as pessoas pensam em planejamento de espólio, de modo geral quase todo mundo imagina, meramente, fazer uma minuta de testamento. Mas o planejamento de espólio é muito mais do que apenas dizer quem vai ficar com o quê quando você morrer. Há uma série de coisas diferentes que você pode fazer *hoje* para ajudar a diminuir seus rendimentos tributáveis e aumentar sua eficiência tributária. Eis aqui os quatro fundamentos básicos.

Preparando um testamento. Redigir um testamento é o primeiro passo em qualquer planejamento de espólio, e há quatro decisões principais que você precisa tomar.

- Quem são os beneficiários? Em outras palavras, quem fica com o quê?
- Quem vai ser o tutor de seus filhos caso algum deles seja menor de 18 anos no momento de sua morte? Se isso não estiver enunciado em um testamento, os tribunais vão determinar quem vai criar seus

filhos. Vou repetir. Os *tribunais* vão decidir quem vai criar os *seus* filhos! Você ainda está prestando atenção?*

- Quem vai ser o executor testamentário? Essa é a pessoa encarregada de garantir que o que você solicita em seu testamento realmente aconteça, e de lidar com a legitimação sucessória caso seu espólio tenha de passar por esse processo. (Veja, na próxima parte, por que todos deveriam evitar a legitimação sucessória, independentemente da quantidade de dinheiro que se tenha.)
- Você quer que seus ativos sejam distribuídos diretamente aos destinatários ou a fundos configurados em seus nomes (um *fideicomisso testamentário*)? Digamos, por exemplo, que um casal tenha US$ 400.000 em ativos, que vão ser divididos igualmente entre seus dois filhos, atualmente com 19 e 20 anos, após a morte de ambos. Se os pais morrerem hoje, cada um dos filhos vai receber um cheque de US$ 200.000, sem quaisquer restrições. O que você teria feito com US$ 200.000 aos 19 ou 20 anos?** Em vez de fazer isso, os pais poderiam incluir uma cláusula em seu testamento para a criação de um fideicomisso testamentário, que permitiria que seus filhos recebessem o principal e uma receita adicional para gastos de saúde e educação até completarem 30 anos, momento em que o saldo do fundo lhes seria entregue***. O testamento também indicaria um *tutor testamentário*, uma pessoa ou empresa de sua escolha para guardar o dinheiro, investi-lo e distribuí-lo de acordo com os termos de seu fideicomisso testamentário.

---

* Em algumas ocasiões, as pessoas que o tribunal eventualmente escolhe (seus pais ou irmãos) não são, necessariamente, aquelas que *você* escolheria para serem tutoras de seus filhos. Este é um momento importante. Pense em quem dentre seus familiares, ou, até mesmo, dentre seus amigos íntimos, você confiaria para criar seus filhos da maneira que gostaria que eles fossem criados. O que asseguraria aos seus filhos maior serenidade após essa tragédia? Converse sobre isso com seu cônjuge, determinem quem vocês gostariam de escolher e depois tenham uma conversa definitiva com quem vocês escolheram, pedindo-lhes que aceitem ser nomeados como tutores.

** Se você estiver atualmente com 19 ou 20 anos e receber US$ 200.000, posso sugerir que releia o capítulo sobre investimentos deste livro?

*** Estou convencido de que os 30 anos são os novos 21.

O QUE É LEGITIMAÇÃO SUCESSÓRIA? E POR QUE VOCÊ DEVERIA EVITÁ-LA A TODO CUSTO

O ponto principal da legitimação sucessória é dar tempo aos seus credores para que eles sejam restituídos do dinheiro que você lhes deve, e dar tempo ao seu executor testamentário para que ele cobre o dinheiro que as pessoas lhe devem. A legitimação sucessória envolve o pagamento de impostos e dívidas, e a distribuição do valor residual também precisa ser feita sob supervisão judicial. *Quais são as outras desvantagens da legitimação sucessória?*

- **Controle dos ativos.** Durante o processo de legitimação sucessória, seus beneficiários não podem vender seus ativos; o executor testamentário só está autorizado a vender ativos com a permissão do tribunal.
- **Tempo.** O processo de legitimação sucessória leva cerca de 6 meses no mínimo, mas, de forma geral, dura pelo menos um ano. Pode demorar ainda mais, se as questões se complicarem devido a uma contestação do testamento (em que a validade do testamento é colocada em xeque), problemas comerciais ou qualquer outra coisa fora do comum*.
- **Despesas.** É possível que os custos da legitimação sucessória se ampliem para dezenas de milhares de dólares, ou, até mesmo, *centenas* de milhares de dólares em alguns estados.
- **Privacidade.** A legitimação sucessória é um tema de domínio público, o que significa que qualquer pessoa pode ter acesso a seus assuntos financeiros pessoais. Para muitas pessoas, a ideia de que suas informações mais íntimas vão estar expostas é bastante perturbadora. Você pode achar que ninguém vai estar interessado em seus assuntos pessoais; no entanto, alguns indivíduos realmente "navegam" pelos registros de legitimações sucessórias procurando pessoas que vão herdar somas substanciais de dinheiro para encontrar maneiras de se aproveitar dessa situação.

* O processo pode variar muito dependendo do estado em que você reside.

Fideicomissos

Uma palavra rápida sobre os fideicomissos: muitas vezes, as pessoas assumem que os fideicomissos são apenas para os Rockefeller e o 1% mais rico da população, ou algo que você cria para seus filhos caso venha a morrer enquanto eles ainda são jovens. Mas eu acredito que os fideicomissos deveriam ser uma peça central do planejamento de espólio, inclusive para pessoas com uma quantidade mais modesta de ativos. *Sua configuração não precisa ser cara nem complexa!*

Uma responsabilidade importante que todos nós temos é assegurar que, independentemente do patrimônio que construirmos, por maior ou menor que seja, nossas famílias se beneficiem disso sem ficarem prisioneiras de um processo jurídico que faça escoar aquilo que pretendemos deixar para nossos herdeiros. Os fideicomissos são uma ferramenta importante para conseguir exatamente isso. Continue lendo para descobrir como usá-los em seu benefício. Mas, primeiro, um pouco sobre planejamento tributário.

Planejamento do imposto sucessório. Conforme discutimos no Capítulo 6 quando falamos sobre os Quatro Princípios Básicos, o importante não é, necessariamente, quanto dinheiro você ganha, mas quanto você guarda. A eficiência tributária é o segredo para sua liberdade financeira enquanto você está vivo, mas também é preciso considerar em quais impostos você vai incorrer após sua morte.

Para a maioria das pessoas, os impostos sucessórios não são e nunca vão ser uma preocupação. Por quê? A Receita Federal nos Estados Unidos permite que você doe até US$ 5,45 milhões ao longo da vida ou após a morte sem ter de pagar nenhum imposto; a isso se dá o nome de isenção vitalícia. Pense nisso como um cupom que só pode ser usado uma única vez*. Quem é casado combina com seu cônjuge os valores de isenção vitalícia de ambos, de modo que os impostos sucessórios vão ser devidos apenas se o patrimônio líquido combinado exceder os US$ 10,9 milhões.

Se você for um dos ricos com mais de US$ 5,45 milhões a serem delegados após sua morte, vai pagar um imposto sucessório de 40%. Nossa! Espero que você concorde comigo que vale a pena descobrir formas de

---

* Observação: as leis podem mudar, pois esse é um assunto político bastante espinhoso.

transferir uma parte de seu patrimônio agora, antes de sua morte, para que você possa diminuir o valor de seus bens tributáveis.

Mas como você pode fazer isso? A Receita Federal permite que você doe US$ 14.000 por ano para quem você escolher, um valor que não é dedutível daquele limite de isenção vitalícia; a isso se dá o nome de *exclusão anual*. Qualquer quantia acima de US$ 14.000 é tributada com a taxa de doação de 40%. Isso significa que você poderia doar US$ 14.000 por pessoa para todos os seus amigos e familiares todos os anos, e, além disso, doar US$ 5,45 milhões quando morrer, não pagando nenhuma taxa de doação nem imposto sucessório em qualquer um desses casos. Isso pode resultar em uma soma significativa (dependendo de quantos amigos você realmente tenha!).

Abaixo, seguem algumas estratégias para transferir seu patrimônio sem ter de entregar uma grande fatia ao governo:

- **Ajude a pagar as despesas do ensino superior de seus filhos ou netos (e obtenha, também, um benefício fiscal!).** A maioria das pessoas não se dá conta de que é possível usar parte de sua doação anual de US$ 14.000 para financiar um plano de poupança 529 para custear a educação superior de seus filhos ou netos. Talvez você até consiga uma dedução no imposto de renda estadual por conta da doação. Se o aluno já estiver cursando a faculdade, os pagamentos de matrícula podem ser feitos *diretamente* à instituição de ensino.
- **Em vez de esperar para transferir seu patrimônio após sua morte, você pode doar diretamente US$ 14.000 por ano, isentos de impostos, para cada membro de sua família.** Digamos que você tenha filhos crescidos que já estejam casados. Você e seu cônjuge podem, individualmente, doar US$ 14.000 por ano ao seu filho, perfazendo um total de US$ 28.000 por ano. Você também pode doar US$ 14.000 por ano ao seu genro ou à sua nora, somando mais US$ 28.000. Isso significa que um casal legalmente casado pode doar a outro casal legalmente casado cerca de US$ 56 mil por ano, sem consequências quanto às *taxas de doação* e sem reduzir sua isenção vitalícia! Os destinatários recebem o benefício hoje, e você se felicita por poder compartilhar com seus filhos enquanto ainda está vivo.
- **Pague despesas médicas.** Você pode pagar as despesas médicas de amigos ou familiares sem precisar descontá-las de seu limite anual

de doações, desde que os pagamentos sejam feitos *diretamente* ao prestador de cuidados de saúde. Mas o que isso quer dizer? Se seu neto precisar fazer uma cirurgia de retirada de apêndice (ao custo de US$ 20.000), você pode cobrir esses custos e ainda dar a esse neto US$ 14.000 adicionais no mesmo ano, sem pagar a taxa de doação de 40%.

- **Faça doações beneficentes.** Qualquer dinheiro que você doar para organizações beneficentes também não vai entrar no cálculo do imposto sucessório. Por que pagar ao governo quando você pode doar essa quantia? Isso é o que as pessoas mais ricas do mundo têm feito, incluindo Bill Gates e Warren Buffett. Abordaremos o assunto com mais profundidade no checklist 4.

Fideicomisso inter vivos **revogável.** Quando você começar a acumular patrimônio, não espere, por favor, para configurar um fideicomisso *inter vivos*. Todos precisam ter um. Por quê? *Porque manter todos os ativos em um único fideicomisso evita os complexos procedimentos de legitimação sucessória geridos pelo estado.*

Um fideicomisso *inter vivos* revogável é uma figura jurídica simples para guardar ativos (a parte do *fideicomisso*). Pelo fato de esse fideicomisso ser implementado durante sua vida, trata-se de um fundo *inter vivos*. E, pelo fato de o fideicomisso ser redigido de forma a permitir que você rescinda o acordo a qualquer momento, ele é *revogável*. Então, embora o nome pareça confuso, o fideicomisso *inter vivos* revogável significa apenas "uma figura jurídica para guardar seus ativos, que você pode cancelar quando quiser, enquanto estiver vivo". Você vai ser nomeado *agente fiduciário* (ou a pessoa responsável pelos ativos), para que tome as decisões que desejar quanto aos ativos do fideicomisso. Se ficar incapacitado ou morrer, um *agente sucessório* indicado por você assume a administração do fideicomisso em seu lugar. E você vai passar longe da legitimação sucessória!

As ideias valem dez centavos, e a implementação é tudo.

— Jack Bogle

Proteja seus ativos com um fideicomisso irrevogável. Algumas das famílias mais ricas do mundo conhecem há séculos o que todo grande especialista em proteção de ativos lhe dirá: o segredo é não possuir nada e controlar tudo. Isso pode ser alcançado por meio de um *fideicomisso irrevogável*. Trata-se de uma entidade com personalidade jurídica própria, de modo que os ativos ali compreendidos não vão estar sujeitos ao imposto sucessório quando você morrer*. É isso mesmo: sua família vai manter aqueles 40%, em vez de vê-los confiscados pelo governo! Além disso, se o fideicomisso estiver adequadamente estabelecido, os ativos ali agrupados podem estar protegidos, *enquanto você estiver vivo*, de credores, divórcios, decisões judiciais e outros riscos — daí o seu outro nome: *blindagem patrimonial***. Então, quais são as melhores maneiras de usar um fundo irrevogável em seu benefício?***

- **Fazendo doações anuais.** Como você aprendeu algumas páginas atrás, é possível fazer uma doação anual de US$ 14.000 por pessoa a cada ano, sem a incidência de impostos. Em vez de fazer suas doações anuais diretamente aos seus beneficiários, talvez faça mais sentido colocar esse dinheiro em um fideicomisso irrevogável, e transformar aquela pessoa em beneficiária. Isso é particularmente eficaz caso se trate de um beneficiário jovem, com dificuldade de lidar com dinheiro, ou se existirem circunstâncias especiais que o levem a querer estabelecer alguns padrões que a pessoa precisaria alcançar antes de obter acesso aos fundos, como seriedade, assiduidade na faculdade ou permanência em um emprego em tempo integral.

---

* Desde que você tenha configurado e financiado o fideicomisso por mais de três anos antes de sua morte.

** Mas qual é a desvantagem? Bem, como o nome sugere, ele é irrevogável. Uma vez estabelecido e financiado, o fideicomisso está tecnicamente fora de seu controle. Na verdade, você vai indicar um agente fiduciário para tomar todas as decisões relativas à gestão e à distribuição dos fundos. Porém, você também pode destituir o agente fiduciário, caso seja necessário. Além disso, você pode contratar uma sociedade fiduciária profissional e segurada para fazer isso por você.

*** Os fideicomissos irrevogáveis também podem ser usados como parte de outras estratégias de planejamento mais sofisticadas — como planejamento avançado de proteção patrimonial, apoio a familiares com necessidades especiais, planejamento para o Medicaid, planejamento de doações beneficentes, planejamento para arrendamento de negócios e muito mais.

- **Possuindo um seguro de vida.** Abrigar seguros de vida sob fideicomissos irrevogáveis se tornou tão comum que esse tipo de fundo adquiriu seu próprio acrônimo: ILIT, que significa *fideicomisso irrevogável de seguro de vida.* A maioria das pessoas sabe que os recursos de uma apólice de seguro de vida não estão sujeitos ao imposto de renda; no entanto, o que pouquíssimas pessoas sabem é que os recursos estão sujeitos ao imposto *sucessório* (aqueles irritantes 40%). Porém, se a apólice estiver abrigada dentro de um fideicomisso irrevogável, você vai conseguir evitar tanto o imposto de renda quanto o imposto sucessório! Um duplo golpe. Veja como funciona: você utiliza as doações anuais de US$ 14.000 (US$ 14.000 por filho, por neto, se quiser contribuir mais) para financiar um seguro de vida dentro de um fideicomisso irrevogável, o que permite que seus filhos ou netos recebam o prêmio do seguro de vida completamente isento de impostos!

- **Indivíduos com elevado patrimônio financeiro devem usar sua isenção vitalícia hoje.** Doar uma parcela ou todo o seu limite de US$ 5,45 milhões hoje (ou US$ 10,9 milhões, se você for casado) pode ser uma ótima estratégia, especialmente se a doação for efetuada a um familiar por meio de um fideicomisso irrevogável destinado à proteção (proteção patrimonial e tributária). Por que alguém iria querer doar isso tudo hoje? Digamos que você tenha alguns ativos avaliados atualmente em US$ 5 milhões, e sua expectativa é que esse valor aumente consideravelmente ao longo da vida: por exemplo, ações de uma empresa ou um terreno não urbanizado. Ao ceder os ativos ao fideicomisso hoje, você não paga nenhum imposto sobre a transferência, uma vez que ela está dentro de seu limite máximo de isenção vitalícia. *Quando você morrer, espero que, décadas mais tarde, os ativos poderão ter se valorizado enormemente até aquela altura.* Se o terreno original de US$ 5 milhões valer agora US$ 20 milhões, esses US$ 20 milhões passam integralmente para os beneficiários do fundo, sem a incidência de impostos.

Checklist 3: Seguros

Todo mundo tem um plano até levar um soco na boca.

— Mike Tyson

Muitos dos cenários capazes de derrubá-lo financeiramente podem ser cobertos por seguros. É isso mesmo: da mesma forma que você faz um seguro do carro para não ficar refém de uma conta milionária na eventualidade de um acidente automobilístico, que nada mais é do que isso (um acidente), ou da mesma forma que você paga um seguro-saúde se alguma tragédia acontecer com sua saúde e você não quiser que as contas do hospital o levem à falência, existem outros tipos de seguros que podem ser uma ferramenta fantástica, desde que utilizados corretamente. Sim, eu sei: ninguém gosta de seguro até precisar dele. Mas você pode fazer tudo da maneira correta — contratar um fiduciário, reduzir taxas e impostos, construir um portfólio incrível — e, em um piscar de olhos, seus esforços vão ser varridos do mapa se você não estiver preparado para uma perda catastrófica.

Então, vamos nos proteger, não é?

O medo da morte é consequência do medo da vida.
Um homem que vive intensamente está preparado
para morrer a qualquer momento.

— Mark Twain

Seguro de vida. Se você tiver um seguro para seu telefone celular, mas não para sua vida, precisamos conversar. Não estou brincando. O seguro de vida é um aspecto crucial para a proteção de seu patrimônio e de sua família. Já vi situações devastadoras, em que pessoas com recursos substanciais não haviam feito seguro de vida (ou tinham feito em valor insuficiente), e os familiares ficaram rapidamente sem dinheiro quando a renda desapareceu e as despesas se acumularam. Então, mesmo que você tenha um seguro de vida, vamos dar uma olhada nos diferentes tipos e ter certeza de que você possui a apólice mais adequada para seu caso.

- **Seguro temporário.** *O seguro temporário* é o tipo mais adequado de seguro de vida para quase todos os norte-americanos; no entanto, o seguro temporário não é normalmente recomendado pelos agentes de seguros, porque essa venda resulta em uma comissão inferior*. Com uma apólice de seguro temporário, você está fazendo um seguro de sua vida por um período de tempo específico (normalmente 10, 15, 20 ou 30 anos). No fim do prazo, a apólice vence, e você não tem mais a cobertura. Muitos agentes de seguros vão usar isso como motivo para convencê-lo a não adquirir um seguro temporário: porque talvez você nunca obtenha um retorno sobre seu investimento. Considero esse argumento bastante ingênuo. É como argumentar que eu deveria me sentir desapontado por ter um seguro residencial e minha casa não ter sido consumida pelo fogo! Mas o seguro temporário pode ser útil se você quiser proteger sua família caso lhe aconteça alguma coisa antes que você tenha garantido a liberdade financeira. A duração da cobertura dependerá de sua distância em relação às metas financeiras estabelecidas. Um agente de seguros ou seu consultor financeiro poderão ajudá-lo a determinar esses números.
- **Seguro permanente.** Como o nome indica, você mantém esse tipo de seguro por toda a sua vida; portanto, ele é muito mais caro, pois a companhia de seguros espera pagar um benefício de morte em algum momento no futuro. Quando é ideal adquirir um seguro permanente? Conforme discutimos na seção anterior, você pode utilizar o seguro de vida permanente como parte de seu planejamento de espólio, tanto para maximizar sua herança quanto para minimizar seus impostos, criando um fideicomisso irrevogável de seguro de vida. Você também pode adquirir um *seguro de vida com cobertura de sobrevivência* (também conhecido como apólice do segundo a morrer). Trata-se de uma apólice única que cobre as vidas de dois cônjuges ou companheiros. A apólice é paga apenas após a morte dos *dois* indivíduos segurados. Pelo fato de duas vidas

---

* Lembra-se do nosso capítulo sobre os corretores? Eu poderia escrever um livro inteiro sobre as formas pelas quais o setor de seguros tenta levar vantagem. Mas estou me desviando do assunto...

estarem seguradas, o benefício de morte é maior do que a provável apólice de um único indivíduo*. E lembre-se: se mantidos em um fideicomisso irrevogável, os recursos vão estar isentos do imposto de renda e do imposto sucessório!

- **Seguro de vida variável.** Esse é um tipo de seguro de vida permanente, exceto pelo fato de que o valor monetário é reinvestido em várias "subcontas" semelhantes a fundos mútuos. Cuidado com isso! Esses veículos de quase "investimento" estão abarrotados de taxas, elevadas comissões e fundos ativamente gerenciados. Eles também têm altas taxas de desistência, caso você decida sair. A única exceção é uma ferramenta para os ultrarricos, conhecida como seguro de vida de colocação privada (PPLI, na sigla em inglês, ou às vezes chamada de o Roth dos ricos), em que não há nenhum pagamento de comissão, nenhuma taxa de desistência e poucas limitações aos investimentos ali compreendidos. Provavelmente você nunca ouviu falar desse seguro porque os agentes de seguros de vida não ganham nenhum tostão com essa venda (e, sendo assim, normalmente ele é estruturado por advogados sofisticados). Dito isso, o seguro de vida de colocação privada geralmente exige um depósito de US$ 1 milhão ou mais; por isso, trata-se, realmente, de uma ferramenta para aqueles que possuem ativos significativos**.

QUAL O MONTANTE DE SEGURO DE VIDA REALMENTE NECESSÁRIO?

Determinar qual o montante necessário de seguro de vida deveria ser parte integrante da criação de seu planejamento financeiro, e é algo a ser feito com o auxílio de seu consultor financeiro. Existem muitas metodologias populares usadas para estimar qual o montante de seguro de vida ideal para atender às necessidades de uma pessoa. A maioria

* Esse tipo de apólice poderia ser adquirido por um casal interessado em financiar os prêmios da apólice, maximizando o valor da doação anual isenta de impostos. Nesses prêmios, normalmente se adquire o máximo de benefício de morte possível, a fim de maximizar os recursos.

** Tony discute os benefícios do PPLI na página 542 de *Dinheiro: domine esse jogo*.

delas não faz o menor sentido. Uma regra geral popular, por exemplo, é que você deve adquirir um seguro de vida equivalente a cinco vezes a sua renda. Mas, refletindo sobre isso, se você ganhar US$ 100.000 por ano e tiver US$ 5 milhões, provavelmente não vai precisar de seguro de vida; a família vai sobreviver muito bem. Se você acabou de se formar na faculdade de medicina com US$ 250.000 acumulados em dívidas, tiver comprado uma casa de US$ 700.000 e tiver três filhos pequenos, então cinco vezes sua renda provavelmente vai estar longe do suficiente. Obviamente, o melhor método para determinar de quanto você precisa é personalizar a solução para *sua* situação.

Você vai precisar reavaliar esse número à medida que for envelhecendo, que for atingindo determinadas metas ou que for estabelecendo novas. Por exemplo, quando seus filhos já estiverem formados ou sua hipoteca já estiver paga, você não vai precisar mais ter um seguro para cobrir essas responsabilidades, mas talvez seja necessário continuar economizando para a aposentadoria. Novamente, é aqui que seu consultor financeiro vale ouro.

Tempo e saúde são dois bens preciosos que não reconhecemos
nem apreciamos até que se esgotem.

— Denis Waitley, palestrante, escritor, consultor

Seguro por invalidez. Em sua opinião, qual é o seu maior bem? Muitas pessoas pensam em sua casa ou, possivelmente, em sua conta de aposentadoria. Para a maioria, porém, é sua capacidade de ganhar. Muitas vezes, as metas de segurança financeira e liberdade que você estabeleceu dependem de sua capacidade de continuar recebendo seus salários, de modo que você possa acumular dinheiro suficiente para formar um pecúlio substancial. A invalidez pode desestabilizar seriamente tudo o que você construiu.

Normalmente, os empregadores oferecem cobertura por invalidez de curto e longo prazo para seus funcionários. Por isso, é uma boa ideia verificar o que sua empresa oferece antes de se reunir com um especialista em seguros.

"Fizemos tudo o que pudemos fazer, Sr. Johnson.
Infelizmente, não há cura para um seguro ruim."

Quarenta por cento dos indivíduos com mais de 65 anos de idade irão para uma casa de repouso durante suas vidas.

— MORNINGSTAR

Seguro de cuidados de longo prazo: cobrindo os custos da vida assistida. Ninguém gosta de pensar em envelhecer. Compreendo. Mas, a menos que você seja Benjamin Button, você deve garantir que, se algum dia precisar de cuidados de longo prazo, possua a cobertura necessária. De acordo com o *New York Times*: "Cerca de 70% dos maiores de 65 anos vão exigir algum tipo de cuidados de longo prazo antes de morrer. Mas apenas cerca de 20% têm uma apólice de seguro de cuidados de longo prazo. Em função disso, milhões dos que acabam precisando de cuidados de longo prazo pagam esses serviços do próprio bolso."

Se você tiver a sorte de ter um portfólio multimilionário, um portfólio adequadamente estruturado subsidiaria o dinheiro necessário para cobrir suas necessidades. No entanto, o custo usual de uma casa de repouso varia em todo o país, de US$ 67.525 por ano em Des Moines, Iowa, até US$ 168.630 por ano na cidade de Nova York. Considerando que apenas 44% da população acima dos 50 anos tem mais de US$ 100.000 em ativos líquidos, não deveria surpreender que quase todas as pessoas que entram em uma casa de repouso acabem indo à falência dentro de alguns anos.

Como podemos evitar isso? Você precisa obter uma apólice de cuidados de longo prazo para você ou para aqueles que você ama muito antes de isso se fazer necessário. Você pode, por exemplo, adquirir uma apólice que cobrirá US$ 200 por dia, ou US$ 72.800 por ano, por até 3 anos, para uma pessoa de 65 anos por apenas US$ 5.000 por ano. Porém, se você esperar demais, o custo vai ser proibitivo, e a maioria das companhias de seguros não vai segurar pessoas com mais de 84 anos. Normalmente, os cuidados de longo prazo cobrem cuidados domiciliares, vida assistida, clínicas de consultas geriátricas, hospedarias, casas de repouso e instalações para pacientes com Alzheimer. Apólices de seguro como esta estão disponíveis para pessoas a partir dos 45 anos por apenas US$ 100 por mês.

Seguro residencial. Nossas casas são um dos nossos maiores bens, portanto faz sentido garantir que estejamos protegidos de certas coisas que fogem ao nosso controle, como incêndios, tornados, terremotos ou inundações. O seguro residencial o protege cobrindo os custos de danos causados à sua casa, dentro dos limites de sua apólice. (Isso é fundamental. Muitas vezes, não compreendemos inteiramente os limites e as condições dessas apólices e, de uma hora para outra, nos vemos sobrecarregados de contas que jamais esperávamos pagar.)

Como em todo seguro, seu primeiro passo deve ser determinar exatamente qual o montante de cobertura do qual você precisa. Isso pressupõe que você avalie o valor de *reposição* de sua casa, que pode ser diferente do preço de venda de sua casa. Sua *cobertura residencial* deveria corresponder ao custo de reconstrução de sua casa de alto a baixo, usando o mesmo material ou materiais similares. Em algumas áreas do país, o custo dos materiais continuou subindo, enquanto os valores dos imóveis permaneceram estáveis, por isso é importante entender quais são os custos de construção atuais e calcular adequadamente a cobertura residencial. No entanto, é importante observar que sua companhia de seguros cobrirá *integralmente* os danos causados à sua casa *apenas* se a cobertura residencial for de pelo menos 80% do valor de reposição de sua casa. O que isso significa? Digamos que você possua uma casa avaliada em US$ 500.000, e sua cobertura residencial seja de US$ 350.000. Se um de seus encanamentos de água estourar, causando danos de US$ 50.000, mesmo que sua cobertura residencial seja infinitamente superior aos US$ 50.000 relativos aos danos, a companhia de seguros vai lhe enviar um cheque de US$ 43.750 (menos quaisquer encargos dedutíveis), e não de US$ 50.000*.

Muitas pessoas se surpreendem ao descobrir que suas apólices não fornecem tanta cobertura quanto pensavam, em função de limites internos sobre a quantidade de dano coberta pela apólice ou de valores máximos de prêmios para artigos valiosos. Por esse motivo, muitas vezes faz mais sentido que indivíduos com casas de alto valor, propriedades alugadas ou outros bens valiosos ou únicos (iates, veículos de coleção etc.), trabalhem com seguradoras especiais, que vendem produtos concebidos para proteger esses tipos de ativos, a fim de que não se descubram pagando por um seguro que, em última instância, não os protegerá da maneira que supunham.

Seguro guarda-chuva. Se seu guarda-chuva não estiver segurado, talvez você seja obrigado a substituí-lo na eventualidade de um vendaval. (Desculpe, estou brincando. Escrever sobre seguros está me provocando delírios.) Uma *apólice guarda-chuva* é uma apólice de responsabilidade adicional, que lhe fornece cobertura acima e além dos limites de responsabilidade de suas apólices residencial e automotiva. *Efetivamente, trata-se de uma apólice de proteção patrimonial que abrange todos os tipos de coisas que podem acontecer a qualquer momento e por qualquer motivo, muitas vezes se revelando sob formas que não conseguimos imaginar.* Vivemos em uma sociedade cada vez mais litigiosa, e os pais daquela criança que mora na sua rua podem processá-lo se ela se machucar ao pular no seu trampolim. Podemos fazer tudo o que estiver ao nosso alcance para garantir nossa independência financeira, mas nada disso teria importância se perdêssemos uma grande ação judicial. Por esse motivo, faz todo o sentido que muitos de nós tenhamos uma apólice guarda-chuva. Quando adquirimos uma apólice guarda-chuva, também estamos adquirindo a capacidade de

* A companhia de seguros usa uma proporção da quantidade de cobertura que você, de fato, possui (neste exemplo, 70% do valor de reposição), em comparação com a quantidade de cobertura que você deveria ter (80% do valor de reposição de sua casa). US$ 350.000 / US$ 400.000 = 87,5%; portanto, eles cobrirão 87,5% da solicitação de US$ 50.000, ou US$ 43.750.

acessar a equipe de advogados que trabalha para a companhia de seguros, na esperança de que quaisquer problemas de responsabilidade que possam surgir sejam resolvidos por essa equipe.

Checklist 4: Deixando um legado

Há uma coisa em comum entre todos os gigantes entrevistados por Tony: eles não apenas gostam de ganhar dinheiro para si mesmos e suas famílias como também adoram doar esse dinheiro. Eles conhecem, por experiência própria, a alegria resultante do compartilhamento da riqueza com causas importantes, e que significam alguma coisa para eles. Lembre-se: uma das razões pelas quais Tony e eu escrevemos este livro é ajudar a alimentar um bilhão de pessoas!

No entanto, quando a maioria das pessoas pensa em doar, o que lhes vem à mente é assinar um cheque para sua instituição beneficente ou causa favoritas. *Nesta seção, porém, vou sugerir as melhores maneiras de compartilhar sua riqueza com essas causas, ao mesmo tempo que você aumenta sua eficiência tributária.* Veja algumas maneiras pelas quais você pode, *verdadeiramente*, maximizar seu impacto:

- **Doe os ativos corretos para fins beneficentes.** Muitas vezes, os indivíduos nomeiam seus filhos como beneficiários de sua IRA, ou conta de aposentadoria, e especificam a destinação de uma soma em dinheiro ou de outra propriedade para uma instituição beneficente. Nem sempre é a melhor solução. Por exemplo, se você deixar uma IRA tradicional avaliada em US$ 100.000 para seus filhos, e um terreno avaliado em US$ 100.000 para uma instituição beneficente, seus filhos terão de pagar impostos sobre as partilhas da IRA. Se, em vez disso, você deixar a IRA para uma instituição beneficente e o terreno para seus filhos, a instituição beneficente poderá resgatar a IRA sem nenhuma consequência fiscal, e seus filhos poderão vender a propriedade após sua morte, igualmente isentos de impostos.

  Eis aqui outro exemplo: digamos que a Sra. Donor possuía algumas ações da Microsoft compradas há anos. Se ela as vendesse, teria de pagar um imposto significativo sobre os ganhos de capital. No entanto, se as ações forem doadas, a doadora evita ter de pagar o imposto sobre os ganhos de capital, não precisa gastar dinheiro e ainda recebe a dedução fiscal por fazer a doação para uma instituição beneficente de sua escolha.

- **Trabalhe com um fundo de doações direcionadas.** Um fundo de doações direcionadas é uma instituição beneficente pública com duas funções principais. Primeiro, ela vai ajudar você a encontrar organizações que estão fazendo uma diferença significativa em áreas nas quais você tem interesse. Em segundo lugar, quando você doa para um fundo de doações direcionadas, ele coloca essas doações em uma conta separada, a ser mantida sob sua administração. É como se fosse sua própria instituição beneficente privada. Assim, se você fizer uma doação de US$ 25.000 para um fundo de doações direcionadas, primeiro vai obter uma dedução fiscal imediata. Então, em seu ritmo, você pode direcionar esses fundos para diferentes instituições beneficentes, conforme bem entender.
- **Crie uma fundação privada.** Para pessoas com elevado patrimônio financeiro, criar sua própria fundação privada pode ser uma ótima maneira de construir um legado beneficente multigeracional. Uma *fundação privada* é uma entidade beneficente independente, com uma equipe e diretores que gerenciam as operações da fundação e a distribuição de ativos para dar suporte à sua missão. Embora existam inúmeras regras e regulamentos sobre o uso e a distribuição de fundos provenientes de uma fundação privada — o que, juntamente com as necessidades de pessoal, pode tornar a operação mais dispendiosa —, os membros da família podem receber um salário pelo trabalho exercido na fundação.
- **Procure maneiras criativas para aumentar seu impacto.** Várias empresas estão criando um impacto exponencial no campo das doações beneficentes usando o financiamento coletivo. O Crowdrise (www.crowdrise.com, [em inglês]), por exemplo, foi cofundado pelo ator Edward Norton e se tornou um dos 25 principais trabalhos filantrópicos globais, de acordo com a *Barron's* (Tony foi um de seus primeiros investidores). Considerando as novas tecnologias e as amplas redes sociais, o Crowdrise conta com uma abordagem única para criar o máximo impacto: uma competição amigável entre instituições beneficentes que almejam sua doação. Digamos que você

quisesse doar US$ 100.000 para uma instituição beneficente focada em água potável tratada. O Crowdrise vai entrar em contato com dez (ou mais) diferentes instituições beneficentes que trabalham com água potável tratada para que elas concorram à doação que você quer fazer. Durante um mês, as instituições beneficentes concorrentes vão usar sua própria rede de doadores, informando-os que quem levantar mais dinheiro naquele mês será agraciado com a cessão daqueles US$ 100.000. Se cada instituição beneficente arrecadar US$ 50.000 em média (10 instituições beneficentes x US$ 50.000 = US$ 500.000), e o vencedor também obtiver seus US$ 100.000, um total de US$ 600.000 terá sido arrecadado — US$ 500.000 a mais do que você doou pessoalmente!

Eis aqui o seu diploma!

Se você chegou até esta página, parabéns! A esta altura, você não se determinou apenas a se tornar inabalável na construção de sua riqueza, mas também aprendeu exatamente o que precisa fazer para proteger sua família, reduzir seus impostos e deixar um legado de doações. Talvez sejam necessárias algumas conversas com seu advogado, seu consultor financeiro e seu especialista em seguros. Um pouco de foco hoje pode proporcionar uma inestimável serenidade para você e sua família.

Este livro foi composto na tipografia Minion Pro Regular, em corpo 11/15, e impresso em papel off-white no Sistema Cameron da Divisão Gráfica da Distribuidora Record.